JN103825

Introduction to

小向太郎◆著 *KOMUKAI Taro*

情報法入門
Information Law
デジタル・ネットワークの法律

【第 **5** 版】

NTT出版

〔第5版〕 はじめに

　本書『情報法入門　デジタル・ネットワークの法律』の初版を発行してから12年になる．多くの方に支えられ，幸いにも版を重ねることができたことに，心から感謝している．

　デジタル・ネットワークに関する環境の変化は，以前にもまして急速である．情報技術の利用は次々と新しいビジネスやサービスを生み出し，少し前なら夢の世界と思われたようなことを現実のものにしている．その原動力となる，AI，ビッグデータ，IoT，5G，プラットフォーム等は，社会や経済を語る上で欠かせないキーワードになっている．

　技術とビジネスの発展にともない，法制度上の課題も増加している．対応するための制度整備も各分野で進められている．特に，インターネット上の著作権保護（利用促進や海賊版対策）や，プラットフォーム事業者規制，個人情報保護については，社会的にも大きく注目され，議論の進展があった．こうした問題についての解説は，新たな動向や論点を反映させないと，どうしても古びたものになってしまう．

　前回の改訂（第4版）から2年がたち，すでにこうした論点についてのキャッチアップが必要であると考え，改訂を行うことにした．

　本書によって，情報やデジタル・ネットワークに関する法律の全体像を概観していただき，さらに深い議論や検討の参考としていただければ幸いである．

　2020年3月

小向太郎

凡例

(1) 法令の略称は，以下によるほか，一般の慣例による．
(2) 判例の表示は，最高裁大法廷は「最大」，最高裁第○小法廷は「最○小」，高裁は「高」，地裁は「地」と略し，判決は「判」，決定は「決」と略す．例：最一小判昭53・9・7刑集32巻6号1672頁．
(3) 判例・判例集等，書籍等の略語は，以下によるほか，一般の慣例による．

法令の略称

IT基本法	高度情報通信ネットワーク社会形成基本法
IT書面一括法	書面の交付等に関する情報通信の技術の利用のための関係法律の整備に関する法律
行政機関個人情報保護法	行政機関の保有する個人情報の保護に関する法律
個人情報保護法	個人情報の保護に関する法律
情報公開法	行政機関の保有する情報の公開に関する法律
青少年インターネット環境整備法	青少年が安全に安心してインターネットを利用できる環境の整備等に関する法律
通信傍受法	犯罪捜査のための通信傍受に関する法律
デジタル手続法	情報通信技術の活用による行政手続等に係る関係者の利便性の向上並びに行政運営の簡素化及び効率化を図るための行政手続等における情報通信の技術の利用に関する法律等の一部を改正する法律
電子契約法	電子消費者契約及び電子承諾通知に関する民法の特例に関する法律
電子署名法	電子署名及び認証業務に関する法律
特定商取引法	特定商取引に関する法律
特定秘密保護法	特定秘密の保護に関する法律
独占禁止法	私的独占の禁止及び公正取引の確保に関する法律
番号法	行政手続における特定の個人を識別するための番号の利用等に関する法律
不正アクセス禁止法	不正アクセス行為の禁止等に関する法律
プロバイダ責任制限法	特定電気通信役務提供者の損害賠償責任の制限及び発信者情報の開示に関する法律

| 薬機法 | 医薬品，医療機器等の品質，有効性及び安全性の確保等に関する法律 |
| リベンジポルノ防止法 | 私事性的画像記録の提供等による被害の防止に関する法律 |

判例・判例集等の略称

大判（決）	大審院判決（決定）
控判（決）	控訴院判決（決定）
最大判（決）	最高裁判所大法廷判決（決定）
最一小判（決）	最高裁判所第一小法廷判決（決定）
最二小判（決）	最高裁判所第二小法廷判決（決定）
最三小判（決）	最高裁判所第三小法廷判決（決定）
高判（決）	高等裁判所判決（決定）
知財高判（決）	知的財産高等裁判所判決（決定）
地判（決）	地方裁判所判決（決定）
刑録	大審院刑事判決録
民集	最高裁判所民事判例集／大審院民事判例集
刑集	最高裁判所刑事判例集／大審院刑事判例集
裁判集民	最高裁判所裁判集民事
高民集	高等裁判所民事判例集
高刑集	高等裁判所刑事判例集
下民集	下級裁判所民事裁判例集
下刑集	下級裁判所刑事裁判例集
判時	判例時報
判タ	判例タイムズ

＊なお，制作の都合上，本書に掲載している図表には，出典元の図表に適宜手を加えたものが含まれている．また，記載されているURLは執筆時点のものであることにも，ご留意いただきたい．

情報法入門【第5版】デジタル・ネットワークの法律

目次

2-3 | プラットフォーム事業者 129

3 情報の取扱いと法的責任

3-1 | 取得・保有・提供 147

Introduction to

情報法入門【第5版】デジタル・ネットワークの法律

Informatio law

1

デジタル情報と法律

　本章では，デジタル化・ネットワーク化と社会や法制度との関係を概観する．

　デジタル・ネットワークの普及によって，さまざまな新しいことができるようになり，世の中は確実に便利になっている．その一方で，デジタル・ネットワークに起因する新たな問題も生じている．法律や制度は，このような問題に迅速に対処できていないのではないかといわれることも多い．

　デジタル化された情報は，複製や伝送によるノイズの混入を最小限にとどめることができる．これによって，複製や伝送による品質の劣化やコストの増加も最小限になり，大量かつ高品質のコピーを低コストで作成することができるようになる．また，デジタル情報は，全く加工の痕跡を残さずに別の情報に作り変えることができる．

　オープンでシンプルなプロトコルを採用することで急速に普及したインターネットは，伝送路の共有化とネットワークの分散化をもたらしている．そして，あらゆる情報の伝達が，同一のプロトコルを採用したコンピュータの集合体によって行われるようになりつつある．

　こうしたデジタル・ネットワークの進展によって情報と有体物との結びつきが希薄化している．従来の「物」との結びつきに依存していた制度は，このことによって揺らいでいるのである．

デジタル	ネットワーク
・複製コストの低下，劣化のない複製 ・情報の集積・結合，変幻自在な加工	・伝送コストの低下，ランダムアクセス ・情報発信者の遍在，情報の拡散

デジタル化・ネットワーク化と社会

1. デジタル情報の影響
・オンとオフによる表現　→　複製コストの低下と影響力の増大
・数値による表現　　　　→　柔軟な加工と証拠性・新たな危険

2. インターネットの影響
・オープンなプロトコル　→　情報発信の民主化と社会的責任
・シンプルなプロトコル　→　集中管理の欠如と問題への対処

1-1-1　情報法とデジタル・ネットワーク

▶ 情報と情報法

　本書が対象とする情報法とは，情報に関する法律上の問題を検討する研究分野である．情報について法的なルールを定めるにあたっては，情報というものの特徴から生じる問題がある．情報法研究は，このような問題を検討することを目的とする．

　情報に関する法律の特徴は，有体物に関する特徴と比較することで，ある程度あきらかになる．例えば，民法は，人と物を対象とする権利と義務について定めており，「物」とは有体物（液体，気体，固体）を指す．これに対して，情報とは，有体物そのものではなく，有体物が存在するパターン（配列等）である．しかし，生物と全く関係なく存在している物体のパターンは，情報とはいえない．情報は，こうしたパターンのなかでも，生物が何らかの反応を示すものをいう．その意味では，生物を形作るDNAのパターン（塩基配列など）は根源的な意味の情報であるといえる．ただし，法律が対象とする情報は，通常は，人間が認識して理解できるものであって，人から人に伝達可能なものに限られる．

　本書では，情報に関わる法制度において，特に情報の次のような特性に関わる法的問題や課題を対象とする．

> ①無体物であること
> 　物理的排他的な支配が難しく，複製や改ざんが容易であり，拡散されやすくそれを解消することは困難である
> ②媒体と伝送路に依存すること
> 　情報の影響力や制御可能性は，どのような媒体と伝送路によって伝達されるかどうかに大きく左右される
> ③主観的要素の重要性が大きいこと
> 　情報と行動の関係は予見可能な因果律に基づくものではなく，情報の価値や影響力は主観的かつ相対的である

情報法という分野を研究することに意味が認められるのは，情報に焦点を当てることで，法律の解釈や立法政策に関する理解が深まり，よりよい法制度の実現に寄与する可能性があるからである[1]．そして，その第一歩となるのは，法制度が情報を相手にする際にどのような困難があるのかを理解することである．そして現在，デジタル・ネットワークの進展が，こうした問題を鮮明に顕在化させている．

　情報の特性として，第一に，情報が無体物だということがある．情報に対しては，物理的な支配や排他的な支配を行うことが難しい．有体物については，排他的な支配がされているかどうかが，直感的に判断できる．しっかりと握りしめて他人に渡さない状態が容易にイメージできるからである．これに対して，情報は排他的に支配することができない．例えば，重要な情報が記録された文書を握りしめて独占しても，情報自体はすでに他の人に知られてしまっていることがある．情報の伝達に占有の移転は不要であり，情報を物と同じように物理的排他的に支配することに，そもそもあまり意味がない．さらに，情報は複製や改ざんが本質的に容易である．それでも従来の情報は，何らかの物と強く結びつくことが多かった．書類でも出版物でもレコードでも，物と情報は一体になっている．情報が一定の物と結びついていることを前提に法律を作ることで，捉えどころのない情報にも法的な秩序を及ぼすことができる．従来の法制度では，情報を物に化体させてルールを適用することが多かったのである．

　しかし，デジタル・ネットワークの進展は，情報が記録される媒体（有体物）から離れて，自由に流通することを飛躍的に容易にしている．情報のデジタル化・ネットワーク化によって「対象物」が消失し，制度が有効に機能しなくなっている．法律には，有体物からの呪縛を解かれた情報をどのように規律してよいのかわからずに，今もまだ途方に暮れている面がある．

---

[1]　1996年にこのような法分野は不要であるとして注目されたものにイースタブルック判事の「サイバースペースと馬の法（Frank H. Easterbrook, *Cyberspace and the Law of the Horse*, 1996 U CHI. L.F., 207, (1996).）」がある．馬に関する法的係争が多くても「馬の法」が不要なのと同様に「サイバースペース法」は不要であるという主張であるが，その趣旨はこのような意味が認められないという批判であろう．Lawrence Lessig, The Law of the Horse：*what Cyberlaw Might Teach*, 113 HARV. L. REV., 501 (1999). も参照．

第二に，情報がどのような影響力を持つかということや，情報の伝達をコントロールできるかどうかということは，媒体や伝送路の性格に左右される．情報は，本来的には，伝達や拡散が容易であり，拡散したものを元に戻すことは困難である．ただし，情報を伝達するためには，何らかの媒体や伝送路が必要である．従来は，影響力の大きい情報伝達手段には，何らかのボトルネック[2]があり，そのボトルネックが法的または社会的な規律を及ぼす前提になっていた．例えば，放送や新聞，出版等のマス・メディアや電気通信事業者は，その担い手がかなり限定されていた．しかし，インターネットを構成する主体は多様かつ複雑であり，情報発信者の裾野も限りなく広い．こうしたことが情報に規律を及ぼすことを難しくしている．実際に何か問題が生じた場合でも，世界中の雑多なコンピュータの集合体であるインターネットでは，情報流通の把握，追跡，制御等が相当に難しい場合が多い．インターネットの匿名性と表現される問題である．さらに，ISP (Internet Service Provider)[3]やプラットフォーム事業者の責任をどのように考えるかということも問題になってくる．

　第三に，情報の価値や影響力は主観的要素に大きく左右される．人の行動は情報によって左右されるが，どのような情報がどのような行動をもたらすのかは，予見不可能である．また，情報が価値を持ったり害悪をもたらしたりする場合があることは明らかであるが，情報の価値や害悪の評価はそれを認識する人や状況によって異なり，主観的な要素が重要になる．デジタル・ネットワークによって情報利用が飛躍的に進展し，新しい情報規律が求められるようになっているが，客観的統一的基準を確立することは困難な場合が多く，関係者の主観を尊重したものにならざるを得ない．制度設計においては，関係者の主観的要素をどのように制度に反映させるべきかという点が重要になっている．

　後述の通り，「情報法」の定義に関しては議論があるが，情報法研究が上記

---

[2]　ボトルネックとは瓶の首が細くなっていることから生まれた言葉で，事業を行う上で必要になる要素のうち，特に供給者が少ないものをいう．例えば，テレビ放送であれば視聴可能なチャンネル数がボトルネックになる．

[3]　ISPには必ずしも明確な定義はないが，一般的には，インターネットへの接続とそれに関連するサービス（電子メール，Webページやブログ開設支援，ストレージ等）を提供する事業者のことをいう．なお，特にISP責任 (ISP liability) という場合には，媒介者責任 (intermediary liability) とほぼ同じ意味で用いられ，電子掲示板の開設者等が含まれる．

のような問題を扱う研究分野であることに異論はないであろう．そこで，情報法の入門書である本書では，デジタル化やネットワーク化によって，情報に関する法的規律がどのような困難に直面しているのかということを，情報法の中心的な課題として取り上げることにする．

► 「情報法」に関する議論

　情報法という分野が法律学の一分野として存在することについては，現在ではあまり争いがない．また，情報法に関する概説書も数多く存在する[4]．しかし，「情報法」とは何かということについては，必ずしも共通の理解や厳格な定義があるわけではなく，情報に関する法律の寄せ集めではないかという批判もある[5]．確かに，法律自体が情報である以上，さすがに「情報に関する法」では，定義として意味をなさない．こうしたなかで，情報法の一般理論について検討が必要だという提言もなされている[6]．

　最近では，このような状況に問題意識を持ち，「情報法」を「情報の生産・流通・消費に関する法」と位置づけ，基本理念として①自由かつ多様な情報流通の確保，②情報の保護，③ユニバーサル・サービスの実現を挙げて，独自の法領域として論じる見解が注目される[7]．法分野を明確化する試みとして，意欲的かつ有意義な提案であることは疑いがない．

　ただし，このような見解が対象とする「情報法」は，非常に広範な法領域が

---

[4]　わが国で，書名に「情報法」という名称を使ってこれを体系的に解説した単著は，浜田純一『情報法』（有斐閣，1993）が最初のものであろう．過去5年（2015年以降）に公表された情報法に関する体系書としては，林紘一郎『情報法のリーガルマインド』（勁草書房，2017），米丸恒治編『18歳からはじめる情報法』（法律文化社，2017），曽我部真裕・林秀弥・栗田昌裕『情報法概説』（弘文堂，第2版，2019）等がある．なお，本書が対象とするインターネットに関する法律を体系的に解説したものとしては，松井茂記・鈴木秀美・山口いつ子『インターネット法』（有斐閣，2015）等がある．さらに，デジタル・ネットワークの黎明期に，情報の特性に着目した幅広い問題提起を行っているものとして，名和小太郎『情報社会の弱点がわかる本』（JICC出版局，1991）もあげておきたい．

[5]　林紘一郎「情報法の客体論─『情報法の基礎理論』への第一歩」情報通信学会誌29巻3号（2011）2頁，曽我部真裕「『情報法』の成立可能性」長谷部恭男他編『岩波講座　現代法の動態1　法の生成／創設』（岩波書店，2014）124頁．

[6]　林紘一郎「情報法の一般理論はなぜ必要か─5つの理由と検討すべき10の命題」情報通信学会誌Vol.33 No.3（2015）1-11頁．

[7]　曽我部真裕・林秀弥・栗田昌裕『情報法概説』（弘文堂，第2版，2019）2-12頁．

対象となり，一般に情報法として議論されている対象を大きく越えた内容が含まれることになる[8].

▶ デジタル・ネットワークの急速な普及

現在では，さまざまな情報がデジタル情報としてコンピュータ処理されている．デジタル情報は，狭義のコンピュータだけで処理されるのではない．情報機器のデジタル化は，あらゆる場面で進んでいる[9].

音楽ソフトは30年以上前からアナログのレコードやカセットテープからコンパクトディスクへの移行が進んでいるが，最近ではインターネットを介した音楽配信やデジタル音楽プレイヤーが普及し，純粋なデジタル情報として流通することが多くなっている．映像ソフトについても，現在はビデオテープがDVDやBlu-Rayのようなデジタル媒体になり，映像配信サービスによってデジタル情報としても提供されている．テレビ番組の録画もハードディスクレコーダが主流である．写真やビデオのカメラもデジタルが主流になり，テレビやラジオもデジタル放送に移行している．電子書籍も本格的な普及期に入っている．こうしたデジタル情報が，インターネットの普及によって，瞬時に世界中を駆け巡るようになっている．

インターネットを一般の人が使えるようになったのは，1990年代半ば以降である．わが国の普及率を見ると，1997年は9.2％だった個人普及率が，2005年には70％を越え，2016年には83.5％になっている．現在，多くの人が日常的に使っている携帯電話からのインターネットアクセス（モバイル・インターネット）も，NTTドコモがi-modeサービスを開始した1999年までは存在しなかったが，2015年には，87.1％がモバイル端末を利用してインターネットにアクセスしている[10].この20年間ほどで，デジタル・ネットワークがめざま

---

8) 提唱者が指摘しているように，この定義を採用した場合の射程は非常に広い．例えば，知的財産権法，金融法などは，すべて情報法に包含される可能性がある．さらに，ジャーナリズム法やマス・メディア法と呼ばれている分野，憲法の精神的自由権に関する議論等が広く射程に入り得るであろう．

9) デジタル情報を扱う情報機器は，広義においてはすべてコンピュータであるともいえる．コンピュータの基本的な知識については，坂村健『痛快！コンピュータ学』（集英社文庫，2002）を参照．

しく普及していることがわかる.

► クラウド, ビッグデータ, IoT, AI

インターネットを基盤として, クラウド・コンピューティング, ビッグデータ, IoT, AIといった技術が発展を遂げている.

クラウド・コンピューティングとは, ネットワーク上にあるコンピュータを使って高度な処理を実現する技術であり, 2006年頃から注目されるようになった[11]. ネットワーク上にある複数のコンピュータ群が利用者の要求に応じてさまざまなコンピュータ処理を行うもので, 利用者からはハードウェアの所在を意識せずに使うことができる[12]. 高度なユビキタス環境の実現やコンピュータ資源活用の最適化など多くのメリットをもたらしている.

ビッグデータとは, 統計解析手法を用いた大量のデータ分析, またはその対象となるデータのことをいう. コンピュータのハードウェア能力が飛躍的に高まり, 並列分散処理やオープンソースによる処理手法が確立した. コンピュータが処理しやすいフォーマットで作成されたデータだけでなく, 従来は処理することが難しかった非構造化データを処理することも比較的容易になってきた. これによって対象データの範囲が飛躍的に増大し, 膨大なデータ処理が可能になった. そして, ネットワーク化の進展によって膨大なデータが半ば自動的に収集できるようになっている. 例えば, スマートフォンにはGPSをはじめとする各種センサーが内蔵され, 多くの情報を自動的に収集できるし, SNS

---

10) 総務省「通信利用動向調査」http://www.soumu.go.jp/johotsusintokei/statistics/statistics05b1.html

11) クラウド・コンピューティングの代表とされるアマゾンのS3 (Simple Storage Service) とEC2 (Elastic Compute Cloud) が開始されたのが2006年であり, クラウド・コンピューティングという表現が初めて使われたのは, 2006年の「検索エンジン戦略会議」におけるグーグルCEOエリック・シュミットの発言であるとされる. 以前から, ネットワークを介してコンピュータ処理を行うサービスは存在しており, SaaS (Software as a Service), PaaS (Platform as a Service), IaaS (Infrastructure as a Service) のように, 提供される機能に着目した呼ばれ方をしていた. 最近では, これらを総称して「クラウド・コンピューティング」または単に「クラウド」と呼ぶことが多い.

12) クラウド (雲) からサービスが降ってくるということをイメージして呼ばれるようになったと言われている (ニコラス・G・カー (村上彩訳)『クラウド化する世界』(翔泳社, 2008) 134-135頁参照). ただし, 「クラウド」という呼び方は, コンピュータ関係の説明図を書く際に, インターネットが雲の形で表現されることが多かったことから来ているという意見もある.

では利用者が大量の情報を発信している．センサー搭載機器や産業設備が人手を介さずに自動的に通信を行うシステムが増えて，それ自体が同時に大量のデータを生み出していく．このようなデータを利用して，都市計画における交通システムや防災対策，医療分野における医療最適化や疫学研究への利用等が期待されている．行動ターゲティング広告，レコメンドといったインターネット時代を代表するサービスにも，ビッグデータの活用が効果的である．また，政府が保有する公共データ（オープンデータ）についても，例えば各種人口統計，交通情報，認可状況などはビジネスに役立つ可能性も高く，どのような範囲で利用を進めていくかが焦点になっている．

IoT（Internet of Things）とは，インターネットによってあらゆる物をつないで現実の世界とインターネットの世界をリンクさせていく技術全般のことである．従来から，電化製品（冷蔵庫，炊飯器，調理器具，エアコン等）を制御するために，マイクロ・コンピュータ（ICチップ）が埋め込まれており，こうしたさまざまなデジタル機器の情報をネットワークで連携する「デジタル家電」への進化が期待されてきた．最近では，家電以外の分野でも，センサー搭載機器や産業設備が人手を介さずに自動的に通信をするシステム（M2M：Machine to Machine）が増えており，こうしたものの総称としてIoTということばが使われている．

最近注目を集めている人工知能（AI：Artificial Intelligence）や，それを利用したロボット，自動車の自動運転等の進化にも，デジタル・ネットワークが大きな役割を果たしている．現在のAIは，ほとんどがネットワークに接続して，データの蓄積や処理はクラウド側で行っており，このことが技術革新を実現する基盤の一つになっている．

▶ 社会への影響

インターネットの普及は情報発信者の裾野を大きく広げ，マス・メディア以外の主体による情報発信の影響力を格段に増加させている．従来，マス・メディアと一般人では，その情報発信の影響力に格段の違いがあった．例えば，情報の受け手に対する広いリーチを持つマス・メディアが人の名誉を毀損すれば深刻な影響を及ぼすが，一般人による情報発信が同様の影響力を持つことはまれであった．しかし，インターネットでは，ひとたび話題となれば莫大なア

クセスを集めることもあり得る。実際に，素人のツイッターでのつぶやきが，時として社会的に大きな反響を呼んでいる。

2010年11月には，警視庁の公安情報と思われるものがファイル交換ソフトで流出したこと（公安情報流出事件）や，尖閣諸島で海上保安庁の巡視船と中国籍の漁船が衝突した事件で非公開の映像がYouTube上に投稿されたこと（尖閣ビデオ流出事件）が注目を集めた。ともに重大事件であるが，特に尖閣諸島のビデオに関しては，瞬時に大量の複製が作成・再投稿されたために，情報が広く行き渡ったことがネットワークの影響力を見せつけた。また，2013年6月に，米国中央情報局（CIA）や国家安全保障局（NSA）に勤務していたエドワード・スノーデンが，米国政府による個人のインターネット利用情報の収集を暴露した事件は，米国政府の過度な諜報活動に対する非難を高めるとともに，インターネット上で行われるコミュニケーションの社会における重要性を改めて印象づけた。

2010年チュニジアのジャスミン革命に端を発するアラブ諸国の大規模な反政府運動（アラブの春）では，フェイスブックなどを通じたインターネット上での情報交換が，大きな役割を果たしたとも言われている。また，2014年から急速に軍事勢力を拡大してシリア，イラク国内に国家樹立を宣言して英米を中心とする西欧諸国と厳しく対立したいわゆるイスラム国（IS：Islamic State）も，インターネットを使った広報や志願者の勧誘を巧みに行っているといわれ，拘束した民間人の殺害映像を動画共有サイトで公開したことでも世界に衝撃を与えた。

さらに，2016年の米国大統領選挙では，ツイッターで奔放な発言を繰り返すドナルド・トランプ大統領が誕生した（2017年1月就任）。選挙中からツイッターでの発言が頻繁に話題になったほか，対立候補のヒラリー・クリントン元国務長官が公務で私用メールアドレスを使用していた問題や，選挙システムへのサイバー攻撃が注目を集め，選挙の行方にも大きく影響した。

また，2018年には，フェイスブックから大量の利用者情報が漏洩したことが報じられた。特に，流出した情報を利用した分析が，2016年に行われた英国のEU離脱に関する国民投票やアメリカ大統領選挙のプロモーション等に利用されたのではないかと疑われ注目を集めた。フェイスブックからの情報漏洩

は，その後も大きな問題となっている．

1-1-2　デジタル情報の特徴

▶ **デジタル情報とは**

　デジタル (digital) はディジット (digit：指，数字) から派生した言葉で，デジタル情報とは数字によって記述された情報のことを指す．これに対応する概念としてアナログ (analog) がある．本来は相似・類似といった意味である．アナログ録音は，音 (空気のふるえ) を相似形の電気信号等に変換することで記録し，アナログのカメラは被写体と相似形の影をフィルムに焼きつける．デジタル情報は，こうした情報をすべて数字に置き換えたものである．

図表1-1	音声のデジタル化

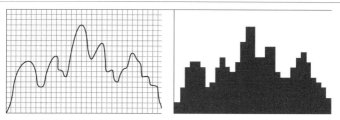

出典：IPA「教育用画像素材集サイト」https://www2.edu.ipa.go.jp/

　情報通信技術を用いて情報を伝達する際には，情報を符号化する必要がある．符号化とは，特定のルールによって定められたコードで情報を処理することをいう．言語を伝達するために使われている文字も符号のひとつである．符号は別の体系の符号に置き換えることが可能である．したがって，表す対象と符号が1対1で対応するルールが整ってさえいれば，伝達可能な情報はすべて数値に置き換えることができる．音声も画像も，それぞれを細分化して単位当たりの特性を標本化することで数値に変換される．

▶ **柔軟な処理**

　数値に置き換えることで，処理を数学的に柔軟に行うことができる．一定の

規則性がある数字の集合を簡潔な数式で記述することは，数学や工学の世界で高度に発達している．数学的な手法を数値化された情報処理に応用することで，処理の効率化や高度化を図ることができる．例えば，圧縮技術[13] などはその典型的な成果である．

さらに，数値化された情報は，加工・改変を柔軟に行いやすい．CG (Computer Graphics) 技術の進展によって，デジタル技術を駆使したハリウッド映画では，CG上でのみ存在するキャラクターが，実在するとしか思えない生き生きとした活躍をしている．このような映像技術は年々飛躍的に向上しており，今では映像だけを見せられても，それがCGなのか現実にあるものなのかを容易に判別できないことも多い．昔と違って，UFOや宇宙人を見たといって本物らしい写真を見せられても，それらが実在するという証拠にはならない．

2010年10月には，大阪地検特捜部の検事が証拠のフロッピーディスクに保存されたファイルの作成日付を改ざんしたとして逮捕されたこと（大阪地検証拠改ざん事件）が，わが国の司法を揺るがす大事件となった．このようなことがあってはならないのはいうまでもないが，デジタル情報を証拠として使うには，証拠として確かであることを証明するための技術やルールが必要であることも忘れてはならない．

デジタル情報が柔軟でさまざまな加工を行いやすいという特徴を利用すれば，例えば，著名人が，自分の主張とかけはなれたことを実際に話しているようにしか見えない偽の動画を作成して，動画共有サイトで広めることも可能になる．特に最近では，AIの画像認識を飛躍的に向上させたディープラーニング[14] を利用したディープフェイクと呼ばれる技術によって，こうした偽動画の作成が容易になっており，その危険性が指摘されている．

---

13) データの実質的な性質を損なわずに，データ量を減らしたデータに変換する技術．MP3（音声），JPEG（静止画），MPEG（動画）等の方式がよく知られている．
14) 機械学習（自動的にパターン抽出を繰り返すAIの学習方法）の手法のひとつで，深層学習とも呼ばれる．例えば，画像認識を機械学習する場合に，どのような特徴に着目すれば正解に近づくことができるのかという判断基準（特徴量）を自ら獲得して，分類できるようになる．

▶二進数

現在のデジタル情報は，数値化に際してすべて二進数が使われている．二進数は，電子機械が最も処理しやすい形である．二進数で使用される数字は，「0」と「1」だけであり，電子的にはオン（通電状態）とオフ（非通電状態）だけで表現できる．電子機械にとって，オンとオフによって情報を識別することは，例えば，電圧のレベルによって情報を識別することと比べると格段に容易である．また，情報伝達に際してはノイズの混入が不可避であるが，オンかオフかという情報は，ノイズによって識別が困難になる可能性も低い．したがって，デジタル情報は伝達によるクオリティの低下を最小限に抑えることができる．カセットテープ（アナログ）で録音した音楽がダビングを繰り返すと音質が悪くなるのに対して，デジタル化した音楽ファイルがコピーを繰り返しても劣化しないのは，このような理由による．

コピーを繰り返しても情報の劣化が少ないということは，著作物のコピー等を無断で複製することがより容易にできるということでもある．アナログ技術の時代には，オリジナル（レコード等）に比べてコピーは一般に質が悪かったため，オリジナルの販売への影響は，ある程度限定的であった．しかし，コピーによる品質の劣化がゼロに近づくと，この影響はいっそう無視できないものになる．

さらに，情報がデジタル化されることで，すべての情報を電子的に並列に扱うことができるようになる．情報を同一のフォーマットで記録することで，文字，数字，音声，画像等を同一のネットワークで取り扱うことも容易になる．デジタル化によって，情報機器とネットワークの共通化が急速に進んでいる．

1-1-3　インターネットの特徴

▶インターネットの成立

インターネットという言葉は，複数のコンピュータ・ネットワークを相互接続したネットワークを指す一般名詞である．しかし，現在インターネットといえば，ほとんどの場合，米国のARPANET（Advanced Research Project Agency NETwork）に端を発する世界最大のコンピュータ・ネットワークを指す．

図表1-2	インターネットの略史
1957年	スプートニク・ショック
1958年	米国ARPA（Advanced Research Project Agency）発足
1969年	ARPANETの運用開始
1972年	ARPANETに電子メール導入
1982年	TCP/IPの開発
1983年	ARPANETがTCP/IPを標準プロトコルとして採用
1983年	ドメインネームシステム（DNS）の成立
1986年	NSFNETの運用開始（National Science Foundation）
1990年	ARPANETのプロジェクトが終了
1991年	WWWの開発公表，世界初のWebページの設置・公開
1993年	NCSA Mosaicの開発・公表
1995年	ドメインネーム（com，org，netなど）の有料化
1998年	ICANN誕生（ドメインネーム・システム等の管理）

出典：JPNIC「インターネット歴史年表」https://www.nic.ad.jp/timeline/ 等を参考に著者作成

　ARPANETは，1969年に国防上の安全を高めるために[15]，分散型コンピュータ・ネットワークの実現を目的として開発された．1982年には，ビント・サーフとボブ・カーンによってTCP/IPというプロトコル[16]が開発され，翌年にはARPANETに導入されている．そして，1986年にARPANETで培った技術をもとに学術機関を結ぶネットワークNSFNET（National Science Foundation NETwork）が構築され，世界中に広がっていった．1990年代から次第に商用利用されるようになり，1995年にはNSFNETは民間へ移管されるようになる．

　インターネットで採用されているTCP/IPは，機種に依存しない標準化され

[15]　ネットワークの安全性を確保するために，コンピュータが持つ情報を1か所に集中管理するのではなく各所に平等に分散させたのは，ソ連の核攻撃に備えることが目的だったといわれている．ただし，当初から学術研究における情報の共有が主目的だったのであり，軍事目的であることを強調するのは実態と異なるとする見解もある．インターネットの歴史については，Barry M. Leiner, et al., A Brief History of the Internet, http://www.isoc.org/internet/history/brief.shtml, JPNIC「インターネット歴史年表」https://www.nic.ad.jp/timeline/等を参照．

[16]　プロトコル（protocol）とは，通信手順のことをいう．通信を行う場合には，送られてくる信号が，どのような意味を持っているのかというルールが共有されていないと，互いにコミュニケーションをとることができない．例えば，手紙という通信手段では，宛先や差出人を書く方法が定められていることによって，郵便局は宛先に手紙を届けることができる．コンピュータ同士も，送られてきたデータをどのように伝送するかというルールが定められて，初めて通信が可能になる．

たプロトコルであり，通信データが細かく宛先付きのパケットに分けて送信される．TCP/IPは，送信先・送信元や伝送経路を定義しているIP（Internet Protocol）とその上位で接続の信頼性を保障しているTCP（Transmission Control Protocol）とからなるが，それぞれのレベルで伝送する情報に関するヘッダ情報（情報の属性を示す情報）がデータ本体に付加されている[17]．インターネットを流通する情報はパケットの形で不特定多数のルータを通過するため，IPパケットのヘッダ情報[18]を多数のルータ（中継機器）が参照して，情報を伝達していくことになる．全体を統括するコンピュータは存在せず，相互に接続されているコンピュータが，一定のルールに従って情報をやりとりすることで成り立っている．情報の伝送等を管理する特定の責任主体は存在せず，接続している組織が各ネットワークを管理することになっている．

　デジタル化され一定のフォーマットで規格化された情報は，数字，文字，音声，画像等のどのような情報であっても，同一の伝送路を用いて伝送することができる．この伝送路の共有化は，伝送の効率化と費用の低下をもたらす．また，オープンでシンプルなプロトコルを採用することで，コンピュータの機種やOS（Operating System）[19]の違いを超えて，あらゆるコンピュータが対等にネットワークに接続することが可能となる．各種技術仕様は基本的に公開されているため，誰でも関連技術を開発することができる．

　当初は，電子メールやNetNewsといった利用形態が中心であったが，ハイ

---

[17]　これ以外にも，通信プロトコルの各レベルでデータ本体以外の情報が付与されて，ネットワークやコンピュータが情報のやりとりを的確に行うための目印になっている．インターネットの技術的な仕組みについては数多くの解説書が出されているが，初心者にもわかりやすく解説したものとして，岡嶋裕史『郵便と糸電話でわかるインターネットのしくみ』（集英社新書，2006）がある．村井純『インターネット』（岩波新書，1995），村井純『インターネットII』（岩波新書，1998）も参照．

[18]　IPヘッダには，バージョン番号，IHL（IPヘッダの長さ），パケット長（データ部も含めた長さ），識別子・フラグ・フラグメントオフセット（パケットに分割されたデータにおける位置），TTL（パケットの生存時間：ループに入ったパケットを破棄するためのフラグ），ヘッダチェックサム（ヘッダのデータが壊れてしまったときにそれを検出できるようにする値），プロトコル（TCP, UDPなど当該パケットが運ぶデータの上位層プロトコル），送信元IPアドレス，宛先IPアドレスが含まれる．

[19]　コンピュータが動作するための基本的なプログラムを提供するシステム・ソフトウェア．一般の利用者になじみが深いものとしては，PC用のWindowsやMac OS，スマートフォン用のAndroidやiOS等がある．

パーリンク機能を備えテキストや画像を手軽かつ柔軟に扱える www（World Wide Web）[20] やそれを閲覧するソフトウェア（Web ブラウザ）[21] が登場したことや，PC（Personal Computer）向け OS にインターネット接続が標準装備されるようになったことにより，利用が爆発的に増大し世界規模の情報通信基盤となった．

▶インターネットへのアクセス

インターネットへの接続が一般に開放され始めたのは 1990 年代前半である．90 年代の後半までは，一般の個人や中小企業などは電話回線や ISDN 回線を利用したダイヤルアップ接続を利用していた．長時間接続すると高額な電話料金がかかるため，インターネットに常時接続することは現実的でなかった．

1998 年頃から CATV によるインターネット接続サービスの提供が始まり，最も高速なものでは下り（インターネット側から利用者へ）の速度 1Mbps 程度の接続が定額料金で可能になった．実質的なブロードバンド[22] の登場である．さらに，1999 年からは ADSL によるインターネット接続サービスが提供されるようになる．当初，下りのベストエフォート[23] が 1.5Mbps であったが，その後，技術の向上により数 10Mbps まで上昇している．2001 年に，光ファイバを家庭まで敷設して高速インターネット接続を提供する FTTH によるサービスが開始された．2003 年頃からは低価格化が進み，現在ではこちらが主流となりつつある．

1999 年に登場したわが国のモバイル・インターネットは，携帯電話事業者の主導で超小型の端末にさまざまな機能が凝縮され，音楽プレイヤーやカメラ，電子マネー等の機能が取り込まれた高機能端末として諸外国と比べても高度に発展していた．しかし，2007 年にアップルから iPhone が発売されると，

---

[20] 1991 年にティム・バーナーズ・リーによって公表されるとともに，世界で初めての Web サイトが設置されている（http://info.cern.ch）．

[21] 画像を扱える初めての Web ブラウザである NCSA Mosaic は 1993 年にイリノイ大学の学生グループによって開発された．

[22] ブロードバンドとは「広帯域」を意味する言葉であり，情報通信の分野では，広帯域伝送の高速回線を一般にブロードバンド回線と呼ぶ．どの程度の速度のものをブロードバンドと呼ぶかについて明確な定義はない．一般に，動画のストリーミング等がストレスなくできる速度として，概ね 1Mbps 以上の速度がイメージされている．

[23] 通信規格上の最高接続通信速度．

瞬く間に世の中の携帯端末はスマートフォン化した[24]．2010年には，FTTH
並のアクセスを提供するモバイル・インターネットアクセス (LTE：Long Term
Evolution) の提供が開始され，さらに超高速化や低遅延化を進める第5世代移動
通信システム (5G) の提供が2020年から開始される予定である．また，IoTの
ような分野では，通信の高速化よりも省電力や広域エリアをカバーすることが
求められる．こうした新しいニーズに応えるためのLPWA (Low Power Wide Area)
と呼ばれる技術も開発が進み，携帯電話会社各社によって提供が開始されてい
る．

▶ファイル交換・動画共有

　ファイル交換ソフトとは，P2P技術 (ネットワークに接続した端末同士が直接情報
をやりとりする技術) を利用して，不特定多数のコンピュータの間でのファイル
共有を実現するソフトウェアである．最初に注目を集めたものとして，米国の
ナップスターがある．ナップスターは，利用者が自分の共有したいファイルを
ナップスター社のサーバ (サービスを提供するコンピュータ) に登録することで利用
可能なファイルのリストが作成され，利用者はこのリストをもとに互いに欲し
いファイルを共有するという仕組みであった．1999年1月にナップスターが
公表されると，著作者の許諾を得ていない音楽ファイル等が大量に交換される
こととなり，全米レコード協会 (RIAA：Record Industry Association of America) 等か
ら提訴されサービスの停止を余儀なくされている[25]．このような形態のファ
イル交換ソフトは,「ハイブリッド型」と呼ばれ，運営会社のサーバが停止す
れば利用できなくなる．

　その後，サーバを介さずにネットワーク上に接続した利用者同士が直接ファ
イル情報をやりとりして (ファイルのリストをネットワーク上にヴァーチャルに構築し
て)，ファイル交換を実現する「ピュア型」と呼ばれるソフトが出現する．
Gnutellaがその代表とされる．中央で管理するサーバが存在しないので，利用
者がいる限りファイル交換が可能である．さらに，キャッシュ機能 (ソフトを利

---

[24]　モバイル産業の発展と特徴を解説したものとして，川濵昇・大橋弘・玉田康成編『モバイル産
　　業論』(東京大学出版会，2010) を参照．
[25]　A&M Records v. Napster, Inc., 239 F.3d 1004 (9th Cir. 2001).

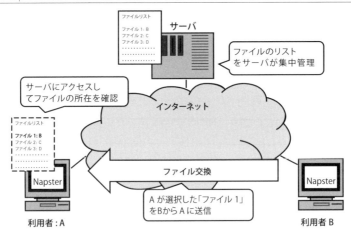

図表1-3 ハイブリッド型ファイル交換ソフトのイメージ

出典：金子勇『Winnyの技術』（アスキー, 2005）13-35頁を参考に作成

用している利用者のPCに伝送のためのデータを細分化・分散化して蓄積する機能）を備え伝送や検索の効率化を図ったソフトが開発されている．わが国で広まったWinnyやShareは，最後のタイプに属する[26]．

　ファイル交換ソフトに関しては，当初から，インターネット上における著作物の無断公開行為に注目が集まった．直接の侵害者は個別の利用者であるが，侵害が莫大になると責任追及が難しくなる．特に，Winnyについては，利用者が匿名でファイルのアップロードを行うことができるといわれていたことから，著作者の許諾を受けていない違法ファイルの大量公開を助長したといわれている．

　その他，プライバシーに関する情報や児童ポルノなどもファイル交換ソフトによって大量に流通していることや，ファイル交換ソフトに感染して情報をPC利用者の意思にかかわらず流出させるウイルスが出回っていることも，ファイル交換ソフトに関する問題を深刻にした．

　コンテンツの共有という意味では，YouTubeに代表されるような動画共有サ

---

[26] ファイル交換ソフトの技術的な特徴については，金子勇『Winnyの技術』（アスキー, 2005）を，その出現が与えたインパクトを解説したものとして佐々木俊尚『ネット vs. リアルの衝突―誰がウェブ2.0を制するか』（文春新書, 2006）等を参照.

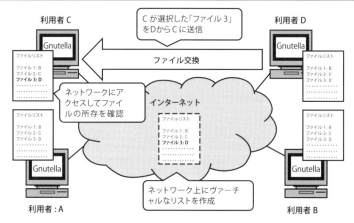

図表1-4 ピュア型ファイル交換ソフトのイメージ

利用者C

C が選択した「ファイル3」をDからCに送信

ファイル交換

利用者D

ネットワークにアクセスしてファイルの所存を確認

インターネット

ネットワーク上にヴァーチャルなリストを作成

利用者：A

利用者B

出典：金子勇『Winnyの技術』（アスキー, 2005）13-35頁を参考に作成

イトでは，テレビ番組等を無断で録画した情報がかなりの割合を占めるといわれている．サイト側でも，公開できる動画の長さを制限するなどの対策を行っているが，多様な投稿をリアルタイムで掲載することが魅力を生んでいるというサイトの性格から事後対応にならざるを得ず，このような画像を完全に排除することはできない．そうしたなかで権利者の利益にも配慮するために，Content ID（動画や音楽等のコンテンツの権利関係を把握する技術）等を用いて権利者の意向を反映させるシステムが提供されている．権利者の削除要請への対応や，視聴動向の情報や動画に付けた広告料の支払い，動画共有サイト上での視聴動向に関する情報提供など，利益の還元を受けたりできるようにする取り組みも行われている．

1-1-4　インターネットと匿名性

▶インターネットは匿名なのか

リアルの世界と違って，インターネットの世界は匿名だという言い方がされることがよくある．インターネット上で公開されている個人のWebページやブログを見ても，電子掲示板での書込みを見ても，特にわが国では本人の実名

が記載されていないことが多い．米国の雑誌ニューヨーカーは，ネットで発言しているのが犬でも気がつかないだろうと皮肉ったマンガを，1993年に掲載している[27]．

　Webページや掲示板にアクセスしたとき，掲示板に書込みをしたとき，誰かにメールを送信したときなどに，相手側にどのような情報が伝わるのかということは，一般の利用者に必ずしも理解されていない．自分がこのサイトを見ているということは相手にわからないと思うが，もしかしたらわかってしまうのかもしれないと，漠然とした不安を持っている人が多いのではないか．だから，匿名だと思って掲示板に不用意に書込みをする人がいる一方で，ワンクリック詐欺で「IPアドレス（またはドメインや携帯端末のID）がわかっているぞ」などと脅されると，（相手が自分の住所氏名等を知らないということに確信が持てずに）お金を払ってしまう人もいるのであろう．

　Webサーバ等に蓄積されるアクセスログ（通信記録）としては，アクセスした時間，IPアドレス，OSのバージョン，ブラウザのバージョン，ブラウザの種類等が一般的であると考えられる．このうち，特定の個人と結びつく可能性が高いのはIPアドレスである．また，単純にアクセスログを見るだけでなく，効率的にサーバへのアクセスを把握する方法として広く使われているものに，クッキーやWebビーコンがある．

▶ IPアドレスとユーザ情報

　技術的な視点から見ると，PCでWebページを閲覧するという行為は，インターネットにある特定のWebサーバに対して，特定のPCに向けて情報を転送せよというコマンドを出すことにほかならない．したがって，どのPCに対して情報を送ってほしいのかを伝えなければ，インターネットでの情報のやり取りはそもそも不可能である．インターネットでサイトにアクセスした場合には，必ずこちらのPCを識別するための情報が，相手側のサーバに送信されている．

　この識別のための情報として使われているのがIPアドレスである．イン

---

[27] Peter Steiner, On the internet, nobody Knows you're a dog, THE NEW YORKER, July 5, at 61.

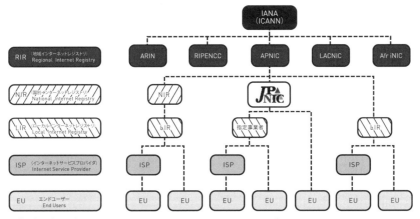

出典：社団法人日本ネットワークインフォメーションセンターWebページ（http://www.nic.ad.jp/ja/ip/admin-basic. html）

ターネットに接続しているコンピュータには，コンピュータごとにユニークなIPアドレスが割り当てられている．現在一般に使われているIPアドレスは32ビットの数値であり，具体的には次のような形をとる[28]．

- ・二進数：1100 0000　1010 1000　××××　××××　××××　××××
- ・十進数：192　168　×　×××
- ・オクテット表記：192.168.×.×××（PCでの表示にはこれが使われる）

　自由，分散を特徴とするインターネットでも，IPアドレスを含むアドレス資源（IPアドレスのほかに，例えばnttpub.co.jp等のドメインネームもアドレス資源である）は集中管理されてきた．これらに重複があると情報のやりとりに支障が生じるためである．なお，ドメインネームとIPアドレスとの対応は，DNS（ドメイン・ネーム・システム）サーバと呼ばれるサーバ上にデータベース化されており，

---

28) IPv4（Internet Protocol version 4）．32ビットの数値は，2の32乗（約42億）のアドレスを表現することができる．インターネットが全世界に浸透したことで，アドレスはすでに枯渇しており，128ビットのIPv6への移行が漸次行われている．これによって約340澗（約340兆×1兆×1兆）のアドレスを確保することができると言われている．

DNSサーバを参照することでドメインネームから目的のサイトにアクセスすることができる.

　当初は，南カリフォルニア大学のジョン・ポステルを中心とする，IANA (Internet Assigned Numbers Authority) がインターネットのアドレス資源の管理を行ってきた．米国政府の援助も受けていたが，基本的には技術者や研究者のボランティアで運営されていた.

　1990年代後半にインターネットの重要性が世界的に高まると，それに対応したインターネット資源の調整のあり方が問題となった．インターネットの構築には米国の貢献が大きいとする米国政府と関連団体等との間で資源管理のイニシアティブをめぐる議論の対立があったが，新しい非営利法人を設立する方針へと収束し，1998年10月にICANN (The Internet Corporation for Assigned Names and Numbers) が設立されることになる．現在ICANNでは，アドレス資源 (IPアドレス，ドメイン名，ポート番号など) の標準化や割当てを行っている[29].

　ICANNは，各地域のレジストリ (管理機関) に対してIPアドレスの割当てを行っている．レジストリには，RIR (地域インターネットレジストリ) とLIR (ローカルインターネットレジストリ) と呼ばれる二階層のレジストリがある．また，一部の国には国単位でアドレス管理を行うNIR (国別インターネットレジストリ) が存在し，日本ではJPNIC (社団法人日本ネットワークインフォメーションセンター) がNIRとして国内のIPアドレス管理を行っている．日本国内で通常のユーザがインターネットに接続する場合には，ISPがJPNICから取得しているIPアドレスを，ISPから割り当てられている場合が多い.

　各ISPがどのようなIPアドレスを管理しているのかは，そのIPアドレスを割り当てた機関が把握している．そして，各ISPは自分の管理するIPアドレスを自らのユーザに割り当てており，どのユーザがどのIPアドレスを利用したかを把握している．つまり，どのユーザがどのIPアドレスを利用してインターネットにアクセスをしているかについては，これらをたどっていけば把握可能ということになる[30].

---

[29] 社団法人日本ネットワークインフォメーションセンターのWebページ (http://www.nic.ad.jp/ja/index.html) を参照.

ただし，IPアドレスとユーザを結びつけるこれらの情報は一般に公開されているわけではない．特に，ISPがどのIPアドレスをいつ誰に割り当てたかという情報は，通信の秘密として保護される場合も多い．プライバシーや通信の秘密を保護する観点から，ISPは一般に情報の開示に慎重である．

　したがって，IPアドレスが把握されたからといって，直ちにそのIPアドレスを利用しているユーザが特定できるわけではない．ユーザ情報が開示されるのは，基本的に捜査機関（警察・検察）による捜査が行われる場合や，名誉毀損等の権利侵害に対して訴訟が提起されようとしている場合などに限られる[31]．

　インターネットが「匿名」だというのは，発信者などの情報が簡単にはわからないという限りにおいていえることである．通常の場合，自分が望まなければ相手に自分が誰だか知られることはない．だから，いつでも追跡・監視されているのではないかと心配するには及ばない．

　しかし，犯罪を行えば逮捕されるし，損害賠償を請求されることもある．ネットの世界は，あくまで条件付きの「匿名」なのである．

▶匿名性を強める要素

　ネットカフェや公衆無線LANのなかには，ユーザの本人確認をしないでネットの利用を許しているところもある．そうした場所からインターネットへの接続が行われた場合には，特定のIPアドレスからアクセスしたユーザが誰なのかという情報が，そもそも記録として残っていないということもあり得る．また，電子掲示板等のように情報発信者が多数いるサイトに書き込まれた情報については，掲示板の管理者が発言者に関するアクセスログを保存していなければ誰の発言かを特定することができない（本来の意味での「匿名掲示板」となる）．ただし，本格的な犯罪捜査等が行われれば，捜査機関がアクセスログ以外の情報から発信者本人にたどり着ける場合も多い．

　一方で，犯罪予告を発信したPCを捜査機関がIPアドレスをたどって突き止めた際に，実際にはPCを無断で遠隔操作するコンピュータウイルスによっ

30）　なお，ISPや掲示板の管理者が，どのくらいの期間こうしたアクセスログを保存しているかは，その ISP 等の方針や必要性（利用料課金に必要かどうか等）によって異なる．

31）　「2-2-4　プロバイダ責任制限法」参照．

て，PCの持ち主が知らないうちに犯罪予告が発信されていたために，真犯人でない利用者が逮捕されて問題となった事例もある[32]．IPアドレスとそれを利用している利用者の情報は，あくまでISP等と利用者の関係を示すに過ぎない．それだけでは情報の発信者を特定する根拠にならないことにも，十分な注意が必要である．

さらに，インターネットの接続経路を匿名化するための仕組みも提供されている．代表例として，複数のルータを経由させて繰り返し暗号化することによって匿名での通信を行うTor (The Onion Router) のような技術がある[33]．匿名性を重視するインターネット利用者によって利用されており，いわゆるダークウェブ[34]のようなアンダーグラウンドなサイトも，こうした技術を利用して発信者を秘匿している．

▶ クッキー

クッキーとは，Webページにアクセスした利用者をWebサーバ側でチェックできるように設けられた機能である．クッキーを使用しているWebサイトを利用者が閲覧すると，Webサーバから利用者のブラウザにクッキー情報 (テキストファイル) が送信され，利用者が使用しているコンピュータのハードディスクに蓄積される．同じブラウザから再びこのWebページにアクセスすると，Webサーバにクッキー情報が送信されるため，過去にアクセスした利用者であることが確認できる．サーバの管理者はこれを主にアクセスや顧客の管理に利用している．

---

32) 2012年に，インターネット掲示板に犯行予告を書き込んだとして逮捕された複数の者の保有するPCが，実際には本人たちの知らない間に遠隔操作されていたことがわかり，誤認逮捕として問題となった．2013年2月に真犯人とされる被疑者が逮捕されており，当初は犯行を否認していたが，真犯人を装った偽装工作が発覚したことを受けて犯行を自白したことでも話題となった (遠隔操作ウィルス事件)．この事件に関しては，神保哲生『PC遠隔操作事件』(光文社, 2017) 参照．

33) Tor Project Webページ, https://www.torproject.org 参照．Torは，もともとは米海軍調査研究所 (NRL) によって開発されたソフトウェアであり，後に，オープンソースプログラムになっている．

34) 通常の検索エンジン等では表示されないWebサイトのことであるが，違法または犯罪につながるような情報がやり取りされているサイトを指すことが多い．ダークウェブを紹介したものとして，セキュリティ集団スプラウト『闇ウェブ』(文藝春秋, 2016) を参照．

図表1-6 クッキーのイメージ

１回目の接続

Cookie

Cookie を閲覧者の
ブラウザに送信

閲覧者　　　　　　　　　　　　　　　　Web サーバ

２回目以降の接続

Cookie　　　　　　　　Cookie

Cookie を Web
サーバに送信

閲覧者　　　　　　　　　　　　　　　　Web サーバ

出典：総務省「国民のための情報セキュリティサイト」Coookieの仕組みhttp://www.soumu.go.jp/main_sosiki/
joho_tsusin/security_previous/等を参考に作成

　利用者は，クッキーの送受信に関する設定を「すべてのクッキーを許可す
る」「すべてのクッキーを拒否する」「クッキーを受信したらユーザに通知す
る」といった中から選択することができるが，クッキーを拒否するとアクセス
できないサイトが相当数あり，快適にWebページを利用するためには，ある
程度受け入れざるを得ない状況にある．

　利用者が，そのサイトにユーザ登録をするなど個人情報を提供している場合
には，再訪したときにクッキー情報とサイト側のデータベースを連動させるこ
とで，利用者を特定することができる．オンラインショッピング等のサイトに
アクセスすると，利用者の名前（「○○様いらっしゃいませ！」等のメッセージ）やお
すすめ商品が表示されることがある．これが，クッキーの典型的な利用方法の
ひとつであるといえる．クッキーによってユーザが特定されるため，その後の
閲覧やサービスの利用に関する情報も記録される可能性がある．なお，あるサ
イトで閲覧した商品やサービスに関連する広告が他のサイトでも表示されるこ
とがあるが，このような広告表示もクッキー等を用いたアドネットワーク[35]

と呼ばれるシステムを利用して行われている.

▶ Webビーコン・JavaScript

　Webビーコンとは，WebページやHTML形式の電子メールを閲覧した際に，その閲覧に関する情報を収集するための技術である.

　Webビーコンの本体はWebページに組み込まれた通常は目に見えない画像ファイル（不可視ファイル）であり，Webページ本体とは別のサーバにあることが多い.ブラウザがWebページにアクセスする際には，そのWebページを記述しているHTMLファイルにアクセスをする.そして，そのHTMLファイルが参照している画像ファイルがブラウザに表示される.その際にブラウザは，画像ファイルが置かれているサーバにアクセスをして，ファイルの転送を要求する.Webページが参照している不可視ファイルが置かれているサーバもアクセスが行われるため，画像自体はブラウザ上に表示されないが，Webビーコンの本体が置かれているサーバにはアクセスログが残る.特定のWebページにWebビーコンを埋め込んでおけば，Webビーコンが置かれているサーバ側のアクセスログを見ることで，そのページを閲覧したかどうかを閲覧者に気づかれずに把握することができる.

　これは，HTML形式のメールであっても同様であり，HTMLメールを閲覧すると，Webビーコンが置かれているサーバにアクセスログが残り，HTMLメールが確かに画面に表示されたということを把握することができる.企業が送付するメールマガジンやダイレクトメールにHTMLメールが多いのは，見た目の美しいメールを送ることができるということのほかに，Webビーコンを利用して閲覧状況の把握が容易にできることも，理由であると考えられる.

　Webビーコンによってわかるのは，単なるアクセス件数だけではない.例えば，メールを送ってから閲覧されるまでにかかる時間や，よく読まれる時間

35）　アドネットワークとは，Webページやスマホアプリ等に表示する広告を広告主から受注して，広告の対象となる商品やサービスにとってできるだけ効果が高い場所に表示するシステム，またはそうしたシステムを提供する事業者のことをいう.効果的な表示のためにクッキーを利用していることが多い.尚，わが国の個人情報保護法では，クッキーと紐付いた閲覧履歴は（その他に氏名等の特定の個人を識別できる情報と紐付けられていなければ）個人情報にならないため，本人の同意がなくても第三者提供が許容されると考えられている（「3-4-2　個人情報保護法」参照）.

帯等の情報も得ることができる．また，IPアドレスから一般のISP経由でアクセスしているのか，企業や学校等からアクセスしているのかなどもある程度わかる．これらの情報を利用することで，よりきめの細かいマーケティング分析を行うことが可能になる．さらに，送信先ごとに異なるWebビーコンを設置しておけば，個別の受信者がいつメールを閲覧したかを知ることもできる．受信者は画像を表示せずにメールを確認できるように設定することができるが，HTMLメールはメッセージのコアになる部分が画像化されていることもあるため，閲覧にある程度不便を生じることになる．

　なお，最近のWebページには，マウスカーソルを重ねるとポップアップが現れるなどの動的な動作をするために，JavaScriptやその応用技術であるAjax（Asynchronous JavaScript + XML）によるプログラムが組み込まれている場合が多い．これらのプログラムの動作によって，利用者の閲覧状況に関する情報がサーバ側に送信されている場合もある．

1-2 | デジタル・ネットワークと法律

1-2-1　情報と法制度

▶法律は遅れているのか

　デジタル・ネットワークの普及によって，さまざまな新しいことができるようになった．便利なサービスが次々と登場する一方で，ネット詐欺，電子掲示板・ブログ・SNS等での誹謗中傷，大量の迷惑メール，著作権侵害，個人情報流出，コンピュータウイルスやサイバー攻撃など，以前にはあまりみられなかった問題も深刻化している．どうして，このような悪質な行為が取り締まられないのかという疑問を持っている人も多いであろう．現行の法律や制度は，うまく対応できていないではないかと批判されることがある．

　しかし，法律というのは強い拘束力を持った社会規範である．国民はそれに従って生活することを求められており，それに反すると国家権力による強制や制裁を受けることになる．特に基本的な事項を定めた法律があまり柔軟であっ

ては困ることも多く，ある程度の安定性が求められる．

　また，法律の文言には厳密さが求められる．特に刑罰を科す法律（刑事法）は厳密でなければならない．一般に刑事法は「やってもよいこと」と「やってはいけないこと」を区別し，「やってはいけないこと」以外は処罰されないということを示している．漠然とした規定だと何が禁止されているのかわからないので，何をしても罰せられるということになりかねない．特に，まだ定義が定まっていない新しい分野については，規定を置くこと自体が難しいという面もある[36]．

　例えば，「ハッカー」という言葉はコンピュータに不法に侵入する犯罪者といった意味で使われることがあるが，コンピュータ技術者の間では，コンピュータ・ネットワークに精通した技術者のことを呼ぶいわば尊称として使われてきた．悪意の侵入者は「クラッカー」と呼んで，ハッカーと区別すべきであるとして，両者の同一視や混同を厳しく非難する者も多い[37]．このように，意味をめぐって論争が起こってしまうような言葉は，そのまま法律には使うことができない．不正アクセス，コンピュータウイルス，迷惑メール等についても，禁止すべき行為を厳密に定義することには意外な困難をともなう．対象が情報であることから，法的規律の範囲を明確にすることが難しくなることも多い．

　このように，法律が現実の社会経済活動に対して後追いになるのは，ある程度はやむを得ない面がある．しかし，法律を実情に即したものにしていく努力が重要であることは，もちろんいうまでもない．

▶ 法制度は何ができるか

　デジタル化やネットワーク化に対応するために，法律や制度に求められることとしては，次のようなものが考えられる．

---

[36]　憲法第31条「何人も，法律の定める手続によらなければ，その生命若しくは自由を奪われ，又はその他の刑罰を科せられない」．罪刑法定主義の基本原理として，成文法主義，刑罰不遡及の原則，類推解釈の禁止，明確性の原則，絶対的不定期刑の禁止，等が挙げられるが（木村光江『刑法』〈東京大学出版会，第4版，2018〉10-14頁等を参照），評価の定まっていない先端分野では特に明確性の原則を満たすことが難しい場合がある．

[37]　最近では，ブラック・ハッカー，ホワイト・ハッカーと呼んで区別することが多くなっている．

1. 情報化が適切に進むような制度の実現
    ・環境整備：情報化を促進させるための政策実施・ルール整備
    ・規制緩和：情報化を阻害する法制度の見直し
2. 新たに発生する問題に関して必要なルールの整備
    ・実体法：情報に起因する問題行為に対する法的責任の明確化
    ・手続法：法的追及を容易にする手続の整備

　第1に，情報化が適切に進むような制度を実現するというアプローチがある．情報化を促進させるための環境整備としては，各種の振興政策や，利用しやすいようなルールの整備がある．また，情報通信の発展にはネットワーク・インフラの整備が不可欠であり，その直接の担い手となるのは通信事業者や放送事業者である．これらの事業者は，従来から政府の規制を受ける被規制産業として事業を展開してきた．情報通信に関する環境の変化によって，これらの事業者に対する規制も見直さなくてはならなくなっている．新しい分野での利用を振興するためには，標準化や技術開発などの推進施策が有効な場合もある．

　一方，既存の法律が，デジタル化やネットワーク化の障害になってしまっているような場合には，規制緩和によって，法律の本来の目的を損なわないような形で障害を取り除く努力が必要であろう．

　第2に，情報化によって生じた新たな問題に対して，現行法によるルールが有効かどうかを見直す必要がある．多くの場合，既存の法律や制度はデジタル化やネットワーク化を想定していない．デジタル・ネットワークが普及することによって新たな問題が生じた場合に，法律をどのように適用していくか，新たな法律・制度をどのように整備すべきかが問題となる．

　この際，どのような法的責任が生じるかという実体法の問題とともに，実際に執行するための手続が整備されているかどうかも重要である．被害者が法的な救済を求めたり，犯罪として処罰したりすることが実際には難しいのであれば，法律はその役割を果たすことができない．特に，デジタル・ネットワークは多様な媒介者によって構成されており，情報の発信者が必ずしも明確ではないという特徴がある．情報媒介者の責任や発信者情報をどのように扱うかとい

うことが重要になる.

1-2-2　表現の自由とインターネット規制

▶表現の自由と匿名表現

　情報に対して法的な規律を及ぼす際には，表現の自由との関係が問題となることが多い．わが国の憲法第21条は，「集会，結社及び言論，出版その他一切の表現の自由は，これを保障する」として，表現の自由を保障している．

　経済的自由を制限する立法は，合理的な理由があれば憲法上許容されるのに対して，表現の自由を制限する立法は，厳格な違憲審査が必要であり原則として許されないと考えられてきた[38]．「二重の基準の理論」と呼ばれるこのような考え方が広く支持されてきたのは，民主制というものは表現の自由に代表される精神的自由が保障されなければ機能しない制度だからである．立法が主権者である国民の自由を制約することが許されるのは，国民自身が選んだ代表によって制定されるからであるが，表現の自由が保障されないと国民にとって望ましい代表を選ぶこと自体ができなくなってしまう．したがって，この自由を制約する場合については立法府の判断を司法が厳格に審査すべきだとされている．

　このような考え方からすれば，インターネット上の情報発信に関する規制についても，表現の自由を不当に制約する立法は憲法上許されず，表現規制を行う場合には厳格な違憲審査を受けることになる[39]．

　ところで，インターネットの匿名性に起因する問題を解決するためには，匿名掲示板やTorのような匿名化システムの提供を禁止する法律を制定するという方法も考えられる．しかし，これは表現の自由の制約になることから，憲法

---

[38]　「表現の自由を中心とする精神的自由を規制する立法の合憲性は，経済的自由を規制する立法よりも，特に厳しい基準によって審査されなければならない」という考え方が支持されてきた（芦部信喜『憲法』（岩波書店，第7版，2019）202頁）

[39]　インターネットと表現の自由について総合的に論じたものとして，山口いつ子『情報法の構造　情報の自由・規制・保護』（東京大学出版会，2010），小倉一志『サイバースペースと表現の自由』（尚学社，2007），小倉一志『インターネット・「コード」・表現内容規制』（尚学社，2017）がある．

上許されないとする意見がある[40]．確かに，憲法が保障する表現の自由に匿名で表現を行う自由も含まれるとするのであれば，匿名による情報発信を制約する立法は違憲となる可能性がある．わが国の憲法において，匿名による情報発信だからというだけの理由で表現の自由が保護されないということは考えられない．したがって，実質的には，匿名による情報発信に対するどのような制約が違憲になるのかが問題となる．

　表現の自由制約立法のなかでも，表現内容に着目した内容規制については，規制を行う側が表現内容の当否を判断することになるために危険性が高いと考えられており，最も厳格な審査基準を適用することが求められると考えられている[41]．これに対して，表現内容にかかわらず客観的な基準で制約を加える表現内容中立規制については，中間的審査基準で判断すればよいと考えられており，わが国の判例は，早くから，表現の自由といえども「公共の福祉のため必要ある場合には，その時，所，方法等につき合理的制限」があるという立場に立ち，立法裁量を広く認める「合理的関連性の基準」によって表現内容中立規制の合憲性を判断している[42]．これに対しては，より厳格な基準によるべきであるとする学説の批判もあるが，厳格審査を求める学説の立場に立っても，より厳格な基準である「より制限的でない他の選びうる手段」がないと認められる場合（LRA：Less Restrictive Alternativesの基準）には，立法による制約が認められると考えられる[43]．こうした基準を満たせば，匿名での表現の自由を制限する制度が，憲法上問題ないとされる可能性もある．

　後述の2ちゃんねる対動物病院事件[44]では，被告である掲示板管理人が，「匿名の発言も表現の自由の一環として保障されるべきである」との観点から，

---

[40]　松井茂記『インターネットの憲法学』（岩波書店，新版，2014）383-384頁，藤田康幸「匿名による表現の自由」法学セミナー522号（1998）130頁．
[41]　「①「真にやむを得ない（compelling）」政府の規制目的の存在，および②規制が当該目的の必要最小限度の達成手段として厳密に設計されている（narrowly tailored）ことを，政府の側が立証することが要求される」長谷部恭男『憲法』（新世社，第7版，2018年）210頁．
[42]　最大判昭25・9・27刑集4巻9号1799頁（公職選挙法戸別訪問禁止規定事件），最大判昭30・3・30刑集9巻3号635頁等（公職選挙法文書規制事件），最大判昭49・11・6刑集28巻9号393頁（猿払事件）．
[43]　芦部信喜『憲法学Ⅲ人権各論（1）』（有斐閣，増補版，2000）443頁以下参照．
[44]　「2-2-2　名誉毀損に関する係争例」参照．

「匿名による発言の場を提供していることを先行行為として条理上作為義務を認めることは許されない」と主張している．しかし，この主張は，「匿名の者の発言が正当な理由なく他人の名誉を毀損した場合に，被害者が損害賠償等を求めることは当然許されることであり，このことが表現の自由の侵害となるものではない」として否定されている[45]．この判決では匿名掲示板の管理人が，匿名による発言を誘引していることを理由に，常時監視の義務があるという立場を取っており，匿名を標榜する掲示板を実質的に禁止する内容であるとも言える．なお，米国では，匿名による表現を規制する州法が制定され，合衆国憲法との関係が問題となっており，ジョージア州におけるインターネット上で本人を偽った者に対して刑罰を科す立法について，言論の自由を制約するとして違憲の判断が下された例がある[46]．

　また，Torのような匿名化システムは，犯罪に利用され捜査等の障害になることも指摘されている[47]．技術的にはこうしたシステムを利用した通信のブロックは可能な場合が多いため，ISP等に通信のブロックを法的に義務づけることも考えられる．しかし，この場合は匿名化システムを利用したすべての通信の遮断を対象にせざるを得ず，このような規制が，例えばLRAの基準を満たすかどうかは疑問である．ただ，合理的関連性の基準であればそれを満たす可能性がある．とはいえ，匿名化システムの使用禁止やブロックの義務付け

45）　東京高判平14・12・25高民集55巻3号15頁判時1816号52頁（2ちゃんねる対動物病院事件控訴審）．

46）　松井茂記『インターネットの憲法学』（岩波書店，新版，2014）384頁．この判決は，匿名による表現の意義を高く評価した合衆国連邦最高裁判所のマッキンタイア対オハイオ州選挙委員会事件判決に依拠している．この事件は，マッキンタイアが近く住民投票が行われる学校税徴収案について反対のビラを配布したことについて，争点投票において匿名文書の作成・配布を禁じるオハイオ州選挙法に違反するとして州選挙委員会に告発がなされたのに対して，選挙委員会が違反の事実を認めマッキンタイアに罰金を科したものである．ビラ自体には虚偽や名誉毀損となるような記述はなく，著名入りのビラもあったが，「憂慮する両親と納税者」とのみ記されているものもあった．マッキンタイアはこの処分を不服として訴えを提起し，連邦最高裁判所が，当該禁止規定は言論の自由の保障に反するとして，選挙委員会による処分を合憲とした原審を破棄している（McIntyre v. Ohio Elections Commission, 514 U.S. 334〈1995〉）．日本語の評釈として，川岸令和「匿名の政治文書配布禁止が第一修正に違反するとされた事例McIntyre v. Ohio Elections Commission, 115 S. Ct. 1511, 514 U.S. 334 (1995)」ジュリスト1099号（1996）107頁以下．

47）　平成27年度総合セキュリティ対策会議報告書『サイバー犯罪捜査及び被害防止対策における官民連携のさらなる推進』（平成28年4月）3頁．

は，国家レベルで網羅的なゲートウェイの管理や検閲が行われている場合を除き，現在のところ導入されていないと考えられる．

▶ インターネットに対する規制

1990年代半ばのインターネットを表現するのに，当時のマス・メディアが好んで使った言葉のひとつに「無法地帯」がある[48]．インターネットが普及し流通する情報が増加するに従って，法律で禁止されているような情報や社会的に不適当と思われる情報（代表的なものとしては，刑法上のわいせつ物に当たるようなポルノ）が増え，既存の法律による取締りがなされていないようにみえたからである[49]．

サイバースペースでは，利用者がどこからアクセスしているかということはあまり意識されない．これに対して法律は国家権力を背景とするものであり，国家は国土をその基盤としている．法律を適用する際に，準拠法や裁判管轄が問題となるのは，対象物や主体の地理的な所在地が重要であるからにほかならない．しかし，インターネットにおいてはそういった要素の重要性が著しく低いため，そもそも法律の適用になじまないという意見もある．また，インターネットにおいては，技術的規格を定める際には伝統的に，提案を出しそれに対するコメントを広く求めて統一的な意思決定を行っていくという，民主的な方法が採られている[50]．こういった考えを推し進めて，サイバースペースは独立国家であるとするものや，外からのいかなる規制からも自由であるべきだという意見も当初は強力に主張されており，セルフガバナンス論と呼ばれていた[51]．しかし，サイバースペースに情報を発信するものが現実世界に存在しており，その行動が現実世界にも影響を与える以上，現実世界の法律・制度が一切適用されないという考え方には無理がある．

実際には，1994年前後から各国でサイバースペース上の行為に対しても既

---

[48] 例えば，Newsweek日本版の1996年4月24日号は，Special Report として「インターネット無法地帯」という記事を掲載している．

[49] 小向太郎「インターネットとコンテンツ規制」堀部政男編著『インターネット社会と法』（新世社，2003）179頁以下参照．

[50] インターネットの技術仕様等に関する文書が，RFC（Request for Comment）と呼ばれるのはこのためである．

存の法律が適用されてきた．わが国でも，1996年1月にはインターネット上で公開されたわいせつ画像に関して強制捜査が行われており，その後Webページにわいせつ画像を掲示していた者がわいせつ物公然陳列罪（刑法第175条）で訴追され，裁判所によって有罪の判断が示されている[52]．このころから，インターネット上での情報発信についても刑事処罰等の対象となるという前提で，規制に関する議論が活発に行われるようになっている．

　また，インターネット上で行われる情報発信は発信者を捕捉することが難しいため，法的執行等を行うための制度整備が議論されるようになり，インターネット上で行われた犯罪の捜査に関するISPの協力義務や捜査権限の拡大については，法整備がなされている国が多い．さらに，青少年保護やサイバー攻撃対策のように，インターネット特有の問題として対処すべき分野については，個別に検討が行われている．

　一方で，シンガポールや中国のように，当初から政府による管理を強化するための新たな制度を整備している国もある．さらに最近では，中国やロシアで，国家安全保障の観点からインターネットに対する規制を強化する動きが見られる．中国では，2016年にサイバーセキュリティ法が制定され，インターネットに関わる事業者等に対してネットワークの安全や情報の適正に関して強い義務を課すとともに，中国から国外へのデータ移転を制限している[53]．ま

51)　セルフガバナンス論に属する主張としては，EFF（Electronic Frontier Foundation）設立者の一人でもあるジョン・バーローの「サイバースペース独立宣言（John Perry Barlow, A Cyberspace Independence Declaration〈1996〉, https://www.eff.org/cyberspace-independence）」が有名である．バーローに代表されるように典型的なセルフガバナンスの主張は，（1）分権的性格を本質とするインターネットに対して国家権力の集権的な規範を押しつけることは好ましくない，（2）インターネットのボーダーレスな性格から，誰に対しても世界中の規制が及ぶということになってしまい，現実的ではない，（3）国家がインターネット上の取引等の行動を把握することは困難であるし法の執行に実効性がない，といったことを根拠としている．より学術的に，サイバースペースにおける望ましい規制のあり方を論じたものとしては，I. Trotter Hardy, The Proper Legal Regime for "Cyberspace", 55 U.L.Rev. 993 (1994). Dan L. Burk, Federalism in Cyberspace, 28 Conn. L. Rev. 1095 (1996). Laurence Lessig, the Zone of Cyberspace, 48 Stan. L. Rev. 1403 (1996). 等がある．セルフガバナンス論に属する論文を紹介したものとしては，平野晋・牧野和夫『判例国際インターネット法―サイバースペースにおける法律常識』（プロスパー企画, 1998）62頁以下，わが国でサイバースペースの国家主権に対する影響を論じたものとして，夏井高人『ネットワーク社会の文化と法』（日本評論社, 1997）115頁以下も参照．
52)　東京地判平8・4・22判時1597号151頁判タ929号266頁（ベッコアメ事件）．

た，ロシアでは，2019年に外国とのインターネット通信を遮断制限する連邦法が成立し，通信事業者にインターネット上の通信への脅威への対応や，禁止されたウェブサイトへのアクセスを制限するための設備等の設置を義務づけ，ロシアのインターネットが脅威にさらされた際には政府による通信網の集中管理が行われることなどを規定している，と報じられている[54]．

▶ インターネットと報道

インターネットの普及は情報発信者の裾野を大きく広げ，マス・メディア以外の主体による情報発信の影響力を格段に増加させている．従来，マス・メディアと一般人では，その情報発信の影響力に格段の違いがあった．例えば，情報の受け手に対する広いリーチを持つマス・メディアが人の名誉を毀損すれば深刻な影響を及ぼす．しかし，一般人による情報発信が同様の影響力を持つことはまれであった．

だが，インターネットの普及によって，誰でも理論的には世界中に向けて情報が発信できるようになっている．もちろん，閲覧者の少ないサイトが大多数であるが，ひとたび話題となれば莫大なアクセスを集めることもあり得る．

報道機関には，ある種の特権が付与されていると位置づけられることがある．例えば，記者クラブ制度や裁判所傍聴に関する優遇などは現在では批判の対象となってもいるが，優先取材権の確保のために必要であると考えられてきた．人の社会的評価を低下させる言論が許容される基準を提示する「真実性・相当性の法理」も，マス・メディアを念頭に議論されてきた．特定秘密保護法にも，「出版又は報道の業務に従事する者の取材行為については，専ら公益を図る目的を有し，かつ，法令違反又は著しく不当な方法によるものと認められない限りは，これを正当な業務による行為とするものとする」（第22条第2項）とする規定が置かれている．

また，一般にジャーナリストは，報道に必要な情報を得た取材源について，

---

53) 浅井敏雄「中国サイバーセキュリティ法の概要―データ・ローカライゼーションと個人情報保護」国際商事法務47巻1号69-74頁（2019）．
54) JETRO「外国とのインターネット通信を制限する連邦法が発効（ロシア）」ビジネス短信（2019年11月6日），https://www.jetro.go.jp/biznews/2019/11/a38ae40b5937dd7c.html

公表すべきでない場合があると考えられている．報道の対象が機微性の高いものである場合に，対象と密接な関係を持つ取材対象者から情報を得ることが，より核心に迫る報道を可能にする．しかし，このような取材対象者は自らが情報源であることが公表されると不利益を被ったり，自ら犯罪等に荷担している場合には罪に問われたりする場合もあり得る．このような場合に，ジャーナリストが取材源に関する情報を秘匿することは社会全体の利益にもなると考えられている．

2010年頃から話題となっているものとして，機密告発サイト「ウィキリークス」がある．機密とされる情報のリークを行って物議を醸してきたこのサイトは，（1）情報提供者の身元がウィキリークス側にもわからないような厳重な匿名化措置を採っていることを公表・保証することで内部告発を推奨し，（2）提供された事実を既存の有力ジャーナリズムと協力するなどして裏付けを取った上で，機密情報の公表を行っている．内容にコミットしないことを原則とする電子掲示板のような媒体とは異なり，自らの責任で情報の発信を行っているものと考えられる．

インターネット上で行われる情報発信のうち，どのようなものを報道機関による取材活動や情報発信と考えるかは，今後も問題となり得るであろう[55]．

最近では，インターネット上で根拠のない扇動的なニュースを公表する「フェイクニュース」が，真偽を確認されないまま拡散され影響力を持つことも懸念されている[56]．また，わが国では，インターネット上の情報をテーマごとにまとめて紹介する「キュレーションサイト」が人気を集めていたが，このサービスの大手であるDeNAが運営するサイトに根拠に乏しい医療関連情報等が載せられているとして問題となった．DeNAは第三者委員会を設置して2017年3月に報告書を公表しており，著作権侵害や薬機法等違反に当たる記事があったとして対応方針を示している[57]．

---

[55] 小向太郎「インターネット上の報道と表現の自由」日本大学法学部新聞額研究所紀要『ジャーナリズム＆メディア』第5号（2012）83-96頁参照．

[56] 通常は既存メディア以外のインターネット上だけで発信される信頼性の低いものをフェイクニュースということが多いが，米国のトランプ大統領は，自分に批判的な既存メディアのことを「フェイクニュース」と呼び繰り返し非難している．

これらの事例は，インターネットという表現の場において，従来の表現の自由が前提としてきた「思想の自由市場」によって真実が判断されるという考え方[58]が本当に機能するのかという問題を投げかけている．

▶自主規制と共同規制，アーキテクチャ

　自由を制約する規制を最小限にしつつ情報流通の秩序維持を実現するためには，関係事業者による自主的な規制も重要な役割を果たし得ることは確かであろう．また，規制を行う場合でも，事業者に対して事前規制を行うよりは，問題のある行為を禁止して事後的に規制することが望ましい．特に，ネットワークが無数の関係者によって支えられているインターネットにおいては，特定の事業者に対して事前規制を課すことが難しい．そこで，実効性のある事後規制とともに，いわゆるソフトロー（裁判所によって履行を強制されない規範）の重要性が高まってくることになる[59]．最近では，多様な関係者による調整と政府による一定の介入によって，より効果的に問題を解決しようという共同規制という考え方も注目される[60]．

　また，インターネット上でどのような情報が流通するかは，技術的な仕組みに依存する部分が大きい．このことは，自分の目に触れる情報が，検索サービスによる検索結果に左右されていることを考えれば明らかであろう．このような物理的技術的構造を「アーキテクチャ」と呼び，アーキテクチャによる規律の可能性やその問題点も指摘されている．

　なお，自主的な規制は事業者に対する自由の制約を伴わないというメリットがあるが，事業者同士の協調が競争を阻害することや，自主規制に参加しない事業者が不当な不利益を被る場合もありうる．また，フィルタリング等を使った自主規制において個人情報を利用するのであれば，プライバシーや個人情報

57)　DeNA Web サイト「第三者委員会調査報告書の受領及び今後の対応方針について」http://dena.com/jp/press/2017/03/13/2/
58)　Abrams v. United States, 250 U.S. 616, 630 (1919).
59)　自主規制の法的な位置づけについては，長尾治助『自主規制と法』（日本評論社，1993）等を参照．
60)　共同規制については，生貝直人『情報社会と共同規制─インターネット政策の国際比較制度研究』（勁草書房，2011）を参照．

の保護にも配慮する必要がある．独占禁止法や通信の秘密・個人情報保護といった制度には，このようなソフトローの行き過ぎやアーキテクチャの暴走[61]を制御する機能も期待される．

1-2-3　通信の秘密

▶通信の秘密に関する規定

通信として伝送される情報は，通信の秘密の保護を受ける．インターネットにおける情報の伝達は通信にあたるため，通信の秘密が問題となる場合も多い．

憲法第21条第2項は「検閲は，これをしてはならない．通信の秘密は，これを侵してはならない」と定め，通信の秘密を基本的人権のひとつとして保障している．電気通信事業法，電波法，有線電気通信法にもそれぞれ通信の秘密に関する規定がある．

インターネット上の通信は，何らかの形で電気通信事業者が媒介することが多いため，直接には電気通信事業法との関係が問題となる．ところで，憲法における人権の保障は，その人権が国家権力によって侵されることがないように定められたものであるため[62]，憲法の通信の秘密は，国家によって私人間の通信の秘密が侵されないことを第一に保障している．例えば捜査機関が通信の内容を傍受することなどは，憲法によって直接に制限されるといってよい．これに対して，電気通信事業法等は国会が定める法律であり，国家に対しても国民に対しても効力を持ちうる．電気通信事業の民営化以前は，電電公社等を国家と同視して憲法の規定の直接適用があり，公衆電気通信法が定める通信の秘

---

[61]　人間の行動へのアーキテクチャの影響を指摘したレッシグ教授は，恣意的なコード設計によって自由が制約される可能性を示唆している（ローレンス・レッシグ〈山形浩生訳〉『CODE Version 2.0』〈翔泳社，2007〉454-468頁）．こういったアーキテクチャによる制御と表現の自由の関係について検討したものとして，成原慧『表現の自由とアーキテクチャ』（勁草書房，2016）も参照．

[62]　国家に対する権力の授権に際してその内容と制約を定めたものが憲法である以上，憲法の保障する人権は国家が第一の名宛人であるということには争いがないといえる．ただし，憲法の保障する人権には私人による人権侵害を想定したものもあり，現代においては私人間における人権の保障も重要性を増している．芦部信喜『憲法』（岩波書店，第7版，2019）111-119頁参照．

法令等	禁止規定	罰則
憲法第21条第2項後段	「通信の秘密は,これを侵してはならない」	なし
有線電気通信法第9条	「有線電気通信*の秘密は,侵してはならない」	2年以下の懲役又は50万円以下の罰金,3年以下の懲役又は100万円以下の罰金(業務従事者)
電波法第109条	無線局の取扱中に係る無線通信の秘密を漏らし,又は窃用した者は処罰する.	1年以下の懲役又は50万円以下の罰金2年以下の懲役又は100万円以下の罰金(業務従事者)
電波法第109条の2	暗号通信**を傍受した者又は暗号通信を媒介する者であって当該暗号通信を受信した者が,当該暗号通信の秘密を漏らし,又は窃用する目的で,その内容を復元したときは処罰する.	1年以下の懲役又は50万円以下の罰金2年以下の懲役又は100万円以下の罰金(業務従事者)
電気通信事業法第4条,第179条	「電気通信事業者の取扱中に係る通信の秘密は,侵してはならない」「電気通信事業に従事する者は,在職中電気通信事業者の取扱中に係る通信に関して知り得た他人の秘密を守らなければならない.その職を退いた後においても,同様とする」	2年以下の懲役又は100万円以下の罰金3年以下の懲役又は200万円以下の罰金(業務従事者)

* 送信の場所と受信の場所との間の線条その他の導体を利用して,電磁的方式により,符号,音響又は影像を送り,伝え,又は受けること(第2条)
**通信の当事者(当該通信を媒介する者であって,その内容を復元する権限を有するものを含む)以外の者がその内容を復元できないようにするための措置が行われた無線通信(第109条の2第3項)
出典:各法律の条文をもとに作成

密は,憲法に定める通信の秘密の保障を明確化したものと考えられていた[63].しかし,電気通信事業が民営化され,事業者が多様化している現在において,ISP等を含めたすべての電気通信事業者に対して,憲法の効力が直接適用されるとは考えにくい[64].電気通信事業法第4条第1項は,公権力による通信の秘密侵害については憲法第21条第2項を確認し拡充する規定であり,電気通信事業者による通信の秘密侵害については憲法の趣旨を反映させた規定であると考えるべきであろう[65].

次に,通信の秘密として保護される対象(メッセージ)が問題となる.通信内

---

[63] 佐藤幸治「通信の秘密」芦部信喜編『憲法2人権(1)』(有斐閣,1978)635頁参照.
[64] 憲法の直接適用を否定する見解として,電気通信事業法における電気通信事業の自由化を理由に,同法の通信の秘密と憲法上の通信の秘密を峻別すべきであり「電気通信事業法第4条の規定は,捜査機関等の公の権力が同条第1項に違反した場合を除き,直接には憲法第21条第2項に対応しないと解さざるを得ない」(前田正道編『法制意見百選』〈ぎょうせい,1986〉548頁)とするものがある.

容が保護されるのは当然であろう．通信内容以外の情報についても，個別の通信の通信当事者がどこの誰であるかということや，いつ通信を行ったかということが，通信の秘密に含まれると考えられている[66]．通信の構成要素といわれるかなり広い範囲の情報全体が通信の秘密として保護されるというのが，わが国で伝統的にとられている考え方である．これらの情報が含まれる理由としては，通信の存在自体を知られたくない場合もあること[67]や，実質的に内容が推測できてしまう場合があること[68]が挙げられる[69]．

　通信の秘密を侵害するとは，通信の当事者以外の第三者が知得，漏洩（他人が知りうる状態にしておくこと），窃用（本人の意思に反して自己または他人の利益のために用いること）することである[70]．

▶電気通信サービスと違法性阻却

　通信の秘密として保護される情報は，個別の通信に関する情報全般にわた

---

[65]　第179条の罰則規定は，通信の秘密を侵害した者を処罰する規定であり，明らかに私人を念頭に置いた規定である．一方，第4条の規定については，電気通信事業法全体の名宛人が電気通信事業者であることを考えれば，少なくとも電気通信事業者による通信の秘密侵害も念頭に置いた規定であると考えられる．

[66]　「電話の発信場所は，発信者がこれを秘匿したいと欲する場合があり得るから，右の第2項にいう『他人の秘密』に該当すべきものと解すべき」昭和38年12月9日内閣法制局一発第24号．「通信内容はもちろんであるが，通信の日時，場所，通信当事者の氏名，住所・居所，電話番号などの当事者の識別符合，通信回数等これらの事項を知られることによって通信の意味内容が推知されるような事項全てを含むものである」（多賀谷一照他編著『電気通信事業法逐条解説』（財団法人電気通信振興会，2008）38頁）．

[67]　「これらの通信の構成要素は，それによって通信の内容を探知される可能性があるし，また，通信の存在の事実を通じて個人の私生活の秘密（プライバシー）が探知される可能性があるからである」（多賀谷一照他編著『電気通信事業法逐条解説』（財団法人電気通信振興会，2008）38頁）．

[68]　電気通信事業法の「通信の秘密」は，公衆電気通信法の規定を引き継いだものであるが，公衆電気通信法の逐条解説では，「通信の当事者（発信人，受信人）の居所，氏名，発信地・受信地，通信回数，通信年月日など通信の意味内容をなすものではないが，通信そのものの構成要素であり，これらの事項を知られることによって通信の意味内容が推知されうるような事項は，全て含まれる」としている（郵政省電気通信管理官室監修『電気通信関係法：詳解公衆電気通信法：電信電話拡充法：電話加入権質法』〈一二三書房，1973〉39頁）．

[69]　なお，電気通信事業法第4条第2項に「電気通信事業者の取扱中に係る通信に関して知り得た他人の秘密」に関する規定があることから，「発信者に関する情報などの通信の構成要素」は他人の秘密として，通信の秘密とは異なる扱いをすべきだという見解もある（林紘一郎・田川義博「『心地よいDPI（Deep Packet Inspection）』と『程よい通信の秘密』」情報セキュリティ総合科学第4号 2012年11月，3-52頁）．

[70]　多賀谷一照他編著『電気通信事業法逐条解説』（財団法人電気通信振興会，2008）38-39頁．

る．電気通信事業者は，業務上で通信の秘密に当たる情報を扱わなければ通信事業を行うことができないことになる[71]．そこで，通信事業を行うために通信の秘密に当たる情報を知得することが，通信の秘密の侵害にならないかが問題となる[72]．これについては，電気通信事業者の従業員等が業務上必要な情報を知得することは，形式上通信の秘密侵害に該当する（構成要件該当性がある）が，正当業務行為として違法性が阻却されるという考え方が有力である[73]．なお，通信当事者の有効な同意がある場合には，通信当事者の意思に反しない利用であるため通信の秘密の侵害にはあたらないが，契約約款や利用規約に基づく包括的な同意だけでは，有効な同意にならないと考えられている[74]．このほか，正当防衛（刑法第36条）や緊急避難（刑法第37条）にあたるとして，許容される場合もある．

　正当業務行為の不可罰を定める刑法第35条は正当な行為を許す一般規定だと説明され[75]，行為の正当性が重視される．正当性を判断するに当たっては，実質的違法性阻却の要件を満たすかどうかという基準が援用されることになる[76]．判例は，実質的な違法性阻却判断を「(1) 目的の正当性，(2) 手段の相当性，(3) 法益権衡，(4) 必要性・緊急性の総合的衡量[77]」によって行ってきたとされる．従来の電気通信事業の業務は，ほとんどの場合にこれらの要件を

---

71) 電気通信事業の自由化によって，電気通信事業者は相互接続を行っており，ネットワーク全体で通信の接続に関する情報をやりとりしている．電気通信事業者間での「通信の秘密」に当たる情報の共有はどこまで許されるのかも問題となる．

72) 「電気通信事業に従事する者は，その業務の取扱上，通信の内容，通信当事者，通信年月日等通信の秘密を知り得る地位にあるが，その業務の取扱上必要な限度において通信の秘密を知ることは通信の秘密の侵害とはならない」藤田潔「電気通信とプライバシー（通信の秘密の保護）」堀部政男編ジュリスト増刊『情報公開・個人情報保護』（有斐閣，1994）225頁.

73) 「電気通信事業の従事者が業務上の必要から行う知得行為や捜査機関等が職務上適法に行う知得行為は，「正当行為」として違法性が阻却される」（多賀谷一照他編著『電気通信事業法逐条解説』（財団法人電気通信振興会，2008）39頁）.

74) 「①約款は当事者の同意が推定可能な事項を定める性質であり，通信の秘密の利益を放棄させる内容はその正確になじまない，②事前の包括同意は将来の事実に対する予測に基づくため対象・範囲が不明確になる」という理由から，一般的に有効な同意ではないと考えられている（総務省「電気通信事業におけるサイバー攻撃への適正な対処の在り方に関する研究会　第一次とりまとめ」（平成26年4月）16頁）.

75) 前田雅英『刑法総論講義』（東京大学出版会，第7版，2019）236頁.

76) 山口厚『刑法』（有斐閣，第3版，2015）62頁.

77) 前田雅英『刑法総論講義』（東京大学出版会，第7版，2019）231頁.

満たすと考えられてきた.

　電話が電気通信の中心だった時代のものとして，料金明細[78]，迷惑電話お
ことわりサービス[79]，発信電話番号通知サービス[80]，ダイヤルQ2[81]等の提供
を開始する際に，通信の秘密との関係が議論されている.

　総務省では，電気通信分野における個人情報の取扱いについてガイドライン
を策定しており[82]，電気通信事業者に特有の各種情報の取扱いについて指針
を示している[83]. 通信の秘密に該当しうるものについては，電気通信役務の
提供に「不可欠な場合」には原則として正当業務行為として許容されるが，役
務の「安定的な提供」のために利用する場合については「目的の正当性や行為
の必要性，手段の相当性から相当と認められる」場合にのみ正当業務行為とし
て許容されるという考え方がとられている[84].

---

78) 料金明細内訳サービスは，1984年に運用確認試験が行われ，1986年から本格的に実施してい
　る. 明細として記録する情報は，「通話毎の発信時刻，通話先電話番号，通話時間等であり，こ
　れらは通信の秘密に係る情報であるが，通話料金を契約者に請求するに際してその根拠である明
　細を整えておくことは，料金請求者の義務でもあり，また権利とも考えられるから，法的には契
　約者の同意を得ずとも電気通信事業者はその目的を達するために必要な限度で正当業務としてこ
　れを記録し得るもの」（藤田潔「電気通信とプライバシー（通信の秘密の保護）」堀部政男編ジュ
　リスト増刊『情報公開・個人情報保護』（有斐閣，1994）227頁）と考えられていた.
　　ただし，契約者の意向を尊重する観点から，ア）全く記録しない，イ）通話先電話番号の下四
　桁を消去して記録する，ウ）通話先電話番号を全桁記録する，というオプションが設けられてい
　る.
79) 迷惑電話おことわりサービスにおいては，着信拒否をする際に発信者の電話番号を利用するこ
　とになるため，これが通信の秘密を侵害しないかということが問題となりうる. ①機械的に処理
　され発信者に関する情報が誰にも知られないこと，②受信者自身の意思表示に基づいて着信拒否
　が行われること，からサービス導入に至っているといわれ，1994年8月にサービスが開始され
　ている.
80) 発信電話番号を利用したサービスとしては，このほかにもセンターにダイヤルすると直前にか
　かってきた電話の番号が音声で通知されるサービス（アナウンスサービス）やその番号に呼び返
　すサービス（呼び返しサービス），どこからかかってきたかによってベルの音色を変えるサービ
　ス（着信音鳴り分け）等がある.
81) わが国のダイヤルQ2においては，利用料に関するトラブルが発生した場合でも，通信の秘密
　保護のため役務利用者に関する情報を情報提供事業者に渡すことが難しいことがありうる. 当事
　者同士による問題解決に委ねることが必ずしもできなかったことが，ダイヤルQ2に関するトラ
　ブルの問題を大きくした面もあると考えられる.
82) 総務省「電気通信事業における個人情報保護に関するガイドライン」平成29年総務省告示第
　152号.
83) 「通信履歴」，「利用明細」，「発信者情報」，「位置情報」，「不払い者情報」，「迷惑メール等送信
　に係る加入者情報」，「電話番号情報」について規定を設けている.

► インターネットと通信の秘密

インターネット上でパケット通信を伝送する際には，ISP等のネットワーク設備（ルータ，サーバ等）が，伝送するパケットのヘッダ情報（送信先，送信元等の情報）を参照して伝送処理を行っている．従来の見解によれば，これらのヘッダ情報も原則として通信の秘密に該当することになる[85]．そのため，例えばISP等の電気通信事業者が，伝送を効率化するために，自動処理でヘッダ情報によって特定のパケットの伝送を制限することも，通信の秘密の侵害であって，正当業務行為等として違法性が阻却される場合のみ許されることになる[86]．

大容量のパケットがネットワークを通過する際には，ISP等の設備を圧迫する場合がある．伝送を安定させるために，帯域を制御したり特定パケットを遮断したりすることが考えられるが，そのためには個別のパケットのヘッダ情報を確認する必要がある．こういった，帯域制御を行いうるのは「特定のヘビーユーザのトラヒックがネットワーク帯域を過度に占有している結果，他のユーザの円滑な利用が妨げられているため，当該ユーザのトラヒック又は帯域を占

---

[84] 正当業務行為として認められたものとしては，「ア　電気通信事業者が課金・料金請求目的で顧客の通信履歴を利用する行為，イ　ISPがルータで通信のヘッダ情報を用いて経路を制御する行為等の通信事業を維持・継続する上で必要な行為，ウ　ネットワークの安定運用に必要な措置であって，目的の正当性や行為の必要性，手段の相当性から相当と認められる行為」がある．

[85] ただし，従来から特定の電話番号を誰が利用しているかという情報は，通信の秘密とは扱われていない．例えば，特定の電話番号からそれを使用している契約者に関する情報について開示請求が行われるような場合，電話会社は通信の秘密に該当する情報の場合とは異なり，捜査関係事項照会（刑事訴訟法第197条第2項）等の正当な事由に基づくものであれば，開示に応じている（行方美和「電話料金明細書の差押」判タ1121号〈2003〉63頁）．このような考えに基づけば，インターネットの接続情報のうち，固定IPアドレスは契約者情報であって通信の秘密には当たらないが，DHCP（Dynamic Host Configuration Protocol：利用者がインターネットに接続するたびに，新たにIPアドレスが付与される方式）のIPアドレス（動的IPアドレス）は通信の秘密であるという見解もありうる．もし，将来的にIPV6等への移行によってすべてのユーザに固定IPアドレスが割り当てられるようになれば，IPアドレスが電話番号と同じように取り扱われる可能性もある．このように技術状況の変化が激しい分野においては，中長期的な変化も常に意識する必要がある．

[86] 「秘密」は，本来主観的かつ相対的な概念である．わが国における通信の秘密の解釈・運用は，これについて客観的かつ画一的な基準を定めて厳格に保護してきた．特に，電話のネットワークについて考えれば，恣意性を排除して厳格に保護するための有効なアプローチであったと考えられる．しかし，ネットワークの多様化によって通信の秘密が問題となる場面も大きく変わっている．通信の秘密として保護されるべき対象についても，それに即した評価をする必要がある．

有している特定のアプリケーションを制御する必要があるといった一定の客観的状況が存在する場合」を原則とする方針がとられている[87].

　なお，帯域制御を行う際に，ルータ等の中継機器においてパケットの内容を分析する技術として，DPI（Deep Packet Inspection）が使われる場合があり[88]，帯域制御以外にも，「ファイアウォールでは防ぎきれないインターネット上の脅威に対する防衛」や，「より洗練された行動ターゲティング広告」に利用できると考えられている[89]が，この利用が許されるのも，利用者の同意がある場合か，上記のような違法性阻却事由が認められる場合に限られる．

　また，インターネット上で情報発信を行っている者に関する情報（発信者情報）については，従来の考え方が通信の内容だけでなくその構成要素まで含めて通信の秘密として保護すべきとしていることを重視すれば，たとえ通信の内容が周知のものであっても，独立して通信の秘密保護の対象となると考えられる．この考え方を徹底すると，電気通信事業者がWebサーバを保有してコンテンツやサービスを提供している場合に，そのサーバへのアクセス履歴も通信の秘密として厳格に保護されることになる．

　一方で，電気通信事業者以外の一般のWebサーバの運営者は，通信の一方当事者でありアクセス履歴の利用に制約はないと考えられている．しかし，サービスが多様化する中で，Webサーバの運営者が電気通信事業者であるかどうかは，利用者にとってあまり重要な要素ではなくなっている[90]．コンテンツやサービスを提供している事業者が，電気通信事業者であるかどうかに関わらず，実質的に他人の通信を媒介することに伴う情報かどうかによって，通

---

[87]　電気通信事業関連4団体（社団法人日本インターネットプロバイダー協会，社団法人電気通信事業者協会，社団法人テレコムサービス協会，社団法人日本ケーブルテレビ連盟）「帯域制御の運用基準に関するガイドライン」（平成20年5月）.

[88]　DPIはパケットのIPヘッダ以外の情報を分析する技術であり，ばらばらに送られているパケットを集約して行われる.

[89]　総務省「利用者視点を踏まえたICTサービスに係る諸問題に関する研究会」第二次提言（平成22年5月）54頁.

[90]　これらの情報は，情報を保有している者が電気通信事業者であるかどうかに関わらず，個人を識別しうるものとして保存されている場合には，個人情報として個人情報保護法による保護の対象となる．電気通信事業者が取り扱う場合に限って個人情報としての保護では不十分であり，通信の秘密として保護すべきなのかということも，考慮すべきであろう．個人情報保護制度については「3-4　個人情報保護」を参照.

信の秘密の該当性を判断すべきであろう[91].

▶情報セキュリティ対策と違法性阻却

　ISP等の電気通信事業者が情報セキュリティ対策を行う際にも，通信の秘密に当たる情報を利用できるかどうかが問題となる．現在のところ，利用することができるのは，具体的な脅威が発生しているなどの緊急時に正当防衛，緊急避難の要件を満たす場合や，ネットワークの安定的運用のために必要不可欠かつ相当な手段の範囲であるなど正当業務行為として違法性阻却が認められる場合に限られ，攻撃検知のためにパケットの経路分析を常時行うことは難しいと考えられている[92]．一方で，サイバー攻撃の深刻化を踏まえて情報セキュリティ対策を強化すべきであるという意見も強まっている[93]．

　総務省では，2013年11月から「電気通信事業におけるサイバー攻撃への適正な対処の在り方に関する研究会」を設置して，電気通信事業者が行うセキュリティ対策と通信の秘密の関係について検討を行った．具体的には，次のような通信の秘密の侵害が懸念される対策が，どのような場合に正当化され得るか

---

91) 電気通信事業法第4条が保護する通信の秘密は直接の名宛人が国家と電気通信事業者およびその従事者であり行政的な規制を含む規定であるのに対して，第179条が保護する通信の秘密は，侵害主体として電気通信事業者以外の者を含んでいることが明らかであり，刑事責任に関する規定であることから謙抑的に考える必要がある．したがって，サービス提供事業者等が保有している情報が通信の秘密として保護される場合というのはある程度限定的に考えるべきであり，少なくともこれらの事業者が通信の一方当事者と見なされうる場合に，当該通信当事者が保有する情報は，当該通信当事者にとっては通信の秘密には含まれないと考えるべきであろう．

92) 例えば，DDos攻撃等の大量通信に対する対処に関して電気通信事業関連団体が策定した「電気通信事業者における大量通信等への対処と通信の秘密に関するガイドライン」（第2版2011年3月25日）では，具体的な脅威が発生しているなどの「緊急時に行われる対策については，一般的に，正当防衛，緊急避難の要件を満たす場合には通信の秘密の侵害について違法性が阻却される」のに対して，「常時行われる対策については，急迫性，現在の危難といった要件を満たさないものと思われるため，正当業務行為に当たる場合に違法性が阻却される」として，「電気通信事業者の事業の維持・継続に必要な行為」に限定されることが強調されている．

93) 例えば，「サイバー犯罪に対する事後追跡可能性を確保するため，関係事業者における通信履歴等に関するログの保存の在り方やデジタルフォレンジックに関する取組みを促進するための方策について検討する．特に，通信履歴の保存については，通信の秘密との関係，セキュリティ上有効な通信履歴の種類，保存する通信事業者等における負担，海外でのログの保存期間，一般利用者としての国民の多様な意見等を勘案した上でサイバー犯罪における捜査への利用の在り方について検討する（情報セキュリティ政策会議「サイバーセキュリティ戦略 〜世界を率先する強靭で活力あるサイバー空間を目指して〜 」（平成25年6月10日）31-33頁）」といった考えが示されている．

について，考え方を示している．

(1) マルウェア[94]配布サイトへのアクセスに対する注意喚起

　マルウェア配布サイトによる被害の防止のために，利用者がマルウェアを配布するサイトにアクセスしようとした際に，ISPがそのサイトを表示する代わりに警告画面を表示するなどして注意を喚起することが考えられる．利用者がアクセスしようとするサイトの情報を取得することになるため，利用者の同意なく行えば通信の秘密の侵害になる．既存の利用者から個別の同意を取得することは困難であるため，契約約款（利用規約）に基づく包括的な同意であっても，一定の条件を満たせば有効な同意となる場合があるとした．

(2) マルウェア感染者への注意喚起

　ボット（遠隔操作機能を持ったマルウェア）をコントロールするサーバ（C&Cサーバ：Command and Controlサーバ）の駆除が行われる際に，そのサーバに残っている通信記録から感染者を割り出すことができる場合がある．これをもとに，感染が疑われる利用者に注意喚起をすることが考えられる．通信記録に残っているIPアドレスとタイムスタンプから，そのIPアドレスの利用者を確認することになるため通信の秘密の侵害になるが，ウイルス駆除の目的に限定して利用するのであれば緊急避難として違法性が阻却されるとした．

(3) DNSAmp攻撃に対する通信遮断

　DNSAmp攻撃とは，DNSサーバのキャッシュ機能を利用して攻撃先に大量のパケットを送信する攻撃をいう[95]．この研究会の検討で対象になっているのは，DNSAmp攻撃のうち，インターネット利用者が設置しているブロード

---

94)　Malicious software. コンピュータウイルスに代表される悪意のあるソフトウェアの総称.

95)　インターネットの利用者は，DNSサーバを参照することで求めるサイトに正しくアクセスすることができる（これを「名前解決」という）．このために参照される情報は一元管理されているが，膨大な照会に応えるために分散化されている．個別のインターネットアクセスの際に参照するのは，大元のサーバの情報を一時的に保存しているキャッシュサーバと呼ばれるDNSサーバである．このキャッシュサーバに対して，ルートサーバから送られてきたかのように偽って参照情報を提供することで，本来のアクセス先とは異なったサーバに誘導したり，大量のパケットを送りつけたりすることができる場合がある.

バンドルータ等のインターネット接続のためのゲートウェイに対して，ISP経由で攻撃用DNSに名前解決の照会をさせることで，攻撃対象者に大量のパケットを送信させるタイプのものである．この照会には特定のポート（UDP53番ポート）が使われるため，利用者にUDP53番ポートを使って送信されるパケットを，ISP側でブロックすることができる．パケットの宛先IPアドレスとポート番号を検知することは通信の秘密の侵害に当たるが，安定的な電気通信役務の提供という目的の正当性が認められ，サービスの安定的な提供ために必要性が高く，該当するパケットの検知だけを対象とする場合には他への影響も少なく手段の相当性も認められるため，正当業務行為として違法性が阻却されるとした．

(4) 不審な通信のチェックによるなりすましスパムメール（迷惑メール）の防止

不正に入手したID・パスワードでISPのメール送信サーバ（SMTPサーバ）にアクセスしてスパムメールを送信する行為に対して，①ID・パスワードを不正に利用されている利用者への注意喚起，②SMTPサーバへのアクセス（認証）失敗を大量に繰り返しているIPアドレスからの認証の遮断，といった対策が考えられる．いずれの対策も通信の秘密の侵害にあたるが，安定的な電気通信役務の提供をはかるためであることから目的の正当性が，不正な利用が行われている蓋然性が高いことから行為の必要性が，これらの対策に必要な範囲に限られることで手段の相当性が，それぞれ認められるため正当業務行為として違法性が阻却されるとした．

これらの考え方が示されたことで，電気通信事業者が有効な情報セキュリティ対策を取れるようになる部分があることは確かであるが，次々と起こる新しい問題に対処するためには，個別の技術的手段を一つ一つ検討していくアプローチには限界があることも否定できない．

▶迷惑メール対策

迷惑メールの影響を少なくするための手段としては，受信を防止するものと，送信を抑制するものがある．

受信防止策としては，メールアドレスの複雑化・変更，メール指定受信（拒否）機能，迷惑メールフィルタリングの利用等が一般的である．この中で，迷惑メールフィルタリングにおいては，フィルタリング機能を提供する事業者等が，どのメールが迷惑メールであるかを探知することが必要になる．キーワード等によって迷惑メールを判定する方法と，迷惑メールの発信者を特定してその発信者からのメールをブロックする方法がある．いずれも，電気通信事業法上の通信の秘密[96]や提供義務に反しないことが求められるが，受信者からの同意があれば基本的に提供可能であると考えられている．

なお，フィルタリング機能等において，発信者に関する情報を利用する場合がある．しかし，インターネットの標準であるSMTP（Simple Mail Transfer Protocol）の基本的な仕様では，メールのヘッダ情報に記載されている発信者情報を，基本的に発信者が自由に書き換えることができる[97]．正しい送信元アドレス等が示されていないメールも多数存在するため，送信元情報から適正に送られたメールかどうかを判断する方法として，送信ドメイン認証[98]等の技術が利用されている．

送信を抑制する方法としては，同一アカウントからの送信量や一定期間の送信トラフィックを制御する方法もあるが，迷惑メールの送信を有効に抑制することは難しい．大量メールの送信者は，ISPのメールサーバではなく自ら設置したメールサーバ等から送信を行っていることが多く，そのメールサーバにインターネット接続を提供しているISPが動的IPアドレスを付与している場合に

---

[96] メールのヘッダ情報やメールサーバの通信記録に含まれる発信者に関する情報の知得は通信の秘密の侵害に当たるとするのが，従来の通説の立場である．発信者情報が通信の秘密であるとしても，通信当事者である受信者の承諾がある場合に発信者情報を調査することは，違法性が阻却されるとも考えられる．しかし，従来は「相手方にとっては通信当事者間限りで秘密とすべき通信もありうることから，一方の通信当事者の承諾では，違法性が阻却されない場合がある（例えば，発信者の逆探知は，無限定で認められるものではない）」と考えられてきた（多賀谷一照他編著『電気通信事業法逐条解説』（財団法人電気通信振興会，2008）39頁）．

[97] 最近では，ISPがメール送受信サービスを提供するに際して，発信者情報を書き換えられないようにしている場合も多い．

[98] 送信されてきたメールの送信元アドレスのドメインからDNSサーバを参照し，送信側ISPがDNSサーバに設定した情報から正規の送信元IPアドレスを調べ，メールの送信元IPアドレスと照合することで，メールアドレスが詐称されていないかどうかを確認する技術．総務省「迷惑メールへの対応の在り方に関する研究会最終とりまとめ」（平成20年8月）27-28頁参照．

は，同じIPアドレスが常に当該サーバに付与されるとは限らないからである．こういったメールを送信できなくする手段としては，OP25B (Outbound Port 25 Blocking)[99] が広く利用されており，一定の効果を上げている．これらの対策は，通信の秘密との関係で問題となりうるが，ネットワークを適正に維持管理してメールサービスを運用するために必要な限度にとどまるなど，正当な理由が認められる場合には，正当業務行為として違法性が阻却されると考えられている．このほかにも，メールのID・パスワードを不正に利用されている利用者への注意喚起や，メールサーバへのアクセス（認証）失敗を大量に繰り返しているIPアドレスからの認証の遮断といった対策が考えられるが，やはり通信の秘密との関係が問題となる．これらの対策についても，正当業務行為として違法性が阻却される場合があると考えられている[100]．

▶ 位置情報と通信の秘密

　携帯電話が取り扱う位置情報については，通信の秘密との関係が問題となる．携帯電話事業者が取得しうる位置情報は，「個別の通信を行った基地局の位置情報」「位置登録情報（端末所在地を基地局単位等で把握する情報）」「GPS位置情報（GPS機能により取得する情報）」の3種類がある．このうち「個別の通信を行った基地局の位置情報」は，通信の秘密であると考えられているため，電気通信サービスの提供に必要な範囲で利用できるほかは，正当防衛や緊急避難などの違法性阻却事由が認められる場合にのみ許されるとされている．さらに，総務省のガイドラインでは「位置登録情報」「GPS位置情報」についても，「ある人がどこに所在するかということはプライバシーの中でも特に保護の必要性が高い上に，通信とも密接に関係する事項であるから，通信の秘密に準じて強く保護することが適当である[101]」として，利用者の同意取得等を求めている．

99）　通常メールの送信に使われているTCPポート（25番ポート）を利用するパケットが，ISPのメールサーバ以外から外部のネットワークへ出て行くことを遮断する技術．総務省「迷惑メールへの対応の在り方に関する研究会最終とりまとめ」（平成20年8月）29頁参照．
100）　総務省「電気通信事業におけるサイバー攻撃への適正な対処の在り方に関する研究会　第一次とりまとめ」（平成26年4月）28-31頁．
101）　総務省「電気通信事業における個人情報保護に関するガイドライン（平成29年総務省告示第152号．最終改正平成29年総務省告示第297号）の解説」113-117頁．

なお，GPS情報は，電気通信事業者以外にも，スマホアプリ等の提供者によって利用されることがあるため，総務省が「スマートフォンを経由した利用者情報の取扱いに関するワーキンググループ」を設置して検討を行い，どのような情報が取得・利用されているかをわかりやすく記述したプライバシー・ポリシーの公表や，電話帳・位置情報・通信履歴等のプライバシー性の高い情報を取得する際の利用者の同意取得を推奨している[102].

1-2-4　国境を越える情報

▶越境情報と法適用

　インターネットを利用すれば，海外所在の情報にアクセスすることは非常に容易である．しかし一方で，情報に対する規制は国家によって異なる．わいせつな情報に対して規制を行っている国は多いが，何がわいせつに当たるかという基準は国によって大きく異なる．そのため，ある国では合法な情報が他国では違法とされる場合も多い．実際に，わが国では違法とされている情報を，インターネット上では見ることができる．このような場合，いったいどの国の刑事法が適用されるのかということが問題となる．

　日本の刑法は，第1条第1項において，刑法が適用されるのは「日本国内において罪を犯したすべての者」であると規定しており，国内犯処罰を原則とする「属地主義」がとられている．国外犯が処罰される場合については，第2条以下に犯罪の種類・主体を限定してこれを列挙している．このほか，ネットワークに関するものとしては，通信の秘密に関するもの（電波法第109条の2第5項，有線電気通信法第14条第4項）と不正アクセス行為（不正アクセス禁止法第14条）において，国外犯を処罰することが特に規定されている．国外犯処罰が定められている犯罪には問題なく日本の法を適用することができるが，国外犯処罰規定のない犯罪は，国内で行われた犯罪以外は原則として処罰されないことになる．

---

[102] 位置情報に対する規制の動向については，小向太郎「ネットワーク接続機器の位置情報に関するプライバシー・個人情報保護制度の動向」情報処理学会研究報告電子化知的財産・社会基盤（EIP），2016-EIP-74（2016年11月）1-6頁を参照．通信の秘密に代表される通信事業者が保有する情報だけを規制することは実態に合わなくなってきている．

それでは，何が国内で起これば国内犯になるのであろうか．これについては，わが国では，構成要件に該当する事実（行為や結果）の一部が日本国内で発生していれば国内犯となるという見解が有力である[103]．例えば，日本にいる者が国外のサーバに違法な情報を蓄積する行為は，この見解に立てば，情報のアップロードが構成要件の一部に該当するとみなされることになり，日本の刑法が適用されることになる．米国のISPのサーバにWebページを開設し，わいせつな画像を不特定多数のインターネットユーザに閲覧させた者に対して，わいせつ物公然陳列罪が認められた事例もある[104]．ただし，情報の発信だけで既遂となるわいせつ物公然陳列罪のような犯罪については，国外にいるものが国外のサーバに情報をアップロードしている場合には，その情報が主として日本人に向けられたものであっても，日本法の適用は難しいと考えられる[105]．

　次に，インターネット上の情報発信によって，名誉毀損や著作権侵害等の不法行為が行われた場合に，どの国の法律が適用になるかということも問題となる．これに関しては，2007年1月1日に「法の適用に関する通則法」が施行されている．不法行為の準拠法は，(1) 結果発生地法によることを原則としつつ，その地における結果の発生が通常予見できないものであったときは加害行為地法による（第17条），(2) 生産物責任については生産物の引渡しを受けた地の法によることを原則とする（第18条），(3) 名誉または信用の毀損については被害者の居住地法による（第19条），(4) 原則によって適用される法の地よりも明らかに「密接に関連する他の地」がある場合にはその地の法による（第20条），(5) 当事者による準拠法の変更はできるが第三者の権利を害することはできない（第21条），と定められている[106]．例えば，インターネット上で名誉毀損にあたる情報発信が行われた場合には，被害者の居住地法が準拠法となる．

　なお，公法である刑事法は裁判管轄についても属地主義がとられており，適

---

103) わが国の通説・判例の立場であり，「遍在説」と呼ばれる．渡辺卓也『電脳空間における刑事的規制』（成文堂，2006）10頁以下は，ネットワーク上で行われた犯罪に対する刑法の適用関係について精緻な検討を加えている．また，佐伯仁志「インターネットと刑法」宇賀克也・長谷部恭男『情報法』（有斐閣，2012）265-267頁も参照．

104) 大阪地判平11・3・19判タ1034号283頁（あまちゅあふぉとぎゃらりー事件）．

105) わいせつ画像等については当該情報にアクセス可能な場所の全体について構成要件的結果が発生しているのであるから，このような行為の有無に関わらず適用の可能性があるとする見解（山口厚「コンピュータ・ネットワークと犯罪」ジュリスト1117号〈1997〉73頁以下）もある．

用される法と同じ国の裁判所が裁判管轄を有するのが原則である．これに対して，私法分野では厳格な属地主義が採られておらず，裁判所が外国の法律を準拠法として判断を下すことが可能だと考えられている．そこで，不法行為責任に関しては，準拠法とは別に裁判管轄が問題となる[107]．民事訴訟法第3条の3第8号は，不法行為に関する訴えを日本の裁判所に提起できるのは，「不法行為があった地が日本国内にあるとき（外国で行われた加害行為の結果が日本国内で発生した場合において，日本国内におけるその結果の発生が通常予見することのできないものであったときを除く）」と定めている．インターネット上の情報発信は世界的な広がりを持ちうるため，損害の範囲をどこまで認めるかについては争いがあり得るが，基本的には行為地と結果発生地の両方に裁判管轄が認められ得ることになり，国際私法上もこれが通例であるとされる[108]．

　行政的な規制についても，国外で行われた行為等に対して，わが国に影響のある場合にはわが国の法の適用が認められる場合がある．ただし，わが国の法規制においては，一定の強制力をともなう法の執行について適用を除外しているものがある．例えば，個人情報保護法は2015年の改正によって域外適用に関する規定が導入されているが，報告・立入検査・命令等に関する規定を国外の事業者に適用することは，当該事業者が所在する国の主権を侵害する恐れがあるという理由で，適用が除外されている．一方で，競争法の分野では国外における違反行為に対しても積極的な法執行が行われるようになっており，公正取引委員会が国外におけるカルテルに対して独占禁止法に基づく排除措置命令と課徴金納付命令を行ったことについて，最高裁判所もこれを認める判断をしている[109]．どのような規制行為が主権侵害になり得るかは明確な基準がない

106）法の適用に関する通則法の解説としては，小出邦夫編著『逐条解説・法の適用に関する通則法』（商事法務，増補版，2015），道垣内正人「法適用通則法の成立と国際私法の新展開」法学教室314号（2006）314頁以下，中西康「契約に関する国際私法の現代化」ジュリスト1292号（2005）25頁以下を参照．

107）長田真里「国境を越えた紛争の解決」松井茂記，鈴木秀美，山口いつ子編『インターネット法』（有斐閣，2015）327-329頁．

108）道垣内正人「サイバースペースと国際私法」ジュリスト1117号（1997）60頁以下，渡辺惺之「インターネットによる国際的な民事紛争と裁判」高橋和之ほか編『インターネットと法』（有斐閣，第4版，2010）319-365頁も参照．

109）最三小判平成29年12月12日民集71巻10号1958頁判時2385号92頁判タ1452号40頁．

のが現状であるが，経済活動のグローバル化がますます進展するなかで，国外における行為についてもわが国の法律を適用すべき場面の増加が予想される．

▶ 国外情報に対する捜査

　刑法の適用がある場合でも，情報発信者が国外にいる場合には，実際に捜査等を行うことができるかどうかが問題となる．捜査機関が国外で捜査を行うことは，原則として許されない．そのため，ある国で犯罪を行った者が別の国にいる場合には，捜査共助や犯罪人引渡しといった国際協力が行われることがある．ただし，こうした国際協力は，双方の国でその犯罪が処罰の対象となっていることが前提であり，対象となり得るすべての犯罪について協力が要請されるわけではない[110]．

　ところで，現在では，犯罪者も普通にインターネットを使う．インターネット上の情報も犯罪捜査の対象になるが，その情報は国内に保存されているとは限らない．クラウド・コンピューティングが進展する最近のICTサービスでは，ハードウェアが世界中に散在している．利用者は，自分がアクセスしているデータがどこにあるのかを意識しないのが普通である．

　外国の事業者に対して日本の捜査機関が強制捜査を行うことは，事業者の所在国に対する主権侵害にあたり許されない．その一方で，インターネット上で公開された情報を捜査機関が取得することは，公権力の行使とは考えられていないため問題とならない．また，捜査機関が民間企業や各種団体とサイバー犯罪に関する情報を共有する際に，相手が国外の企業や団体であってもあまり問題視されないであろう．しかし，強制捜査の対象となった被疑者やネットワーク事業者が国外のコンピュータに保存している情報にアクセスすることなどについては，どこまで許されるのかが問題となる．

　わが国では，こういった情報へのアクセスは，サーバ所在国の主権侵害になりうるため許されないとする見解も有力である．2011年に新設された「接続サーバ保管の自己作成データ等の差押え（刑事訴訟法218条2項）」の規定によっ

---

110) 法務省『平成30年度版犯罪白書―進む高齢化と犯罪』（http://hakusyo1.moj.go.jp/）「第2編第6章　刑事司法における国際協力」を参照．

て，捜査機関がコンピュータを差し押さえる際に，そのコンピュータがネットワーク接続しているサーバ上で作成した (メールサーバ上の) メールや (ストレージサーバ上の) 文書ファイルを，複写して差し押さえることができるようになった[111]．捜査機関がこの規定に基づいて取得した令状によって差し押えたPCから，国外所在の可能性が高いサーバにアクセスして証拠となるデータを取得した事案について，このような情報の取得が許容されるかどうかが問題となった事例がある．横浜地裁は，国外サーバへの捜査が主権の侵害になり得ることを懸念し，「サーバコンピュータが外国にある可能性が高く，捜査機関もそのことを認識していたのであるから，この処分を行うことは基本的に避けるべきであった」という見解を示し，東京高裁もこの考えを支持している[112]．一方で，同じく国外サーバへの捜査について，大阪高裁では「外国の主権に対する侵害があったとしても，実質的に我が国の刑訴法に準拠した捜査が行われている限り，関係者の権利，利益が侵害されることは考えられない」ため，主権侵害から生じた違法があるとしても，令状主義の精神を没却するような重大な違法があるとはいえず，「それだけで直ちに当該捜査手続きによって得られた証拠の証拠能力を否定すべき理由にはなりえない」とした判決がある[113]．

　また，サイバー犯罪条約[114]第32条は，蔵置されたコンピュータ・データに対する国境を越えたアクセスが認められる場合として，データが公開されてい

---

111)「3-2-2　サイバー犯罪と捜査」参照．
112) 横浜地判平成28年3月17日判時2367号115頁 (リモートサーバ差押事件：文書偽造)．控訴審である東京高判平成28年12月7日高刑69巻2号5頁判時2367号107頁も同旨．ただし，本件では，国外サーバに対する捜査であることは傍論的に扱われている．証拠の違法性として主に問題となったのは，データの取得が最終的には検証令状に基づいて行われたことである．捜査機関は当初パスワードがわからなかったために，データを複写して差し押さえることができなかった．後からアクセスできるようになった際に，対象のPCがすでに差し押さえられているため差押令状は適切でないと考えて，検証令状で捜査を行った．確かに，接続先サーバへの捜査を検証令状で行えるのであればそもそも上記規定を新設した意味がないので，検証令状でこれを行うことは許されない．しかし，接続先サーバの捜査が差押え時に限定されるとするのも妥当とは思えない．適切な対処方法を検討しておくべきであろう．
113) 大阪高判平成30年9月11日裁判所Webページ下級裁判所判例集 (リモートサーバ差押事件：わいせつ)．なお，本件では，強制捜査の過程で国外のサーバへのアクセスについては，対象者の承諾を得ていたので問題とならないという主張が捜査機関からされていたが，強制捜査を行う際に取得した承諾は任意のものであるとは認められないとして退けられている．
114) サイバー犯罪条約については，「3-2-2　サイバー犯罪と捜査」を参照．

るか，「自国の領域内にあるコンピュータ・システムを通じて，他の締約国に所在する蔵置されたコンピュータ・データにアクセスし又はこれを受領すること」をあげているが，後者については，「コンピュータ・システムを通じて当該データを自国に開示する正当な権限を有する者の合意的なかつ任意の同意が得られる場合に限る」という限定をしており，このような同意を得られない場合には，国際捜査共助によるべきとする見解も多い[115].

　なお，米国では，ストアード・コミュニケーションズ・アクト（SCA）[116]の捜索差押令状に基づく国外所在情報の提出要請について，令状の効力が及ばないという判断が出された例[117]があるが，2018年3月にクラウド・アクト[118]が制定され，SCAの規定が国外のデータにも適用されることが明確にされている．これによって，捜査の対象となる通信内容や通信記録等の情報が米国外にある場合でも，米国の捜査機関は，SCAの令状に基づき，米国外にある情報の保全や開示を求めることができるようになっている．なお，米国では従来から立法の認める範囲であれば，国外の情報に対する法執行も許容され得ると考えられている[119].

　また，前述のとおり，国際的な犯罪捜査については，捜査共助等の仕組みがある．しかし，この方法は手続きに時間がかかり，捜査機関にとって過大な負担となることも指摘されている[120]．今後，国外サーバにデータを置くことで犯罪者が罪を免れてしまうようなことになれば，もちろん望ましいこととはいえない．国外所在のサーバに保存された情報に対する捜査への要請が今後増大することは避けられない．このことから，①オンライン捜査に関する国家主権の考え方に関する国際的なコンセンサスと，②プライバシーに配慮した犯罪捜査手続の確立，が求められているといえる．

115）杉山徳明・吉田雅之「『情報処理の高度化等に対処するための刑法等の一部を改正する法律』について（下）」法曹時報64巻5号（2012）101頁等．

116）Stored Communications Act, 18 U.S.C. §§ 2701-2712 (2012).

117）Microsoft Corp. v. United States, 829 F.3d 197 (2d Cir. 2016).

118）the CLOUD Act：Clarifying Lawful Overseas Use of Data Act（H.R.4943）.

119）Morrison v. National Australia Bank Ltd. 561 U.S. 247（2010）.

120）Microsoft Corp. v. United States, 829 F.3d 197, 221（2d Cir. 2016）.

1-3 情報化関連政策

1-3-1 情報化促進政策

▶情報化の促進

情報化を国の政策としてどのように推進するべきかという議論は，すでに1960年代から行われている[121]．

インターネットやコンピュータの社会経済活動における重要性が大きくなると，国の経済力や社会のあり方も，情報化のレベルや方向に左右される可能性がある．ただし，社会活動の主体はあくまで民間企業を中心とする自由な競争に委ねられるべきである．政府が関与するのは，特にその必要がある分野に限られるであろう．

また，既存の法律がデジタル情報の利用を想定していないために，情報化を妨げる場面もありうる．例えば，法令によって書面や対面が義務づけられているために，ペーパーレスやネットワーク化が進まない場合もある．法的な争いになった場合に，法的な記録として認められる制度的な裏付けがないと，企業としてはデジタル化を躊躇することもありうる．実情に即した規制緩和やルール作りを行っていくことも，情報化を推進する政策としては重要である．

▶IT総合戦略本部[122]

わが国では，2000年11月29日にIT基本法が成立し，同法第25条以下に基づき2001年1月22日高度情報通信ネットワーク社会推進戦略本部（IT戦略本部）が設置された．2013年には，「ITに関する政府全体の戦略について，経済財政諮問会議，産業競争力会議，規制改革会議，総合科学技術・イノベーション会議などとも連携し，総合的に取りまとめていく司令塔」の役割を担うことを期待して，呼称を「IT総合戦略本部」としている．また，2012年8月から内閣

---

[121] 古くは，1970年に「情報処理の促進に関する法律」が成立している．
[122] http://www.kantei.go.jp/jp/singi/it2/

官房に置かれていた政府CIO（政府情報化統括責任者）が，2013年5月の内閣法の改正によって「情報通信技術の活用による国民の利便性の向上及び行政運営の改善に関するものを統理」することを職務とする内閣情報通信政策監と位置づけられ，IT総合戦略本部にも参画している．

2016年12月には，国が官民データ利活用のための環境を総合的かつ効率的に推進することを目的に掲げる「官民データ活用推進基本法」が公布・施行された．この法律に基づき，2017年5月には，すべての国民がIT利活用やデータ利活用を意識せず，その便益を享受し，真に豊かさを実感できる社会である「官民データ利活用社会」のモデルを世界に先駆けて構築する観点から「世界最先端IT国家創造宣言・官民データ活用推進基本計画」を閣議決定している．

さらに，2019年（令和元年）6月には，①デジタル時代の国際競争に勝ち抜くための環境整備と，②社会全体のデジタル化による日本の課題解決の2つを目的として，「デジタル時代の新たなIT政策大綱」を決定しており，次のような政策の実施を掲げている．

- ① データの安全・安心・品質
- 国際的なデータ流通網の構築
- 個人情報の安全性確保
- 重要産業のオペレーションデータ
- 政府・公共調達の安全性確保
- ② 官民のデジタル化の推進
- 行政のデジタル化の徹底
- 民間のデジタル化の推進
- プラットフォーマー型ビジネスに対応したルール整備
- AI活用型社会の構築
- 5Gインフラの全国展開
- デジタル時代の新しいルール設計

▶総務省，経済産業省

総務省では，2014年に「2020年に向けた社会全体のICT化推進に関する懇談会」を設置し，2015年（平成27年）に「2020年に向けた社会全体のICT化アクションプラン」を取りまとめている．具体的には，「社会全体のICT化」

に取り組んでいくための8つの分野（多言語音声翻訳対応の拡充，デジタルサイネージの機能拡大，オープンデータの利活用推進，放送コンテンツの海外展開の推進，無料公衆無線LAN環境の整備促進，第5世代移動通信システムの実現，4K・8Kの推進，サイバーセキュリティの強化）と，これによって実現する2つのサービス（都市サービスの高度化，高度な映像配信サービス）が示されている[123]．

　また，IoT機器に関して，利用者等による対策があまりされておらず，サイバー攻撃の脅威にさらされているものが多いことに対応するため，国立研究開発法人情報通信研究機構が，2019年2月から，サイバー攻撃に悪用されるおそれのある機器の調査と電気通信事業者による利用者への注意喚起を行う取組（NOTICE：National Operation Toward IoT Clean Environment）を実施している[124]．

　経済産業省では，「情報化・情報産業」に関する主要施策として，「IT産業の競争力強化（電気電子機器産業，情報サービス・ソフトウェア産業）」「ITユーザの競争力強化（ビジネス及び行政の情報化）」「情報経済社会の環境整備」を挙げて取り組んでいる[125]．

▶知的財産戦略本部[126]

　社会における情報の重要性が高まるなかで，知的財産権制度のあり方が国家の競争力を左右するようになってきている．2002年12月4日に知的財産基本法が制定され，同法第24条以下に基づき，内閣に知的財産戦略本部が2003年3月に設置されている．知的財産戦略本部は，知的財産の創造，保護および活用に関する施策を集中的かつ計画的に推進することを目的として検討を進めており，毎年「知的財産推進計画」を策定・公表している．

　2019年6月に公表された「知的財産推進計画2019」では，当面の具体的重点施策として次のようなものが挙げられている．

---

[123] 総務省『平成30年版情報通信白書』「第2部第4章第1節　総合戦略の推進　2 総務省のICT総合戦略の推進」，http://www.soumu.go.jp/johotsusintokei/whitepaper/h30.html 参照．
[124] 利用者のIoT端末に無断でアクセスすることになるため，「電気通信事業法及び国立研究開発法人情報通信研究機構法の一部を改正する法律（2019年5月に公布，11月施行）」によって調査等の権限を明確にしている．
[125] https://www.meti.go.jp/policy/it_policy/outline.html
[126] http://www.kantei.go.jp/jp/singi/titeki2/

【「脱平均」の発想で個々の主体を強化し，チャレンジを促す】
・創造性の涵養・尖った人材の活躍
・ベンチャーを後押しする仕組み
・地方・中小の知財戦略強化支援
・知財創造保護基盤の強化
・模倣品・海賊版対策の強化
【分散した多様な個性の「融合」を通じた新結合を加速する】
・オープンイノベーションの促進
・知的資産プラットフォーム
・データ・AI等の適切な利活用促進に向けた制度・ルール作り
・デジタルアーカイブ社会の実現
【「共感」を通じて価値が実現しやすい環境を作る】
・各主体による価値のデザインを慫慂
・クリエイション・エコシステムの構築
・国内外の撮影環境改善等を通じた映像作品支援
・クールジャパン戦略の持続的強化

▶ サイバーセキュリティ基本法

　社会活動におけるサイバー空間の重要性が高まったことによって，サイバー攻撃などによる被害のリスクが深刻化していること等を踏まえ，「サイバーセキュリティ[127)]」強化のための推進体制機能を確立することを目的として，2014年11月にサイバーセキュリティ基本法が成立している．

　この法律によって，サイバーセキュリティに関する施策を総合的かつ効果的に推進するために，官房長官を本部長とする「サイバーセキュリティ戦略本部」が設置され[128)]，国家としてサイバーセキュリティの確保に取り組む体制

---

127) サイバーセキュリティ基本法ではサイバーセキュリティを「電子的方式，磁気的方式その他人の知覚によっては認識することができない方式（以下この条において「電磁的方式」という．）により記録され，又は発信され，伝送され，若しくは受信される情報の漏えい，滅失又は毀損の防止その他の当該情報の安全管理のために必要な措置並びに情報システム及び情報通信ネットワークの安全性及び信頼性の確保のために必要な措置（情報通信ネットワーク又は電磁的方式で作られた記録に係る記録媒体（以下「電磁的記録媒体」という．）を通じた電子計算機に対する不正な活動による被害の防止のために必要な措置を含む．）が講じられ，その状態が適切に維持管理されていることをいう（第2条）」と定義している．

を整備するとともに，国，地方公共団体，重要社会基盤事業者（重要インフラ事業者），サイバー関連事業者その他の事業者，教育研究機関について，それぞれサイバーセキュリティの確保のための責務を定めている．

　具体的には，国と地方公共団体に対してはそれぞれの施策を策定・実施する責務を課しており，重要インフラ事業者[129]，サイバー関連事業者その他の事業者，教育機関[130]に関しては，自主的なセキュリティの確保やサイバーセキュリティ施策への協力等について，努力義務が定められている．

　2018年12月には，2020年東京オリンピック・パラリンピック競技大会の安全な実施に向けて，サイバーセキュリティ基本法の改正が行われている．この改正によって，情報共有と必要な対策等の協議を行うサイバーセキュリティ協議会が創設された．協議会の構成員は，国の行政機関，地方公共団体，重要インフラ事業者，サイバー関連事業者，教育研究機関，有識者等であり，構成員には秘密保持と，情報提供の協力が求められる．また，サイバーセキュリティ戦略本部の所掌事務にインシデント発生時等の連絡調整が追加されている．

1-3-2　情報化を阻害する法制度

▶ デジタル化の障害となる法律

　既存の法律の中には，制定時にデジタル化やネットワーク化を想定していなかったものがある．現行法によって，情報のデジタル化やネットワーク化が禁止されていたり，デジタル化された情報の効力が否定されたりする場合もある．例えば，かつては遠隔医療の中でも，特にテレビ電話等を利用して医師が患者を診療する行為は，医師法第20条が禁止する無診察治療に当たるのではないかという意見があった．1997年に厚生省（現厚生労働省）が必ずしも無診察

---

128) サイバーセキュリティ戦略案の作成・推進や，政府機関の基準策定・監査・重要インシデントの原因究明等の評価等を担う（第25条）．
129) 重要インフラ事業者に関しては，「そのサービスを安定的かつ適切に提供するため，サイバーセキュリティの重要性に関する関心と理解を深め，自主的かつ積極的にサイバーセキュリティの確保に努める（第6条）」ことを求めるとともに，国が「基準の策定，演習及び訓練，情報の共有その他の自主的な取組の促進その他の必要な施策を講ずる」ことが定められている（第14条）．
130) 大学その他の研究教育機関に関しては，「サイバーセキュリティに係る人材の育成並びにサイバーセキュリティに関する研究及びその成果の普及につとめること」も求められている．

治療に当たらないという立場を明確にしているが[131]，それ以前はブレーキになっていた面があることも否めない．販売に際して対面による説明を義務づけている薬機法[132]等の事業法にも同様の問題がある．

　過去に，法律がデジタル化やネットワーク化の障害となっているといわれた例としては，このほかに，行政サービス，金融サービス，在宅勤務，公的教育，選挙運動[133]等がある．現在は，規制緩和の促進等によって基本的には実現の方向に向かっている．

　また，現在の企業活動においては，多くの事務処理がコンピュータを利用して行われており，コンピュータが扱う電磁的記録をそのまま保存すれば，技術的には紙による保存より遥かにコストや保存スペースを削減することができる

---

131) 「情報通信機器を用いた診療（いわゆる「遠隔診療」）について」（健政発第1075号・平成9年12月24日）．

132) 薬事法は，医薬品の販売を行うことができる者を「薬局開設者又は医薬品の販売業の許可を受けた者」に限定しており（薬事法第24条），販売に際しては薬剤師等の専門家による情報提供等を求めていた．ただし，通信販売は禁止されていなかったため，許可を受けた店舗開設者による一般用医薬品のインターネット販売も行われていた．2006年の薬事法改正によって，一般用医薬品が副作用等のリスクに応じて第一類，第二類，第三類に区分され，リスクの高い第一類については書面による説明義務等が明確にされている．この改正を受けて2009年に改正された薬事法施行規則では，第一類と第二類の医薬品について通信販売（郵便等販売）を一律禁止する規定が設けられた．これを不服とする販売事業者から訴訟が提起され，最高裁によって，施行規則の通信販売を一律禁止する規定は新薬事法が委任する範囲を逸脱する違法なものとして無効であるという判断が示されている（最二小判平25・1・11民集67巻1号1頁判時2177号35頁判タ1386号160頁：医薬品ネット販売規制訴訟）．その後，2013年の薬事法改正によって，医療用医薬品（処方薬）と一般用医薬品のうち特に危険性の高い「要指導医薬品」（医療用から一般用になった直後のものと劇薬を指定）の対面販売義務付けと，その他の一般用医薬品については一定のルールの下でインターネット販売ができることが明確化された．なお，薬事法は2016年12月に改正され「医薬品，医療機器等の品質，有効性及び安全性の確保等に関する法律（薬機法）」となっている．

133) わが国の公職選挙法は，公平でコストのかからない選挙を実現するために，選挙運動の方法を厳しく制限している．印刷物その他の文書図面について厳しい制限を加えており，使用できる「文書図面」が限定的に列挙されている（公職選挙法第142条第1項）．Webページやブログ等も文書図画に当たるが，この列挙に含まれていないため，インターネット上で候補者が情報発信を行うことは，公職選挙法違反とされると考えられていた．2013年4月の公職選挙法改正によって，ホームページ，ブログ，SNS，動画共有サービス，動画中継サイト等を利用する方法（電子メールアドレス等発信者情報の表示義務あり）と，電子メールを利用する方法（候補者・政党等に限られ，送付先の制限や記録保存義務，氏名名称や電子メールアドレス等の表示義務あり）による選挙運動用文書図画の配布が解禁されている（総務省「インターネット選挙運動解禁（公職選挙法の一部を改正する法律）の概要」http://www.soumu.go.jp/senkyo/senkyo_s/naruhodo/naruhodo10_index.html参照）．

ようになっている．ペーパーレス化はできるだけトータルに進めることが望ましく，一部でも文書等によるマニュアル処理が残ると，効率性を損なう場合もある．しかし，法令によって書面が義務づけられている場合には，電磁的記録によってこれを行うことが法律上の義務違反となる懸念がある．そこで，このような書面には電磁的記録も含まれることを，明確化する必要が生じることになる．

▶対面や書面を義務づける法律

　既存の法律によって電子化にブレーキがかけられているといっても，具体的な規定をみると，電子化が禁止されているというよりは，対面や書面が義務づけられている場合が多い．

　わが国で文書の保存が義務づけられているものとしては，貸借対照表や損益計算書といった財務諸表，税務処理に使う領収書，保険契約や証券取引に伴う契約書/申込書等がある．個々の法律が文書の保存等を義務づけている理由は，経済活動や証券取引等の安定，税収入の確保，事業者規制等を目的としたものなどがあり，義務違反の場合のサンクションのあり方はさまざまである．

　例えば，商人には一般にその営業および財産の状況を明らかにするための帳簿（会計帳簿・貸借対照表）を作成することが義務づけられている[134]が，その主たる目的は取引の相手方の保護である．裁判上証拠として残しうるよう10年間それを保存することが義務づけられており，当該商人が会社の場合には罰則規定がある[135]．いわゆる事業者規制においては，業務停止命令等の厳しい措置を定めているものもある[136]．

　電磁的記録の利用に関して障害となっている法制度の見直しは以前から議論され，法整備もなされている．個別分野に関するものとしては，「電子情報処理組織による税関手続の特例等に関する法律」，「工業所有権に関する手続等の特例に関する法律」，「電子計算機を使用して作成する国税関係帳簿書類の保存方法等の特例に関する法律」，「電気通信回線による登記情報の提供に関する法

律」などがあり，それぞれ一定の要件のもとで電磁的方法を認める規定が設けられている．

また，2001年の商法改正によって，会社関係書類（定款・貸借対照表等）の電子化や，株主への株主総会招集通知の電子化，株主総会における議決権行使の電子化，貸借対照表等のインターネットによる公開等が認められるようになっている．さらに，「株式等の取引に係る決済の合理化を図るための社債等の振替に関する法律等の一部を改正する法律」によって，2009年までに上場会社の株式等に係る株券はすべて廃止された．株券の存在を前提として行われてきた株主権の管理は，証券保管振替機構および証券会社等の金融機関に開設された口座において電子的に行うことになっている．

しかし，個々の法律の規定すべてについて，法改正や立法によって電磁的記録の利用ができるようにしていくのは，なかなか困難である．そこで，IT書面一括法[137]や後述のe-文書法のように，電磁的記録による手続を一括して容認する立法が整備されることとなったのである．

► e-文書法

e-文書法という呼び方は，「民間事業者等が行う書面の保存等における情報通信の技術の利用に関する法律」（以下，「通則法」という）と「民間事業者等が行う書面の保存等における情報通信の技術の利用に関する法律の施行に伴う関係法律の整備等に関する法律」（以下，「整備法」という）の二法の総称として使われている[138]．

通則法は，個別の法令で民間事業者等が義務づけられている書面の保存等に関し，原則として，すべての場合に当該書面にかかる電磁的記録による保存等を可能にするための総則的な規定である．これに対して整備法は，特別な措置が必要であり通則法に加えて特に法改正が必要となるものについて，個別の改正を行うものである．e-文書法による措置の対象となる法律数は，約250本と

---

[137] 50の法律に定める「書面」等について，その電子化を容認する法律であり，2001年4月に施行されている．
[138] 2005年4月施行．小向太郎「e-文書法」デジタル・フォレンジック研究会編『デジタル・フォレンジック事典』（日科技連出版社，改訂版，2014）238-242頁参照．

図表1-8	文書の電子化における基本的な要件
見読性	電子文書の内容（スキャナを用いて読み取ることにより作成された場合には，必要な程度で読み取られた文書の内容）が必要に応じ電子計算機その他の機器を用いて直ちに表示又は書面に出力できるよう措置されること．
完全性	電子文書が，確定的なものとして作成され又は取得された一定の時点以降，記録媒体の経年劣化等による電子文書の消失及び変化を防ぐとともに，電子文書又は原文書の改ざん等を未然に防止し，改ざん等の事実の有無が判断できるよう保存・管理されること．
機密性	電子文書へのアクセスを許されない者からの電子文書へのアクセスを防止し，電子文書の盗難，漏えい，盗み見等を未然に防止するよう，保存・管理されること．
検索性	検索することのできる機能を有すること．

出典：経済産業省「文書の電磁的保存等に関する検討委員会報告書—文書の電子化の促進に向けて—」24頁

いわれている[139]．

　通則法では，電磁的記録による保存とその記録を基にした書面の作成・縦覧・交付等を容認する旨の規定が置かれている（書面によるものとみなされるとともに，書面の場合と同様の規定が適用される）．書面の保存が法令で義務づけられているものについて，一括して電磁的記録による保存を認めるものであり，電磁的記録による保存には，当初から電磁的に作成された書類の電磁的保存と，当初書面で作成された書類をスキャナでイメージ化して電磁的に保存することがともに含まれる．一方，整備法は，通則法の包括規定の例外事項と，通則法のみでは手当が完全でないもの等，72本の法律について，所要の規定整備を行うために制定されている[140]．

　書面による保存を義務づけている法律は多岐にわたり，保存の対象となるものの性質や重要性はそれぞれかなり異なる．したがって，保存に際しての具体的な方法やセキュリティレベルについて一律に定めることは困難である．そこ

[139] 内閣官房IT担当室「e-文書イニシアティブについて：e-文書法の立案方針」(http://www.mhlw.go.jp/shingi/2004/06/s0624-5a.html)．

[140] 整備法には，行政による立ち入り検査（書面に加え，当該書面にかかる電磁的記録も検査対象に含む旨の規定．行政書士法等44本），特別法に基づく協同組合等の理事による総会等への財務書類に添付する監事の意見書（電磁的記録による提出を容認．たばこ耕作組合法等23本），租税関係（すでに電磁的記録に関する規定が設けられているものについて，スキャナによる保存が認められること等の明確化と，文書の性質上一定の要件を満たすことを担保するために行政庁の承認等特別な手続きが必要である旨の規定．電子計算機を使用して作成する国税関係帳簿書類の保存方法等の特例に関する法律等：3本），電磁的な保存の対象および方法等（主務省令に代えて条例に委任する規定．特定非営利活動促進法：1本），通則法の適用除外（「政治資金規正法」，「公職選挙法」，「政党助成法」）等に関する規定が置かれている．

で，電磁的な保存の対象および方法等については，スキャン文書とする場合の改ざん防止や原本の正確な再現性の要請の程度に応じて，主務省令で具体的に定めることとされている[141].

　例えば，経済産業省が経済産業省所管の対象法令について，電磁的記録による保存を行う際に「経済産業大臣が定める基準を確保するよう努めなければならない[142]」とした上で，具体的な基準について「文書の電磁的保存等に関する検討委員会報告書─文書の電子化の促進に向けて─」で，電磁的保存等を行う場合の要件や対策のあり方についてのガイドラインを示している[143]．そして，基本的な要件として「見読性」「完全性」「機密性」「検索性」を「(図表1-8) 文書の電子化における基本的な要件」のように定義した上で，対象となる文書の内容や事故が起きた時などに及ぼす影響の範囲などに応じて，最も基本となる見読性の確保だけが求められるレベルから，4 つの要件すべてが必要となるレベルまでが示されている．

► デジタル手続法

　2019 年には，情報通信技術を活用し，行政手続等の利便性の向上や行政運営の簡素化・効率化を図ることを目的として，「デジタル手続法」が制定されている．

　この法律の目的は，「①行政のデジタル化に関する基本原則及び行政手続の原則オンライン化のために必要な事項を定めるとともに，②行政のデジタル化を推進するための個別分野における各種施策を講ずる」ことであり，次のような基本原則が示されている[144]．

---

[141] 各技術的要件の具体的な内容については，タイムビジネス推進協議会編著『概説e- 文書法』（NTT出版，2005），内閣官房情報通信技術 (IT) 担当室編『逐条解説e- 文書法』（ぎょうせい，2005）を参照.

[142] 経済産業省の所管する法令に係る民間事業者等が行う書面の保存等における情報通信の技術の利用に関する法律施行規則　第4条第4項

[143] 経済産業省「文書の電磁的保存等に関する検討委員会報告書─文書の電子化の促進に向けて─」

[144] IT総合戦略本部「デジタル手続法の概要」（令和元年5月31日公布），https://www.kantei.go.jp/jp/singi/it2/hourei/digital.html

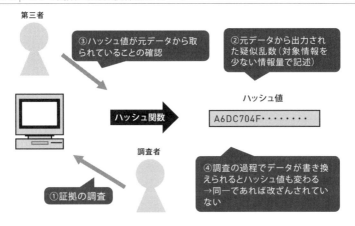

| 図表1-9 | ハッシュ関数による証拠保全のイメージ |

第三者

③ハッシュ値が元データから取られていることの確認

②元データから出力された疑似乱数（対象情報を少ない情報量で記述）

ハッシュ値

ハッシュ関数

A6DC704F・・・・・・・・

調査者

④調査の過程でデータが書き換えられるとハッシュ値も変わる
→同一であれば改ざんされていない

①証拠の調査

① デジタルファースト：個々の手続・サービスが一貫してデジタルで完結する

② ワンスオンリー：一度提出した情報は，二度提出することを不要とする

③ コネクテッド・ワンストップ：民間サービスを含め，複数の手続・サービスをワンストップで実現する

　なお，行政のデジタル化を推進するための個別施策としては，本人確認情報の利用範囲の拡大（住民基本台帳法）や，公的認証やマイナンバー・カードの利用拡大（公的個人認証法，番号法），マイナンバーの対象業務の拡大等などが挙げられている．

1-3-3　情報化の基盤となるルール

▶デジタル情報と真正性

　デジタル情報は変幻自在であるため，そのままでは証拠として使うことが難しい場合がある．ワープロソフトで作成した契約書を，そのままの電子ファイルで契約当事者双方が保存しても，自在に書き換えることができてしまうので用をなさない．デジタルデータで証拠書類を作成しても，それが改ざんされた

ものではないという証明が難しい. そこで, 暗号技術等を用いて何とか内容の真正を保証する手段を確保しようという試みがなされている[145].

代表的な技術的手段として,「ハッシュ関数」を用いた改ざんの検出がある. 例えば, あるハードディスクに保存されているデジタル情報全体にハッシュ関数をかけると, 少ない情報量でデータ全体を表示する「ハッシュ値」と呼ばれるデータが得られる. 元データを一部でも改ざんすると, 同じハッシュ関数をかけた場合のハッシュ値が変化するため, これによって改ざんを検知することができる. この方法は, データの真正性を担保する方法として広く使われている. この場合, 技術もさることながら, 技術が適正に使われていることについての, 運用上の担保が重要である.

元来, わが国の法律には, 契約の成立に書面や署名を要求する, いわゆる方式要件が少ないといわれている. わが国の民法では, 両当事者の意思が合致することが契約の拘束力を生み出すもとであるという近代法の原則が尊重され, 売買・賃貸借など, ほとんどの重要な契約が契約当事者の合意だけで成立する諾成契約として規定されている[146]. 特別法によって文書等の方式要件が広く課されていることも少ない. また, 訴訟法上も文書に関する真正性の推定規定等[147]はあるが, 電磁的記録を証拠として用いること自体には問題がなく, 自由心証主義が原則となる. つまり, 裁判官が真正な証拠であるという心証を持ちさえすれば, 証拠として有効に評価されるということである. そのため, 企業間の契約や実際の取引において電磁的手段を用いることについては, むしろ障害が少なかったともいえる[148].

---

[145] 電子証拠については, 町村泰貴・白井幸夫編『電子証拠の理論と実務―収集・保全・立証』(民事法研究会, 2016), 高橋郁夫他編『デジタル証拠の法律実務Q&A』(日本加除出版, 2015) を参照.

[146] これに対して例えば米国では, 詐欺防止法 (Statute of Fraud) 等と呼ばれる法律が各州の州法として制定されており, 一定の契約に書面を要求する条項が置かれる場合が多い. 米国統一商事法典 (U.C.C. §2-201) でも一定以上の価格の物品の売買契約について書面を要求する等の規定を置いている. こういった文書には署名が要求されるのが一般的なので, 電子署名が署名として認められないと電磁的手段による契約の締結は有効にできないことになる. 電子署名に関する立法は契約そのものを有効に成立させるために必要なのであり, 証拠としての確からしさを高めることが目的だったわが国とは若干事情が異なる. ただし, わが国でも保証契約については, 書面が必要とされている (民法第446条).

[147] 民事訴訟法第228-231条.

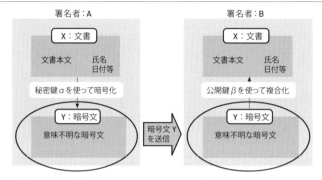

| 図表1-10 | 電子署名のイメージ |

- ・公開されている公開鍵βを利用すれば，Y→Xと文書を複合することができる．
- ・公開鍵βと暗号文からは，秘密鍵αを知ることができない．したがって，Yという暗号文を作成できるのは，秘密鍵αを保有している署名者Aだけである．
- ・署名者Bは，公開鍵βで暗号文Yを複合化できれば，文書が署名者Aによって作成された真生なものであると確認できる．

　しかし，実際の企業活動においては，意思の合致だけで契約が締結されているわけではない．契約の内容を書面として残し，記名押印または署名をするのが通常である．契約内容等を明確にして，後に紛争等が起こった場合に，確かな根拠とすることが求められるからである．取引の電子化に伴い，契約内容に関する記録を電磁的記録によって保存する場合には，電磁的記録がこのような役割を果たし得るかを考慮する必要がある．

　このような観点から，2001年に電子署名法[149]が成立している．電子署名とは，署名をしたのが確かに本人であることと，署名後に文書が改変されていないことを保証する技術であり，公開鍵暗号技術[150]が用いられている．従来か

---

[148] 石井夏生利「電磁的記録の法的地位」InfoCom REVIEW第39号（2006）73-90頁，内田貴「電子商取引と民法」『債権法改正の課題と方向―民法100周年を契機として』別冊NBL51号（1998），内田貴「電子認証・電子署名をめぐる法制度整備のあり方（上）（下）」NBL675-676号（1999）等を参照．

[149] 電子署名法の解説としては，夏井高人『電子署名法―電子文書の認証と運用の仕組み』（リックテレコム，2001）等を参照．

[150] 例えば，「文書→暗号文」と変換する暗号キーを秘密鍵として，「暗号文→文書」と変換する復号キーを公開する．このような場合に，数学的な処理によって，公開された復号キーと暗号文から暗号キーを推知することができないようにする技術を，公開鍵暗号技術という．どのような手順でこのような処理が可能になるのかを平易に説明したものとして，辻井重男『暗号と情報社会』（文春新書，1999）154-181頁がある．

ら，書面に署名または押印をして作成した文書は，民事裁判において真正に成立したものと推定されることになっていた[151]．電子署名法第3条は，「電磁的記録であって情報を表すために作成されたものは，当該電磁的記録に記録された情報について本人による電子署名が行われているときは，真正に成立したものと推定する」旨を定めており，法律が認める電子署名がなされていれば署名・押印文書と同じ効果が，裁判上も認められるようになっている[152]．

　なお，特に，法的な争いになった場合に証拠としてデジタル情報を扱うための手法や技術は，デジタル・フォレンジックと呼ばれている[153]．デジタル・フォレンジックの技術としては，不正侵入等が行われた場合にその証跡をたどるもの（ログデータ復元，侵入経路切り分け，不正監視等），証拠を収集するためのもの（パスワード解読，IPトレースバック，不正追跡等），証拠としての正当性を確保するためのもの（原本性確保等）などがある[154]．

▶電子記録債権

　企業間の商取引においては，手形や小切手といった有価証券が決済に広く使われている．債権内容（一定金額の支払）が有価証券に記載されていれば，その有価証券を持っている人が名義人に対して債務の履行を求めることができる．債権が証券と一体になることで，債権者はその債権を他の者に譲渡することが容易になる．特に手形は，転々流通することが多く先日付での発行が可能であることから，実質的な資金調達の手段としても利用されている．

　有価証券は証券という書面が成立要件になっていることから，コンピュータ

---

[151] 民事訴訟法第228条第4項．
[152] このほか，2000年4月に「商業登記法等の一部を改正する法律」が成立したことを受けて，「商業登記制度に基礎を置く電子認証制度」（本人認証，法人の実在，代表者権限等の認証）と「公証制度に基礎を置く電子公証制度」（契約の成立・内容・成立時期の公証，確定日付の付与等）も運用が開始されている．
[153] 「インシデント・レスポンスや法的紛争・訴訟に対し，電磁的記録の証拠保全及び調査・分析を行うとともに，電磁的記録の改ざん・毀損等についての分析・情報収集等を行う一連の科学的調査手法・技術をいう」（特定非営利活動法人デジタル・フォレンジック研究会：http://www.digitalforensic.jp/）．
[154] デジタル・フォレンジックの全体像については，デジタル・フォレンジック研究会編『デジタル・フォレンジック事典』（日科技連出版社，改訂版，2014），佐々木良一編著『デジタル・フォレンジックの基礎と実践』（東京電機大学出版局，2017）を参照．

上で処理することが困難であった．同様の機能を電子記録で実現することが検討され，電子記録債権法が2007年6月に成立している．この法律が定める電子記録債権は，主務大臣の指定を受けた電子債権記録機関（株式会社）の電磁的な帳簿に債権内容等を記録することで発生する．債権の譲渡等も同じ電磁的な帳簿に記録されることで有効性が担保される．電磁的な帳簿の信頼性を前提に流通性を高めることも目指している[155].

▶ 電子マネー・電子決済

電子的手段を使った電子決済が広く使われるようになっている．デジタル情報に貨幣のような役割を持たせて取引を円滑に行えるようにするという試みは1990年代から行われていたが，2000年代に入り，交通（Suica, PASMO, ICOCA, PiTaPa等）や流通（nanaco, WAON, Edy等）の分野で，ICカード技術を用いた電子マネーが登場して，急速に広まっている[156].

テレホンカード等のプリペイドカードは，「前払式証票の規制等に関する法律」により規制されてきた．ICカードを用いたプリペイド式の電子マネーもこの法律による規制の対象となり，発行者以外の第三者からの物品購入に利用できるカードの発行者（第三者発行者）は登録制とされ，経営破綻等の際に利用者が危険を負わないように，未使用残高の2分の1以上に相当する金額を発行保証金として供託すること等の義務が課せられていた．しかし，この法律は証票を対象としていたため，ネットワーク上で完結するいわゆるサーバ型の電子マネーには適用がないとされてきた．2009年6月に成立した「資金決済に関する法律（資金決済法）[157]」では，電子的決済手段の広がりに対応するために，サーバ型電子マネーを含む「前払式支払手段」全般について，従来の前払式証票の発行者と同様の義務を課している[158].

最近では，P2Pによるブロックチェーンと呼ばれる技術を使った決済システ

155）佐藤良治「電子記録債権制度をどう活用していくか—IT関連法としての見方」ジュリスト1345号（2007）29頁等.
156）どのような電子マネーが提供されているかを詳述したものとして，岡田仁志『電子マネーがわかる』（日経文庫，2008）を参照.
157）「前払式証票の規制等に関する法律」はこの法律の成立とともに廃止された.

ムが，利用者を増やしている．その代表とされるのがビットコインである．
ビットコインの仕組みは論文として公開されており[159]，これがブロック
チェーン技術の基礎になっている．ネットワーク参加者はビットコインを支え
るリソースを提供することでビットコインを受け取ることができる．所有者の
履歴などが分散ネットワークにより検証・記録されることで信頼性を保ってお
り，物，サービス，リアルな通貨との交換が広まりつつある．こうした仮想通
貨は，発行者が存在しないため，資金決済法の発行者に対する規制では，利用
者を保護することができなかった．

　仮想通貨が広まるにつれて，違法な活動の資金源になることや，取引システ
ムの脆弱性を懸念する声もあり，東京に拠点を置く大手取引所が大量のビット
コインを消失し破綻したことが注目された．こうした懸念に対応するために，
2016年6月に資金決済法が改正され（2017年4月施行），「仮想通貨（2019年5月改
正で「暗号資産」と呼称変更）[160]」に関する規定が定められている．これにより仮
想通貨交換業を行う者には，内閣総理大臣への登録が求められ，口座開設時の
本人確認，利用者が預託した金銭・仮想通貨の分別管理等のルール整備，安全
管理などの義務が課せられることになった．

　また，この技術を用いて企業が資金調達をする ICO（Initial Coin Offering）も現
実に行われている．ICOは，企業や団体が，投資家に資金を払い込んでもら
い，それに対して「トークン」と呼ばれる電子証券を発行する形で行う資金調
達であるが，トークンに資産的な裏付けがなくても発行することができ，業務

---

[158] ネットワーク時代の決済手段全般に関する法制度を解説したものとして，小塚荘一郎・森田果
　　『支払決済法』（商事法務，第3版，2018）を参照．なお，企業が販売促進や顧客囲込み等のため
　　に発行する企業ポイントについても，消費者保護の必要性が指摘されており，ガイドラインが策
　　定されている．企業ポイントは取得時に利用者が対価を支払わない点が電子マネーとは異なり，
　　現在のところ特別な法的規制は導入されていない（経済産業省「企業ポイントの法的性質と消費
　　者保護の在り方に関する研究会報告書」（平成21年1月）参照）．
[159] Satoshi Nakamoto, "Bitcoin：A Peer-to-Peer Electronic Cash System" https://bitcoin.org/bitcoin.
　　pdf
[160] 仮想通貨は，「一　物品を購入し，若しくは借り受け，又は役務の提供を受ける場合に，これ
　　らの代価の弁済のために不特定の者に対して使用することができ，かつ，不特定の者を相手方と
　　して購入及び売却を行うことができる財産的価値であって，電子情報処理組織を用いて移転する
　　ことができるもの」「二　不特定の者を相手方として前号に掲げるものと相互に交換を行うこと
　　ができる財産的価値であって，電子情報処理組織を用いて移転することができるもの」と定義さ
　　れている（第2条第5項）．

内容の開示や取引のルールがないため，有価証券や資金調達に関する制度との関係が問題となっていた．これについては，2019年5月の金融商品取引法の改正（2020年4月施行予定）によって，収益分配を受ける権利が付与されたICOのトークンについて，金融商品取引規制の対象となることが明確化され，投資家への情報開示の制度や販売・勧誘規制等が整備されている[161]．また，暗号資産を用いた証拠金取引について，外国為替証拠金取引（FX取引）と同様の販売・勧誘規制等が整備され，暗号資産の不当な価格操作等も禁止される．

　ブロックチェーンを用いた仮想通貨は，既存の通貨と関係なく生成され，純粋な情報として経済的価値を持つ，いわば全く新しい財である[162]．将来的には現行の通貨制度に深刻な影響を与える可能性がある．

▶消費者保護

　インターネットが急速に普及し，今では誰もがインターネットを利用してさまざまなサービスを受けるようになりつつある．インターネットを利用したオンラインショッピングやオークションサイトの利用が急速に拡大している一方で，これらの取引をめぐる企業と消費者の間のトラブルも増加している．ネットワーク上での電子商取引では，現実に店舗を構えて行われる商売に比べて，悪質な商売を行って雲隠れするような詐欺的な商法も行いやすい．他人の名前で商品を買う，なりすましが行われる危険もある．このような問題に法的な側面から対応するために，消費者保護に関する制度が整備されている．

　まず，消費者取引全般については，基本的ルールを定めた「消費者契約法」が2000年に制定されており，消費者契約法は，説明が不適切な場合に契約を取り消すことや不当な契約条項があれば無効主張できること等が定められている．消費者政策の基本的な枠組みを定める消費者保護基本法も2004年に改正されて「消費者基本法」となり，高度情報通信社会の進展への的確な対応についての規定が盛り込まれている．2009年9月には，消費者の視点から政策全

---

[161] このように制度や実態による裏付けがあるものは，ICOと区別して，STO（Security Token Offering）と呼ばれることもある．

[162] ブロックチェーンについては，岡嶋裕史『ブロックチェーン』（講談社，2018），坂井豊貴『暗号通貨vs.国家　ビットコインは終わらない』（SBクリエイティブ，2019）等を参照．

般を見る組織として，消費者庁が発足している．

　また，商品やサービスを実際より良く見せかける表示や，過大な景品付き販売によって，消費者が不利益を受けないようにするため，不当景品類及び不当表示防止法（景品表示法）によって，品質，内容，価格等を偽った表示の禁止や，景品類の最高額の制限が定められている．特に，商品やサービスの内容を実際よりも著しく優良に見せる表示（優良誤認表示）や取引条件を有利であると誤認させる表示（有利誤認表示）は，2016年から課徴金の対象にもなっている．

　特にインターネット上での消費者向けの販売については[163]，2000年11月の特定商取引法改正によって，インターネット通販における誤動作等のトラブルを避けるために，申込みに関してわかりやすい画面表示を行うことが，事業者に義務づけられている．さらに，2001年に施行された電子消費者契約法[164]では，契約内容の確認画面等がない場合には，消費者が錯誤に基づく無効を主張できるよう配慮する規定が設けられている[165]．

---

[163]　ここに挙げたものの他にも，直接消費者を保護するためのものではないが，インターネット・オークションで盗品等が販売されることを防ぐため，2002年12月の「古物営業法」改正によって，事業者に一定の義務（URLの届出，出品者の確認等）が課せられている．

[164]　電子消費者契約及び電子承諾通知に関する民法の特例に関する法律．

[165]　民法第95条は，意思表示に要素の錯誤（本質に関わる重要な錯誤）があった場合には，法律行為が無効であるとしているが，表意者に重過失があった場合にはそれを主張できないとしている．電子契約法は，Webに確認画面等を設けていない場合には，消費者に重過失があっても意思に反した取引について錯誤無効を主張できるようにしたものである．なお，民法の債権関係の規定は2017年に大幅な改正がされ，2020年4月に改正法が施行されることになっている．錯誤に関する規定については対象となる錯誤の内容が明確化されているため，電子消費者契約法もそれに合わせて改正されている．また，この民法改正では，消費者向けの取引において利用されることが多い定型約款（約款，利用規約等）に関する規定が新設され，定型約款が契約の内容となるための要件や，不当条項（相手方の利益を一方的に害する条項であって信義則（民法第1条第1項）に反する内容の条項）については合意とみなされないこと，一定の場合に定型約款を変更することが認められることなどが規定されている．

Introduction to

2

Information law

ネットワーク関連事業者

　本章では，デジタル・ネットワークの基盤を形成している事業者について，どのような法的規制や法的責任が課せられているかを検討する．

　情報の伝達を担うネットワークを提供する伝統的な事業者である通信事業者と放送事業者は，どちらも政府による規制を受ける代表的な被規制産業である．しかし，電気通信事業者が内容に関与することが許されないのに対して，放送事業者はその内容に責任を求められており，制度上も明確に区分されてきた．通信と放送の枠を越えた利用が広がるなかで，制度が通信と放送の融合にどのように対応するかが課題となっている．

　ネットワークのIP化は，こうした伝統的なネットワーク事業者以外にも，ネットワークに関わるさまざまな主体を生み出している．インターネットの情報は，ネットワークを構成するさまざまな主体によって媒介されている．インターネット上での情報発信については，情報発信の場を提供しているISP（Internet Service Provider）や電子掲示板管理者等の媒介者の責任が，早い段階から議論されるようになってきた．

　さらに，最近注目されているプラットフォーム事業者（プラットフォーマー）も，広い意味では情報伝達の媒介者に含まれるが，独自のビジネス・モデルや特定の事業者への集中といった，社会的にも重要な特徴を持っている．特に影響力の顕著な事業者に対する法的な規制の必要性も議論されるようになっている．

デジタル	ネットワーク
・複製コストの低下，劣化のない複製 ・情報の集積・結合，変幻自在な加工	・伝送コストの低下，ランダムアクセス ・情報発信者の遍在，情報の拡散

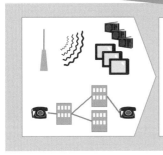
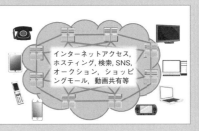

インターネットアクセス，ホスティング，検索，SNS，オークション，ショッピングモール，動画共有等

2-1-1　電気通信事業

▶電気通信と競争導入

　電気通信とは，「有線，無線その他の電磁的方式により，符号，音響又は影像を送り，伝え，又は受けること」（電気通信事業法第2条第1号）である．そして，これを行うための電気的設備を用いて他人の通信を媒介し，その他電気通信設備を他人の通信の用に供する役務（サービス）を，「他人の需要に応ずるために提供する事業」（4号）が電気通信事業であると定義されている．

　1980年代までの電気通信事業は電話（固定電話）が主要業務であり，電話サービスを提供するためのネットワークを全国に構築していた．もともと電話事業は，埋没費用（サンクコスト）[1]が大きいこと，規模の経済[2]が働くことや，ネットワーク効果[3]を有することから，民間企業の自主的活動に任せておくと有効なネットワーク構築がなされないおそれがあるとされ，多くの国で公営によって始められている．そして，電話がある程度普及すると，代替手段が少ない必需サービスであると認識されるようになる[4]．国民の誰もがどこに住んでいて

---

[1]　土地や資金は，別のビジネスにも役立てることができるし転売することも可能である．しかし，交換機や電話線は電話ビジネスで利用しなければ価値が著しく減少する．つまり，最初にかかった（膨大な）コストは「埋没」してしまう．このようなコストを埋没費用（sunk cost）という（奥野正寛・鈴村興太郎・南部鶴彦編『シリーズ・現代経済研究5　日本の電気通信—競争と規制の経済学』〈日本経済新聞社，1993〉254頁参照）．「転用不可能な固定費用」と訳されることもある（林紘一郎『ネットワーキング—情報社会の経済学』〈NTT出版，1998〉14頁）．

[2]　生産量が大きくなるほど，1単位当たりの生産費（平均費用）が逓減していく場合に，「規模の経済性（economies of scale）」があるという．規模の経済性の大きさは，当該産業に新規参入する際の障壁になりうる（奥野正寛・鈴村興太郎・南部鶴彦編『シリーズ・現代経済研究5　日本の電気通信—競争と規制の経済学』〈日本経済新聞社，1993〉235頁参照）．

[3]　ネットワーク効果とは，ある加入者が当該ネットワークに加入することが，当該加入者の便益を向上させるだけでなく，既存の他の加入者の利用機会を増やすことになり，他のメンバーの便益も向上させるという性質を指す．このため，ネットワーク・サービスは一定の加入者がいないと普及が促進されず，ネットワークが分断されるとデメリットが大きい（奥野正寛・鈴村興太郎・南部鶴彦編『シリーズ・現代経済研究5　日本の電気通信—競争と規制の経済学』〈日本経済新聞社，1993〉248頁参照）．

[4]　このようなサービスは公益事業と呼ばれ，政府が規制を行うことが正当化される．

も経済的にサービスが受けられるべきであるとするユニバーサルサービスの要請なども，このような根拠から議論される．

　しかし，ネットワークの整備が進み，電気通信に関する技術が成熟すると，事業参入コストの低下や技術の標準化によって，電気通信事業への新規参入も可能になる．わが国では，1977年にいわゆる「積滞」[5]が解消し，電話設置の申し込みがすぐに処理されるようになった．また，1978年には全国に交換手を通さず直接ダイヤル通話ができるようになり，国内のネットワークがある程度整備できた状態となった．さらに，サービスの高度化などさまざまなニーズが顕在化し，自由競争（料金競争，サービス競争）による市場の活性化を求める声が高まってきた．

　こうした状況を受けて，1985年に日本電信電話公社が民営化され日本電信電話株式会社 (NTT) となり，電気通信事業に競争が導入された．新規参入が認められるとともに，電気通信事業者を規制する法律として，電気通信事業法が制定されている．自ら設備を保有して電気通信サービスを提供する電気通信事業者（第一種電気通信事業者）に加えて，自らは設備を持たず第一種電気通信事業者の設備を利用してサービスを提供する付加価値事業者（第二種電気通信事業者）も認められるようになった．第一種電気通信事業を行うためには郵政大臣（当時）の認可が必要であるが，第二種電気通信事業者はその規模等に応じて登録または届出を行えば事業開始が可能となり，参入が容易になった．

　第一種電気通信事業への新規参入は，当初は長距離通信が中心であった．これは，当時の長距離通信料金が市内通信料金に比べてかなり高く設定されており，長距離通信については料金がコストに比べて割高なものになっていたことが，理由であると考えられている[6]．

▶ 競争導入後の規制

　市場における事業者間の競争が十分に機能して，それによって利用者にとって適正なサービスが提供されていれば，その業界の事業に対して特別な規制を

---

[5]　電話加入の申込みを受け付けたあと，すぐに設置工事などを完了することができず，かなりの期間サービスの利用開始ができない状態．

図表2-1	わが国における電気通信事業の略史
1869年	電信事業の開始（国営）
1890年	電話事業の開始（国営）
1945年	第二次世界大戦終結
1952年	日本電信電話公社設立（翌1953年にKDDが分離）
1977年	「積滞」解消（すぐ付く電話の実現）
1978年	全国ダイヤル即時化（すぐ繋がる電話の実現）
1979年	東京23区で自動車電話サービス（電電公社）開始
1985年	日本電信電話公社の民営化（NTT）と競争導入
1992年	NTTドコモ，NTTから分離
1999年	モバイル・インターネット開始，ADSLサービス提供開始，NTT再編
2000年	DDI, KDD, IDOが合併（DDI），2001年にKDDIと名称変更，auを合併
2004年	Vodafoneがソフトバンクグループ傘下へ，2006年に「ソフトバンク」ブランド

出典：福家秀紀『情報通信産業の構造と規制緩和』（NTT出版，2000）1-12頁，電気通信事業者各社のWebページを参考に作成

課す必要はなく，独占禁止法や会社法を初めとする企業活動に関する一般法によって規律されるのが原則となる．しかし，電気通信事業に関しては，公共的な性格を有することや，新規参入がなく競争が行われない分野もあったことから，事業者規制が導入されることになった．

　複数の事業者が電気通信を提供する場合，異なる事業者の利用者が互いに通信できるようにするためには，事業者間の相互接続が必要になる．特に，新規参入事業者はNTTの設備を利用しなければ，サービスを提供できない場合が

---

6)　このような市内通信と長距離通信における料金水準のアンバランスは，いくつかの要因が重なって生じたものと考えられる．もともと長距離通信（市外通話）は高価なものとして認識されていたこと，鉄道等の料金と同様に遠い所にかける電話料金が高いというのは感覚的にも合致すること，市内通話のようなコミュニティ・ラインは安く提供すべきだという主張があったことなどが理由としてあげられる．また，市外通信では，マイクロウェーブ，同軸ケーブル，衛星通信，光ファイバーなどの新しい技術によるコスト低減効果が大きかったのに対して，市内通信の主要な部分を占めるアクセス網は，あまりコストが下がらないという性格もある．むしろ，交換機の世代交代や地価・建設費・人件費の高騰によって，コスト増の方が大きかったともいわれる．電話事業は1つの事業体によって営まれていたため，値上げをしにくい市内通話料金のコストを市外通話料金によって補填するという内部相互補助のシステムができあがっていた．市内通話は一般化したのに対して長距離通信はまだまだ贅沢品であり，市内通話を使う人の方が多いため，値上げにはより大きな抵抗があるからである（林紘一郎・田川義博『ユニバーサル・サービス──マルチメディア時代の「公正」理念』〈中央公論社，1994〉101-110頁）．

図表2-2 電気通信事業者規制の概要

目的	事業者の義務等	料金規制
競争促進	相互接続義務	接続料
利用者保護	提供義務・参入規制	サービス料金

出典：小向太郎「通信・ブロードバンド規制」山本哲三・野村宗訓編著『規制改革30講　厚生経済学的アプローチ』
　　（中央経済社，2013）185頁

多い．そこで，電気通信事業者間の相互接続義務が課せられることになった．
さらに，利用者保護の目的で，事業者の参入規制（不適正な事業者による参入の抑
制）や料金規制（適正な料金による提供），提供義務（公共サービスの提供確保）等が課
された．そのほか，公平な競争条件を確保するために，優先接続[7]，番号ポー
タビリティ[8] といった制度も導入されている．

　2003年には，電気通信事業法が大幅に改正され，第一種，第二種の事業区
分が廃止された．電気通信回線設備の規模および区域が一定の基準を越える事
業者は登録，それ以外は電気通信設備の設置の有無にかかわらず事前届出で，
電気通信事業に参入できるようになった．競争の進展を踏まえて料金規制は大
幅に緩和（自由化）されているが，NTT東西地域会社をはじめとする一部の事
業者については，特別な規制が維持されている[9]．

　なお，新規参入事業者との競争を活発化するために，NTTを分割するなど
して経営形態を見直すべきだという議論もなされてきた．1999年には，NTT

---

[7]　ユーザがどの通信事業者を主に利用するかを，事前登録によりあらかじめ選択しておく制度．
[8]　利用者が契約する電気通信事業者を変更してもこれまで使用していた電話番号を引き続き使用
　　できるようにすること．わが国では，2001年3月に「着信課金番号」と「一般番号（固定の地域
　　系の事業者間）」が，2006年10月に携帯電話に関する番号ポータビリティが，それぞれ導入さ
　　れている．
[9]　例えば，1997年の改正によって，指定電気通信設備（電気通信役務を提供する際のボトルネッ
　　クとなる設備，現在は「第一種指定電気通信設備」）を設置する第一種電気通信事業者に対して，
　　接続約款の作成・認可（電気通信事業法第33条第2項等），接続会計の整理（第33条第13項）等
　　が義務づけられている．さらに，2001年の改正によって，一定の設備シェアを持つ移動体通信
　　用の設備（第二種指定電気通信設備）に対しても接続約款の作成・公表（第34条）を義務づける
　　とともに，市場支配力を有する電気通信事業者について差別的取扱等の禁止行為を定めている
　　（第30条，第31条）．これらのいわゆる非対称規制は，2003年の規制緩和後も維持されている．

持株会社を中心とする企業グループへの組織再編（主要な電気通信事業会社を東西の地域会社と長距離国際通信会社に別法人化）が行われている．

　その後，電気通信サービスの中心はモバイル市場に移っている．モバイルの料金をより安くすべきだという要請を受けて，最近では，モバイル市場の競争促進のための規制が検討されている．2019年の電気通信事業法改正では，通信料金と端末代金の完全分離を求める規制（端末実質ゼロ円といった販売手法を禁止し通信料金単体での競争の促進をめざすもの）や，いわゆる「二年縛り」などによる行き過ぎた囲い込みを禁止する規制（利用者による自由な事業者乗換えの促進をめざすもの）が導入された．これとあわせて，販売代理店が届出制になるとともに，勧誘を行う場合には，氏名・名称等を告げて勧誘であることを明らかにしたうえで行うことが義務づけられている．

▶ユニバーサルサービス

　「日本電信電話株式会社等に関する法律」第3条は「国民生活に不可欠な電話の役務のあまねく日本全国における適切，公平かつ安定的な提供の確保に寄与するとともに，（中略）公共の福祉の増進に資するよう努めなければならない」と定めており，NTTなどには，全国「あまねく」サービスを提供することを求めている．また，電気通信事業法第7条は，「国民生活に不可欠であるためあまねく日本全国における提供が確保されるべきサービス」を基礎的電気通信役務として，「適切，公平かつ安定的な提供」をNTT東西地域会社などに義務づけている．これは一般にユニバーサルサービス義務を定めたものと考えられている．

　ユニバーサルサービスとは，もともとは米国の電話会社であるAT&Tが，「一つのポリシー，一つのシステム，ユニバーサルサービス」という標語で提唱した言葉であり，顧客の利便や効率性を理由に独占の正当性を主張するのがその本旨であった．その後，独占企業であるかどうかを問わず，日常生活に不可欠なサービスについてどこでも利用が可能な環境が整備されるべきだという考え方から，一定のサービスをユニバーサルサービスとして，その提供を義務づける考え方が出てきた[10]．サービスの提供がなされてもあまりに料金が高いのでは問題がある．しかし，サービス提供に高いコストを要する地域につい

ても他の地域と同様の価格でのサービス提供を義務づけた場合，サービス料金がコスト割れになってしまうことも考えられる．そこで，ユニバーサルサービスの提供にかかる費用を，関連事業者による基金から拠出する制度も導入されている．

　現在のユニバーサルサービス制度は，主として旧来型の固定電話の提供を義務づけるものであるが，今後ネットワーク設備がIP化，光ファイバ化することを見越して，一定の条件を満たす光IP電話でも代替が許容されている．さらに，ブロードバンドアクセスや携帯電話についてもユニバーサルサービスとすべきであるという意見もあり，今後の検討課題となっている[11]．

▶ネットワークの中立性

　ファイル交換ソフトによる大容量ファイルの交換や，映像などの大容量コンテンツ配信の増加によって，インターネット上の通信量は急増している．負担が大きくなったネットワーク事業者からは，ネットワークに大きな負荷をかけてビジネスを行っている事業者（コンテンツ・プロバイダ等）にもコスト負担を求めるべきであるという意見も出ている．これに対して，コンテンツ・プロバイダ等もインターネットへの接続に際してはコストを負担しているのであり，ネットワークのインフラ設備を運営する事業者や機関は，ネットワーク上を流れるコンテンツについて中立的な立場をとるべきであるという反論が行われている．これがネットワークの中立性に関する議論と呼ばれるものであるが，より本質的には，インターネットというオープンで自由なルールによって運用されてきたネットワークのコストを，今後は誰がどのように負担していくのかという問題である．

　ネットワーク中立性の議論は，米国では現在も大きな争点となっているが，

10）　ユニバーサルサービスの基本的要件としては，（1）国民生活に不可欠なサービスであるという特性（essentiality），（2）誰もが利用可能な料金で利用できるという特性（affordability），（3）地域間格差なくどこでも利用可能であるという特性（availability）が挙げられている（情報通信審議会「ブロードバンドサービスが全国に普及するまでの移行期におけるユニバーサルサービス制度の在り方答申」（平成22年12月14日）10頁）．

11）　情報通信審議会「ブロードバンドサービスが全国に普及するまでの移行期におけるユニバーサルサービス制度の在り方答申」（平成22年12月14日）27-31頁．

通信の秘密が厳格に保護されているわが国では，電気通信事業者が中立を保つことが当然と考えられている面もあり，具体的な政策としてあまり問題になってこなかった．しかし，コンテンツの大容量化やIoT機器の普及などによる通信料が急増しており，ネットワークを利用したビジネスも多様化してきた．特定の通信がネットワークに負担をかけることで，必要な利用が損なわれる懸念も深刻なものになってきている．総務省では，このような状況を踏まえて，2018年10月に「ネットワーク中立性に関する研究」を設置してネットワークの利用やコスト負担のあり方を検討している．2019年2月に公表した中間報告書（案）では，今後の取組み方針として，①帯域ガイドラインの見直し，②ゼロレーティング[12]に関する指針の策定，③モニタリング体制の整備，④トラヒックの効率的かつ安定的な処理のための体制整備，をあげている．

▶電波政策

無線通信を行うためには電波を利用する必要がある．同じ電波を複数の者が異なる用途で同時に使うと混信などの問題が起こるため，電波利用は国家によって管理されている．電波法第4条は，「無線局を開設しようとする者は，総務大臣の免許を受けなければならない」として無線局の免許制を定めており，微弱無線局等の免許不要局に当たる場合を除いて，電波の送受信を行うためには免許が必要である．電波免許には，免許の数を限定せずに申請内容が免許条件に合致していれば受けられる通常の免許と，一定の周波数を特定の者が特権的に利用できる地位を認める特別の免許がある．特別の免許の代表例としては，放送局や携帯電話事業の免許がある[13]．

また，電波は周波数ごとに性格が異なり，それぞれの周波数に適した目的のために使われることが望ましい．そのため，どの周波数帯をどのような目的で利用するかということは，総務大臣による周波数割当計画によって決められる（電波法第26条）．特別の免許については，申請者について総合的な評価を行っ

---

12) モバイル通信において，特定のアプリ・コンテンツについて，定額料金で通信量無制限の利用ができるサービス．
13) 電波免許制度については，今泉至明『2005年改訂版電波法要説』（電気通信振興会，2005）31頁以下を参照．

図表2-3	わが国における放送事業の略史

1925年	ラジオ放送開始（社団法人東京放送局），日本放送協会設立
1945年	第二次世界大戦終結
1950年	電波3法（放送法，電波法，電波監理委員会設置法），特殊法人NHK設立
1951年	民放局（中部日本放送，新日本放送→毎日放送）
1953年	テレビ放送（日本テレビ，NHK）
1965年	全国ラジオネットワーク（JRN，NRN）
1966年	カラーテレビ全国放送網
1989年	BS放送開始（NHK）
1996年	BSデジタル放送開始（パーフェクTV）
1997年	CSデジタル放送開始（ディレクTV）
2001年	地上デジタルテレビ放送への移行決定（電波法改正）
2010年	放送法改正（放送関連4法を統合・集約）
2011年	地上テレビアナログ放送終了（東北3県は2012年）

出典：NHK放送文化研究所編『データブック世界の放送2019』（NHK出版，2019）9-21頁，295-325頁を参考に
　　作成

て免許を決める総合評価方式がとられている．

　モバイル・コミュニケーションの発展，無線LANなどの新たな利用技術の
出現，放送のデジタル化推進等によって，無線周波数をより効率的に利用する
ことがさらに重要な課題となっている．技術革新が急速に進む状況の中で，周
波数の用途等を政府が規定するのが本当に効率的なのかということにも，疑問
が提起されている．また，特別の免許について，諸外国で実例のある周波数
オークション制度を導入すべきという意見もあるが，現在のところ導入に至っ
ていない．

2-1-2　放送事業

▶放送事業とコンテンツ規制

　わが国の法文上，放送は「公衆によって直接受信されることを目的とする電
気通信の送信」（放送法第2条1号，平成22年法律第65号による改正後の条文による）と
定義されている．つまり，概念としては通信の一部であるといえる．

　わが国でラジオ放送が開始されたのは1925年であるが，現在のように日本
放送協会（NHK）と民間放送局を中心として放送が担われるようになったのは，

	NHK	基幹放送	一般放送
放送提供の義務等	第20条5項 中波放送と超短波放送とのいずれか及びテレビジョン放送がそれぞれあまねく全国において受信できるように措置をする義務	第92条 その基幹放送局を用いて行われる基幹放送に係る放送対象地域において，当該基幹放送があまねく受信できるようにする努力義務	なし
番組編集準則	第4条 ①公安及び善良な風俗を害しないこと，②政治的に公平であること，③報道は事実をまげないですること，④意見が対立している問題については，できるだけ多くの角度から論点を明らかにすること*		
番組調和原則	第106条 テレビジョン放送による教養番組又は教育番組並びに報道番組及び娯楽番組を設け，放送番組の相互の間の調和を保つ義務		なし
番組基準	第5条 放送番組の種別及び放送の対象とする者に応じて放送番組の編集の基準を定め，放送番組を編集する義務		
放送番組審査機関	第6条 放送番組審議機関の設置		
放送番組の保存	第10条 放送番組の内容を放送後において審議機関又は関係者が確認することができるように放送番組を保存する義務		
災害放送	第108条 災害が発生し，又は発生するおそれがある場合には，その発生を予防し，又はその被害を軽減するために役立つ放送をする義務		なし

図表2-4 放送事業者に関する義務規定(概要)

* NHKに対しては，①公衆の要望を満たすとともに文化水準の向上に寄与する努力義務，②全国向けの放送番組のほか地方向けの放送番組を有するようにする義務，③わが国の過去の優れた文化の保存並びに新たな文化の育成及び普及に役立つようにする義務が課せられる（第81条第1項）
出典：総務省情報流通行政局地域放送推進室「放送分野の制度と現状について」（平成23年3月28日），http://www.soumu.go.jp/main_sosiki/hunso/case/iinkai/pdf/110401_02.pdf 等を参考に作成

第二次世界対戦後である．1950年に，放送法，電波法，電波監理委員会設置法が制定され，1950年には特殊法人であるNHKが発足し，1951年には，民間放送局の営業が開始されている．これにより，「受信料制度に基づき全国あまねく放送サービスを提供することを義務とする日本放送協会（NHK）と，広告放送などの営利活動によって事業を図る一般放送事業者（民間放送＝民放）の併存体制」が成立した[14]．

　電波監理委員会は独立行政委員会として，「無線局の開設の根本的基準」「無線局の免許等」「無線設備の技術基準」「無線局の運用」「無線従事者国家試験」「無線従事者の免許」「日本放送協会」等に関することを所掌事務としていたが[15]，1952年8月に廃止され電波行政は郵政省が所管することになった．

　放送法の規定には，大きく分けると，国民に必要な放送の安定的な提供を目

---

[14] 日本民間放送連盟編『放送ハンドブック』（日経BP社，改訂版，2007）26頁．
[15] 電波管理委員会第3条．

的としたものと，適正な放送内容の実現を目的としたものがある．放送事業者の主要な役割は放送コンテンツを利用者に提供することであり，放送法などに放送番組の内容に係る規定が置かれていることが，放送に対する規制の大きな特徴となっている．

放送法第4条の規定は，番組編集準則と呼ばれ，「①公安及び善良な風俗を害しないこと，②政治的に公平であること，③報道は事実をまげないですること，④意見が対立している問題については，できるだけ多くの角度から論点を明らかにすること」を国内放送の編集に求めている．また，電波を送信するためには電波法に基づく免許が必要であり（電波法第4条），放送局の免許は「放送局の開設の根本的基準」に基づいて付与される．この基準においては，財政的基盤などとともに番組編集準則と同様の規定がある[16]．

▶表現の自由との関係

表現の自由を制約する立法については，厳格な違憲審査が必要であると考えられている[17]．そこで，放送事業に対しては，なぜコンテンツ規制が許容されるのかが問題となる[18]．これが認められる根拠としては，従来は電波の有限希少性，特殊な社会的影響力を挙げる考え方が有力であった．しかし，電波の有限希少性は多チャンネルの時代を迎えて説得力を失い，放送に特殊な社会的影響力があるという主張も，例えば全国に大量に配布される新聞の全国紙と比べて，なぜ電波だけが規制されなくてはならないのかという点は，十分に説明されないという批判がある[19]．このような批判も踏まえて，自由なメディアが残されている限りにおいては，一部のメディアに対する規制によってメ

---

[16]　このほかにも，放送法には，番組等に関わる規定として，番組基準（第5条），放送番組審議機関（第6条），番組基準等の規定の適用除外（第8条），訂正放送等（第9条），放送番組の保存（第10条），再放送（第11条），基幹放送事業者による災害の場合の放送（第108条）があり，マスメディア集中排除原則（放送局の開設の根本的基準第9条）も放送局の経営に大きな影響を与えている．なお，放送法制全般に関しては，鈴木秀美・山田健太編著『放送制度概論―新・放送法を読みとく』（商事法務，2017）を参照．

[17]　「1-2-2　表現の自由とインターネット規制」参照．

[18]　放送と憲法上の人権の関係については，長谷部恭男『テレビの憲法理論』（弘文堂，1992），鈴木秀美『放送の自由』（信山社出版，2000）参照．

[19]　芦部信喜『憲法学Ⅲ人権各論（1）』（有斐閣，増補版，2000）301-314頁参照．

ディア全体を向上させることが期待できるとする，いわゆる部分規制の法理も主張されている[20]．

　また，より積極的にマス・メディアは国民の知る権利に奉仕するものであり，表現の自由と密接な関係にある知る権利を十分に保障するためには，マス・メディアに対する規制もやむを得ないとする考え方がある[21]．さらに，マス・メディアが情報発信において独占的な地位を占める現状を考えると，より積極的にマス・メディアに対する市民のアクセス権（自らの主張を反映させる権利）を確保すべきであるという主張も有力になされてきた[22]．

　現在のところ，地上波テレビ放送に代表される放送が，他のメディアと比べて特別な影響力を事実として持っていることは否定できない．インターネットの普及等によって放送を取り巻く環境には大きな変化が見られるが，地上波と衛星波を合わせたテレビの1日の視聴時間（週平均）は，2019年の調査でも3時間34分であり[23]，同じコンテンツがとどくリーチの多さでは他のメディアの追随を許さない．国民全体からみれば，有名人とはテレビに出ている人のことであり，放送は現在でも依然として影響力の大きなメディアであるといえる．

　また，新聞等のプリントメディアが，読者によって主体的に読まれるのに対して，テレビは人間の受動的で無防備な部分に働きかけて知らず知らずの間に強い影響を与えている面がある．実態としてそういう影響力のあるサービスに

---

[20]　「たとえば，印刷メディアを完全に自由とし，放送だけに公的規制を加えるシステムをとれば，かえって，両者の微妙なバランスによって，少数者の意見が放送に取りあげられたり，放送に対する過度の規制が抑制されたりして，充実した思想の自由市場が確保される」（芦部信喜『憲法学Ⅲ人権各論（1）』（有斐閣，増補版，2000）177頁）とする考え方が，部分規制の法理と呼ばれている．Lee C. Bollinger, *Freedom and the Press and Public Access: Toward a Theory of Partial Regulation of the Mass Media,* 75 Mich. L. Rev. 1 (1976), 山口いつ子『情報法の構造—情報の自由・規制・保護』（東京大学出版会，2010）109-139頁，長谷部恭男『テレビの憲法理論』（弘文堂，1992）93-103頁も参照．

[21]　こうした考え方の背景には，マスコミに対する表現の自由は個人のそれと異なり生来的に認められるものではなく，むしろ表現の自由のために規制が必要だとする考え方がある（芦部信喜『人権と議会政』〈有斐閣，1996〉64-67頁，36頁以下も参照）．

[22]　アクセス権については，堀部政男『アクセス権』（東京大学出版会，1977），堀部政男『アクセス権とは何か—マス・メディアと言論の自由』（岩波書店，1978），J・A・バロン（清水英夫・堀部政男ほか訳）『アクセス権—誰のための言論の自由か』（日本評論社，1978）を参照．

[23]　NHK放送文化研究所世論調査部「テレビ・ラジオ視聴の現況〜2019年6月全国個人視聴率調査から〜」放送研究と調査（2019年9月号）60頁．

対して，ある程度強い規制を課すという考え方には合理性がある[24]．少なくとも，特定のメディアに対して情報発信に関する特別な規制を課すことが許容されるのは，あくまでこのような強い影響力が一般に認識されている場合に限られる．

これらとは別に，地上波放送局などによる主要な放送は「基幹的放送」であるため規制が必要だという考え方がある[25]．これは，国民大多数が安心して見ることができるメディアがあった方がよいという考え方に基づいており，そのために規制によって特権と正当性を確保して[26]，積極的に「基幹的な」メディアを維持しようとする考え方である．

2010年の改正によって「基幹放送」という概念が制度に導入されている．基幹放送事業者とは，「放送をする無線局に専ら又は優先的に割り当てられるものとされた周波数の電波を使用する放送」と定義され（放送法第2条第2号），それ以外の一般放送と区別されている．基幹放送については，「基幹放送普及計画」が総務大臣によって定められることになっており，「基幹放送の計画的な普及及び健全な発達を図るための基本的事項」や地域放送される放送系の数の目標が定められることになっている．つまり，基幹放送事業者に求められているのは，一定の品質が保証されたコンテンツを，一定の地域全域に安定的に同時に届けることであろう．

基幹放送に求められるものが，放送を家庭まで送り届けるという機能であれば，その本質は伝送路の確保ということになる[27]．現在のところ，地上波放

---

24) 放送法に関する事案ではないが，最高裁は，政見放送に関する公職選挙法第150条の2（他人の名誉を傷つけ善良な風俗を害する等政見放送としての品位を損なう言動を禁止する規定）に関して，「テレビジョン放送による政見放送が直接かつ即時に全国の視聴者に到達して強い影響力を有していることにかんがみそのような言動が放送されることによる弊害を防止する目的で政見放送の品位を損なう言動を禁止したものである」という認識を示している（最三小判平2・4・17民集44巻3号547頁判時1357号62頁判タ736号92頁：政見放送削除事件）．
25) 「基幹放送」の概念については，塩野宏『放送法制の課題』（有斐閣，1989）368-369頁，舟田正之「日本における放送制度改革」舟田正之・長谷部恭男『放送制度の現代的展開』（有斐閣，2001）63頁等を参照．
26) 放送事業のハード・ソフト分離について（社）民間放送連盟は，ハード・ソフトを一体で提供していればこそ地震等の緊急時に責任を持って地域の情報を伝える拠点となりうるのだということを強く主張している（（社）民間放送連盟「ハード・ソフトの一致による視聴者利益〜中越地震および宮城地震における地元テレビ局の報道〜」〈2006年4月〉）．

送には，多様な番組を広くあまねく配信する役割が期待されているといえるが，近い将来には電気通信のユニバーサルサービスの議論と近接する問題になる．

　一方で，国民に必要な情報が届けられることを重視すれば，その規律は内容面に踏み込むべきだという考えが維持されることになる．確かに，国民国家が民主主義によって有効に機能するためには，ある程度信頼できるメディアが存在する必要がある．ただし，積極的に特定のメディアの有効性を後押しするという考え方は，表現の自由という領域において積極的な規制を容認するものであり，言論への国家の介入を強める危険があることにも留意が必要である．

▶放送制度の改革

　2000年代半ばには，放送に関する不祥事や経営環境の変化に対応するために，放送制度の改革が検討された．2004年から2005年にかけてNHKの不祥事発覚が相次いだことや，番組への政治介入が疑われたことによって，受信者からの批判が受信料の不払いなどのかたちで表面化した．これを受けて，経営委員会の抜本的改革，保有チャンネル数の削減，一部事業の分離，国際放送の強化，受信料引下げ・義務化等の検討が進められることになった[28]．さらに，関西テレビの人気番組「発掘！あるある大事典Ⅱ」で起きたデータ捏造問題をきっかけに，テレビ局全般の放送倫理に関心が集まり，業界の第三者機関である放送倫理・番組機構（BPO）では，2007年5月に「放送番組委員会」を「放送倫理検証委員会」と改め対応を進めている．一方で，テレビ放送デジタル化のための設備負担で，全国ネットワークを支えている地方テレビ局の経営が厳しさを増していることから，持株会社制度の導入など，放送事業経営の自由度を上げるべきだという主張もなされた．これらの問題に対応するために立法的

27）放送の視聴者による受信確保という観点からは，米国にマスト・キャリーとよばれる制度がある．米国では，地上テレビ放送が届かないエリアが多く，ケーブルテレビの普及率が高い．ケーブルテレビ事業者に対しては，公共性のある番組を中心として，ローカル局の地上テレビ放送を再送信することが一定の範囲で義務づけられている（47 U. S. C. §534.）．これは，日本に比べて伝送部分のCATVに対する依存度が高い米国において，放送の伝送路を確保するための制度であると考えることができる．

28）「通信・放送の在り方に関する政府与党合意」（2006年6月）．

な対応も検討されており，NHKのガバナンス強化や放送持株会社に関する条項を含む改正が2007年12月に成立している．

さらに，通信と放送を取り巻く環境の変化に対応するために，総合的な法体系の整備に関する議論が行われてきた．2009年8月26日に「通信・放送の総合的な法体系の在り方〈平成20年諮問第14号〉答申」が出されている．この答申では，通信・放送全体を「伝送設備」，「伝送サービス」，「コンテンツ」という3つの視点から，集約・大括り化して，情報通信利用の活性化と信頼性及び利便性の向上を目的とした制度の見直しを行うことが示された．

この答申を受けて行われた2010年の放送法改止では，放送関連4法（放送法，有線ラジオ放送法，有線テレビジョン放送法，電気通信役務利用放送法）を統合・集約するとともに，「放送」の定義を，従来の公衆によって直接受信されることを目的とする「無線通信の送信」から，「電気通信の送信」に広げている．そして，放送を「基幹放送（放送用に専ら又は優先的に割り当てられた周波数を使用する放送）」と「一般放送（基幹放送以外の放送）」に区分し，一般放送については規制を緩和している．また，基幹放送の行政手続が無線局の設置・運用（ハード）と放送の業務（ソフト）に分離されたが，ハード・ソフトの一致を希望する地上放送事業者のために，ハードの免許のみで放送の業務も行いうる現行の制度を併存することとなった．

2-1-3　通信と放送の融合

▶融合とは何か

わが国において放送は，「公衆によって直接受信されることを目的とする電気通信の送信」（放送法第2条1号，平成22年法律第65号による改正後の条文による）と定義され，電気通信の一種であるが，当初から電気通信の中でも特別な地位を占めるものとされてきた．これは技術的な制約から，不特定多数に大出力で送信する放送（テレビ・ラジオ）と，1対1のコミュニケーションを実現する通信（電信・電話）が二極化し，その性格が大きく異なっていたことに由来する．

1990年代の半ばから始まったデジタル・ネットワークの急速な普及は，通信と放送に関する技術的前提を大きく変えようとしている．インターネットで

は，一定の伝送速度が確保できればあらゆる情報を等しく伝送することができる．情報の規格が統一されると，端末や伝送路は技術的には簡単に共有できる．さまざまな情報が同じネットワークを使って伝達できるようになり，通信と放送は技術的には峻別する必要が少なくなっている．端末や伝送路は同じものを共通に使う方が効率的なので，さまざまな情報が同じネットワークを使って伝達されるようになる．

通信と放送の融合には，（1）伝送路の融合，（2）端末の融合，（3）サービスの融合，（4）事業者の融合，の4つの融合があるといわれるが，これらは相互に関連している．下部構造である伝送路と端末の技術がIPに統合されることで，上部構造であるコンテンツ（サービスとそれを提供する事業者）が融合しているのである．

すでに，放送自体をインターネット網によって送信することも行われており，インターネットを通した動画の配信・共有も一般的になっている．YouTubeやニコニコ動画のような動画共有サイトでは，利用者の投稿や独自のコンテンツが大量に配信されている．インターネットを介した動画のオンデマンドサービスが，さまざまな事業者によって提供されており，少なくとも動画コンテンツを家庭に配信することは，テレビ放送の独壇場ではなくなった．また，放送の特徴であるリアルタイム性についても，視聴者側の利用形態による変化が見られる．例えば，テレビ放送は録画をしておいてあとで見るというスタイルを好む人は増えており，テレビ放送の全番組を一定期間録画できる機器も販売されている．

NHKが「NHKオンデマンド（見逃し番組や特選ライブラリーをインターネット経由で見られるようにするサービス）」を開始したり，民放各社がインターネットでのコンテンツ配信を開始したりするなど，放送局のインターネット経由での配信も進みつつある．ラジオについては，radiko.jpがインターネットで各局の放送番組を放送と同時にPCやスマートフォン向けに配信している．

さらに，2019年5月に成立した放送法改正では，NHKに従来認められていなかった放送番組などのインターネットによる常時同時配信（放送と同時にインターネットで配信すること）が可能になった．ただし，NHKの業務拡大に対しては，民間放送事業者からの懸念も強い．常時同時配信の具体的内容について

は，インターネット配信の提供条件が原資となる受信料の制度趣旨に合致するかという観点から，認可要件として審査されることになる．

▶放送と通信の秘密

通信と放送は「通信の秘密」と「番組の公共性」という相容れない原理を持っている．従来通信事業者は「通信の秘密」を守る必要から，通信の内容には立ち入らないことが原則であった．これに対して，放送の分野では事業者が内容に責任を持ち，番組の公共性を理由に，放送法によって放送内容が規制されている．通信と放送の区分が明確であるならば，これらの規制も矛盾なく適用することができる．しかし，両者が融合していくと，提供される情報の内容を制度的にどのように扱っていくのかが問題となる．

従来，放送は公衆に対して一方的に送信するものであり，直接的に受信側の情報を把握する方法も技術的に存在しなかったため，情報の受け手との直接の接点が少ないという特徴があった．しかし，デジタル・ネットワークを介してサービスが行われるようになると，どの端末にどのような情報が伝送されたかを把握できるようになる．放送事業者が視聴情報を正確に把握することも，技術的には可能になる．どのようなコンテンツを視聴したかという情報は，場合によってはセンシティブな性格を持ち得る[29]．

電気通信事業法上の通信の秘密に関する規定は，放送事業者が行う放送に直接適用されることはない．しかし，例えば電気通信役務を利用して放送が行われる際の伝送は通信によって行われることになる．放送のコンテンツに秘密としての性格はもちろんないが，それを伝送する通信がどのように行われているかということは，本来は通信の秘密保護の対象となるとも考えられる．今後は，視聴者との接点から得た情報をどのように取り扱っていくかということについても，いっそうの検討を要するようになる．

---

[29] 米国の1984年ケーブル・コミュニケーションズ法（Cable communications Act of 1984）は，加入者のプライバシーに関して，収集や利用に制限を設ける規定を置いている（47 U.S.C. §551.）．また，わが国の総務省が放送受信者の個人情報に関して定めたガイドラインでも，視聴履歴等の管理に関して，放送のためなど一定の目的以外に利用する場合には利用者の同意を必要とするなど特別の配慮を求めている（総務省「放送受信者等の個人情報の保護に関するガイドライン（平成29年4月27日）」総務省告示第159号）．

通信も放送も，その伝送路に関しては，設備の充実と利用の拡大を目的として制度設計がなされている．通信については，すでに事業者間の競争が行われており，伝送路の相互利用も進んでいる．電気通信事業者を対象とする規制は，競争条件の整備を確保しつつ規制緩和を進めていくことについてはほぼ争いがない．少なくとも伝送路に関する規制は，ボトルネック設備を有する事業者に対して当該設備の開放義務を課し，社会生活に不可欠なサービスに関しては提供義務を課すことに集約されていくと考えられる．

▶放送番組規律の範囲

2010年の放送法改正によって，放送の定義が，「公衆によって直接受信されることを目的とする電気通信の送信」となっている．伝送路が多様化していることを踏まえて，従来の「無線通信の送信」を電気通信全般に広げたものである．これに対しては，インターネット上で不特定多数に向けて発信される情報が明確に除外されなくなるという批判がある[30]．なお，法案審議の過程では，インターネット上の動画共有サイトが放送にあたるのかどうかについて，放送法上の「公衆」は「不特定多数」を意味しており，動画共有サイトのような「送信者に対する受信者からの要求に応じてその受信者に対して行う送信」は，「相手が特定」されているため，放送にはあたらないという解釈が示されている[31]．

この考え方は，公衆に対して送信されると同時に公衆によって受信が行われる一斉送信・同時受信を念頭に置いているものと考えられる[32]．そしてその背景には，一斉送信・同時受信によって行われる映像配信サービスには，受信者に対する強い影響力があるという考え方がある[33]．

---

30) 山田健太「放送概念の拡張に伴う放送法の変質」法律時報第83巻2号（2011）84-87頁.
31) 衆議院会議録　第176回国会総務委員会　第6号　平成22年11月25日.
32) EUには，視聴覚メディアに関する総合的なルールとして「オーディオビジュアル・メディア・サービス指令（2010/13/EU）」がある．この指令では，従来型放送のような送信方式をリニアサービス（提供事業者が時間的なスケジュール編成を行う映像配信サービス）と定義し，ビデオ・オン・デマンド等のノンリニアサービス（提供者が一覧を提示し，視聴者がその視聴時間を決定する映像配信サービス）と区分している．そして，特にリニアサービスについては，重要イベントやショート・ニュース，欧州製番組比率規制，青少年のより厳格な保護，広告やテレビショッピングの時間制限，メディアへの反論権等について規律が課せられる.

わが国の制度上，映像配信サービスに対する法的規律を規定する法文上の文言に「一斉送信・同時受信」に相当するものは使われておらず，法案審議の過程でのみ同種の解釈が繰り返し使われている．「直接受信されることを目的とする」という文言で十分な限定がされているという考え方もあり得るが，規定としての曖昧さを残していることは否めない．

　2010年の放送法改正で，放送の定義を無線通信から電気通信へと範囲を広げたのは，そもそも伝送路の多様化が進展している中で，放送を無線通信の送信に限定することは望ましくないからである．従来の放送は，電波という希少な伝送路が，いわば影響力の源泉となっていたため[34]，客観的な基準で規制対象が限定されていたといえる．確かに伝送路の多様化を考えれば，いつまでも無線だけを特別に扱うことが妥当かどうかは議論があり得る．ただし，これを離れて規制を考える際には，どのような客観的かつ公正な基準を設けられるかが課題となる．

2-2 | ネットワーク上の媒介者

2-2-1　媒介者の責任

▶なぜ問題になるのか

　インターネット上で伝達される情報は，ネットワークを構成するさまざまな主体によって媒介されている．インターネット上での情報発信については，情報発信の場を提供しているISPや電子掲示板管理者などの媒介者の責任が，早

---

33)　リニアサービスは，利用者にとってむしろ自由度の低いサービスであるという評価もできる．リニアサービスの代表である放送が視聴者に支持されている原因としては，過去に確立された信頼とブランドイメージが大きい．

34)　現在の放送に関して言えば，例えば民間放送は電波を使って無料の（広告）放送を広く普及した受像機に向かって放送することが，多数の視聴につながり媒体としての価値を高めている．これによって得られる広告収入を原資として良いコンテンツをつくることができ，これがさらに視聴者の支持を得る源泉となる．こうした正の循環が，放送の強い影響力に繋がっているといえる．そして，そのような影響力を得ることになる契機である電波免許を規制の基準にすることには，現在のところ合理性がある．

い段階から議論されてきた．情報発信が不法行為や犯罪に当たる場合，まず責任を問われるのは情報を発信した行為者本人である．しかし，直接自分が情報を発信していなくても，一定の場合には，ネットワーク上の媒介者にも責任を認めるべきではないかという考え方がある．

　例えば，ビルの一室を拠点として犯罪行為が行われていても，直ちにビルのオーナーに責任があると考える人は少ないであろう．一方，新聞の投書欄に人を誹謗中傷するような投稿が掲載されていたら，新聞社の責任であると感じる人が多いかもしれない．媒介者の責任は，基本的には，問題となる行為にどのように関与しているかによって判断されるべきであろう．

　情報の発信者に関する情報を媒介者だけが保有していたり，情報を削除・遮断できるのが媒介者だけだったりするなど，ネットワーク上で生じる問題を解決するために媒介者の役割が重要になる場面も多い．反面，媒介者に責任を課すことや発信者の情報の開示を求めることは，ネットワーク上の表現行為を萎縮させたり，発信者の通信の秘密やプライバシーを脅かしたりすることもあり得る．

　このような問題は，インターネットが一般に開放され，急速に普及し始めた1990年代半ばから議論されてきた[35]．特に問題となるのは，ISP等が保有するサーバ等を情報が何らかの形で通過するが，ISP等が情報に対するコントロールを行っていない場合である．そして，実際に問題となった事例は，発信者の責任を直接追及することが困難なものが多かった．例えば，ISP等が発信者情報の開示を拒否したり，発信者が多数にわたり個別に責任を追及することが現実的でなかったりする場合である．本来の行為者である発信者に対して責任を問うことが難しいことも，ISP等の責任が問題とされる背景にある．

▶ 手段・機会の提供に関する先例

　ISP等の情報媒介者は，表現活動における手段や機会を提供している者であると位置づけることができる．表現の場の提供に関しては，投書や広告に関する新聞社の責任が争われた事例がある．

---

[35] 小向太郎「インターネット・プロバイダーの責任」ジュリスト1117号（1997）19頁以下．

新聞に掲載された投書によって名誉を毀損されたとして訴えが提起された事例では，新聞社の責任が認められている[36]．また，新聞広告に関しては，いわゆる青田売り広告が原因で発生した損害について，その広告を掲載した新聞社の媒体責任が争われた例がある．新聞広告は取引を行うためのひとつの情報を提供するにすぎず，読者らが広告を見たこととその広告に関係した取引をすることとの間に必然的な関係があるとはいえないことから，「広告掲載に当たり広告内容の真実性を予め十分に調査確認した上でなければ新聞紙上のその掲載をしてはならないとする一般的な法的義務が新聞社等にあるということは出来ない」として新聞社の責任自体は否定された．ただし，新聞社に対する信頼や新聞広告の影響力の大きさから「広告内容の真実性に疑念を抱くべき特別の事情があって読者らに不測の損害を及ぼすべきことを予見し，または予見しえた場合には真実性の調査確認をして虚偽広告を読者らに提供してはならない義務」があるという考え方が示されている[37]．

　電報を使った脅迫について電話会社の責任が争われた事例では，電話会社に電報の内容によってその配達を差し止める義務は認められないとして，電話会社の責任が否定されている[38]．もし，このような義務を認めると「必然的にすべての通信内容の事前審査に通じるものであり，人が通信を利用して社会的生活を営むに際し，通信の内容が逐一吟味されるものとすると，これら通信によ

---

[36]　東京高判昭31・6・20高刑集9巻7号651頁判タ60号66頁（新聞投書名誉毀損事件）．投書による事実の摘示によって名誉毀損が成立するかという点については，「刑法230条1項にいわゆる事実の摘示とは，行為者が自らある事実の存在を断定して表示する場合に限らず，右のようにある事実に関する風聞を記載した他人の投書を新聞に掲載する場合であっても，その記事が当該事実の存在を暗示するものである以上，これをも包含するものと解すべきである」という判断を示している．

[37]　最三小判平元・9・19裁判集民157号601頁（日本コーポ事件）．なお，場の提供という意味では，スーパーマーケットの店舗内にテナントとして出店していたペットショップにおいてインコを購入したところ，そのインコからの感染によるオウム病によって家族5名が罹患し，うち1名が死亡したため，ペットショップとともにスーパーマーケットの責任が争われた事例がある．一般の買い物客において，テナント店の営業主体がスーパーマーケット経営会社であると誤認するのもやむをえないような外観が存在するときは，スーパーマーケット経営会社は，商法第23条〔平成17年改正前，現行会社法第9条・商法第14条〕の類推適用により，買い物客とテナント店との取引に関し名板貸人と同様の責任を負うとして責任が認められている（最一小判平7・11・30民集49巻9号2972頁判時1557号136頁判タ901号121頁：スーパーマーケット・テナント事件）．

[38]　大阪地判平16・7・7判時1882号87頁判タ1169号258頁（脅迫電報事件）．

る情報伝達の萎縮効果をもたらし，自由な表現活動ないし情報の流通が阻害されることになる」からである．なお，事業者が通信内容に関与することは，基本的に通信の秘密の侵害となる．

▶不法行為責任

不法行為責任は他人の権利を侵害する「行為」に対して，損害賠償等を課すものである（民法第709条）．ただし，人の積極的な行動（作為）によってではなく，人がある行動を取らなかったこと（不作為）によって損害が発生した場合に，その不作為に対する不法行為責任が問題とされる場合がある．このような場合に，作為義務が存在し，作為義務を尽くした行為がなされれば問題の結果が生じなかったであろうと認められるときは，結果との因果関係を肯定するのが通説である[39]．この作為義務の範囲を広げると個人の自由を制約するおそれがあるので，範囲を広げることには慎重であるべきとする見解が多い[40]．

作為義務が成立するための根拠としては，法令，契約・事務管理，公序良俗・条理慣習等が挙げられる[41]．これらは，自らの行為によらなくとも法益侵害に向かう因果系列について強い影響力を有する場合（支配領域内に存する場合）か，自らの行為（先行行為）によって直接に当該行為から法益侵害に向かう因果関係を設定したといいうるような場合であるともいえる[42]．ただし，本来的に不作為でいることは許されているのであり，不作為に対する責任を問うためには十分な根拠が必要であると考えられる．

▶契約責任

ISP等と被害者との間に一定の契約関係がある場合には，不法行為責任だけでなく債務不履行責任も生じる可能性がある．債務不履行責任について判例で広く承認されている義務として安全配慮義務[43]がある．これは，当事者間に

---

39) 潮見佳男『不法行為法Ⅰ』（信山社出版，第2版，2013）341頁．
40) 幾代通・徳本伸一『不法行為法』（有斐閣，1995）20頁，加藤一郎『不法行為』（有斐閣，増補版，1974）133頁等．
41) 四宮和夫『不法行為』（青林書院，1987）292頁．
42) 橋本佳幸『責任法の多元的構造―不作為不法行為・危険責任をめぐって』（有斐閣，2006）29-30頁．

何らかの契約がある場合の不作為不法行為における作為義務と、「多少のずれはあるにせよ、ほとんど重なり合う概念である[44]」とされる．ISP等にこのような行為を防止する契約上の義務があるにもかかわらず、これを怠ったために損害が生じたのであれば、債務不履行責任を問われることになる（民法第415条）．

インターネット・オークションに関する詐欺についてオークションサイト事業者の責任が争われた裁判で、利用者に対し詐欺等の被害防止に向けた注意喚起を時宜に沿って行う利用契約における信義則上の義務があるという判断が示された例がある[45]．

▶刑事責任

ISP等が媒介する情報発信によって犯罪が行われているような場合に、当該媒介者に対して刑事責任が問われ得るかということも問題となっている．ISP等媒介者の刑事責任については、(1) 媒介者の行為が作為犯に当たるか不作為犯に当たるか、(2) 当該犯罪の正犯に当たるか幇助犯に当たるか、(3) 不作為犯に当たる場合にどのような場合に作為義務違反が認められるか等が論点となるが、不作為犯の成否が問題となっている場合が多い．不作為犯が成立する要件となる作為義務に関しては、ISP等には先行行為に基づく管理義務も危険源の管理義務も認められず、保証人的地位は存在しない[46]とする立場と、要件を限定して作為義務を認める立場が対立している[47]．

裁判所は、ISP等に対して現在保証人的地位を基礎づけるに足る社会的期待

---

43) ある法律関係に基づいて特別な社会的接触の関係に入った当事者間に、その法律関係の付随義務として、相手方の生命および健康等を危険から保護するような配慮をすべき義務（最三小判昭50・2・25民集29巻2号143頁判時767号11頁：自衛隊八戸車両整備工場事件）．

44) 四宮和夫『不法行為』（青林書院、1987）663頁．

45) 名古屋地判平20・3・28判時2029号89頁判タ1293号172頁（ヤフーオークション損害賠償請求事件1審）、名古屋高判平20・11・11自保ジャーナル1840号160頁、裁判所Webページ下級審裁判例集（ヤフーオークション損害賠償請求事件控訴審）．最決平21・10・27判例集未登載（ヤフーオークション損害賠償請求事件上告審）．本件における事業者の義務としては注意喚起義務のみを認め、この義務は果たしているとして損害賠償責任が否定されている．評釈として、花田容佑「『ヤフーオークション』損害賠償請求事件（詐欺被害者による集団訴訟）の検討」NBL931号（2010）49頁以下．森亮二「モール事業者、オークション事業者の法的責任」岡村久道・森亮二『インターネットの法律Q&A』（財団法人電気通信協会、2009）137頁以下も参照．

が確立しているとはいい難く、ネットワーク自体が危険源であるともいえない
ため、積極的関与が認められる例外的な場合にのみ認められるとする立場に
立っていると考えられる[48]。

　実際に問題となったものとして、電子掲示板に投稿された猥褻画像や児童ポ
ルノについて、掲示板の管理者の刑事責任が認められた事例がある[49]。

　なお、情報の媒介者ではないが、ネットワーク上で利用するプログラムを提
供したことに関しては、ファイル交換ソフトWinnyの開発者の刑事責任が争
われている。本件では、著作権侵害を容易にするプログラムを開発・提供した
ことについて、著作権侵害の幇助罪の成否が争われ、①プログラムの開発・提
供行為と著作権侵害の実行行為との間で因果関係が認められるか、②著作権侵
害を幇助する故意が認められるか、が主な争点となった。

　第1審では刑事責任を認める判決が出されていたが[50]、大阪高裁はWinnyの
技術を価値中立的であると評価した上で、このような技術をインターネット上
で提供する行為に対して幇助罪を問うためには、「違法行為をする者が出る可
能性・蓋然性があると認識し、認容しているだけでは足りず、それ以上に、ソ
フトを違法行為の用途のみに又はこれを主要な用途として使用させるようにイ
ンターネット上で勧めてソフトを提供する場合に幇助罪が成立すると解すべき
である」として無罪判決を下した[51]。

---

46)　永井善之『サイバー・ポルノの刑事規制』〈信山社出版、2003〉310頁以下、佐藤雅美「プロ
　　バイダーの刑事責任について」刑法雑誌41巻1号〈2001〉89頁以下、真島伸英「インターネッ
　　ト・プロバイダーの刑事責任」法学研究論集26号〈2002〉37頁以下、渡邊卓也「電脳空間にお
　　ける接続業者の不作為と刑事的帰責」ソシオサイエンス8号〈2002〉241頁以下等。

47)　公然性を有する通信に関しては成立しうるとする見解（只木誠「インターネットと名誉毀損」
　　現代刑事法第1巻8号〈1999〉39頁）や、風営法等の法令上の義務がある場合成立しうるとする
　　見解（塩見淳「インターネットとわいせつ犯罪」現代刑事法第1巻8号〈1999〉39頁）等がある。

48)　山口厚「プロバイダの刑事責任」情報ネットワーク法学会・社団法人テレコムサービス協会編
　　『インターネット上の誹謗中傷と責任』123-124頁（商事法務、2005）。なお、佐伯仁志「プロ
　　バイダの刑事責任」堀部政男監修『別冊NBLプロバイダ責任制限法　実務と理論-施行10年の軌
　　跡と展望』（商事法務、2012）161-168頁は、裁判例において「プロバイダ等の刑事責任が問わ
　　れた事案は、何らかの積極的関与のある事例に限られており、そのような実務の運用は、理論的
　　にも正当なもの」と評価している。

49)　例えば、アルファーネット事件（最三小決平13・7・16刑集55巻5号317頁判時1762号150
　　頁判タ1071号157頁）では、積極的に猥褻画像の投稿を呼びかけていた管理者に対して、投稿
　　画像についても責任が認められている。

50)　京都地判平18・12・13判タ1229号105頁（Winny開発者事件1審）。

これに対して最高裁は，幇助罪の成立をこのように限定的に考えることに十分な根拠があるとは認め難いとして，高裁の考え方を否定した．そして，幇助犯が認められるのは，①「現に行われようとしている具体的な著作権侵害を認識，認容しながら，その公開，提供を行い，実際に当該著作権侵害が行われた場合」か，②「例外的とはいえない範囲の者がそのソフトを著作権侵害に利用する蓋然性が高いと認められる場合で，提供者もそのことを認識，認容しながら同ソフトの公開，提供を行い，実際にそれを用いて著作権侵害（正犯行為）が行われたとき」のいずれかに該当する場合であるとした．

そして，本件は①にあたらないことは明らかであるとした上で，②との関係では，被告人によるWinnyの公開，提供行為が，客観的に見て，例外的とはいえない範囲のものがそれを著作権侵害に利用する蓋然性が高い状況下での公開，提供行為であったことは否定出来ないが，被告人が，Winnyの公開，提供にあたり，常時，利用者に対して著作権侵害のために利用しないよう警告を発していたなどの本件事実関係の下では，被告人において，例外的とはいえない範囲のものがWinnyを著作権侵害に利用する蓋然性が高いことを認識，認容していたとまで認めることは困難であるとして，被告人は著作権侵害の幇助犯としての故意を欠き，無罪であるとしている[52]．

▶訴訟手続と発信者の特定

ISP等の媒介者の責任は，発信者が誰なのか明らかではなくその責任を直接追及することが困難な場合に問題とされることが多かった．発信者が特定できない場合には，発信者に対しては法的追及をすることができないからである．

ISP等の媒介者は，発信者に関する情報を保有している場合も多い．しかし，このような情報を開示することは，通信の秘密やプライバシーとの関係で問題となる[53]．特に，民事事件の場合，刑事事件の強制捜査に対応するような手段がないため，現行民事訴訟法の訴訟係属要件として，訴状の被告への送

51）大阪高判平21・10・8刑集65巻9号1635頁（Winny開発者事件控訴審）.
52）最三小判平23・12・19刑集65巻9号1380頁判時2141号135頁判タ1366号103頁（Winny開発者事件上告審）.
53）「1-1-4　インターネットと匿名性」参照.

達が求められていることなどから，被告を特定しなければ訴訟を提起すること自体が困難とされてきた[54]．

　民事訴訟法における証拠収集手続としては，証人尋問（第190–206条），当事者尋問（第207–211条），鑑定（第212–218条），書証（第219–231条），検証（第232–233条）に関して手続が設けられており，特に書証に関しては，一定の場合に第三者に対しても裁判所が必要と認めるときには，文書提出命令が出されることとなっている（第223条，第三者も対象となることを前提とした規定としては第225条）．

　1998年の民事訴訟法改正では，公正かつ迅速な裁判の実現に向けた制度整備の一環として当事者の主張または立証の準備を助けるために当事者照会制度が設けられている（第163条）．この制度は，訴訟において，相手方から事件についての情報を入手しなければ十分な主張をしたり立証方法の手掛かりを得たりすることが困難な場合があることから，米国におけるディスカバリの制度を参考にして，弁護士会などの強い働きかけによって立法化されたものである[55]．

　ただし，この制度は訴状が送達され訴訟手続が開始されていることを前提としており，訴えの提起前に相手方が特定されないために発信者情報の開示が求められるような場面で利用されることはない．

　訴え提起前の証拠収集については，2003年7月に，計画審理の推進，証拠収集手段の拡充，専門委員制度の導入，鑑定手続の改善等を柱とする「民事訴訟法等の一部を改正する法律」が成立し，「訴えの提起前における照会」等の手続が設けられている．訴えの提起前における照会（第132条の2）は，当事者が訴えの提起前においても被告となるべき者に対して訴えの提起の予告通知をした場合には，予告通知を受けた者に対し，訴えの提起後における当事者照会に準じた照会をすることができるようにしたものである．ただし，訴えの提起後の当事者照会に比べて若干範囲が狭く，照会できる事項は立証の準備のために

---

54) 総務省総合通信基盤局消費者行政課『プロバイダ責任制限法』（第一法規，改訂版，2011）5-6頁．
55) 東京弁護士会民事訴訟問題等特別委員会編著『当事者照会の理論と実務』（青林書院，2000）3頁．

必要であることが「明らかな場合」に限られ，プライバシーや営業秘密にかかる事項は除外されている[56]．また，照会の前提となっている予告通知は，相手方に対して書面で行われる必要がある．したがって，発信者情報の開示をこの手続によって求めることは難しい[57]．

2-2-2　名誉毀損に関する係争例

▶ ニフティ現代思想フォーラム事件

パソコン通信事業者が提供する電子掲示板（フォーラム）に，会員の一人を激しく非難する発言が書き込まれたことについて，その発言の投稿が名誉毀損にあたるとして，非難を受けた会員が，1994年4月に不法行為に基づく損害賠償を求めて訴えた事例である．発言の発信者とともに，パソコン通信事業者（ニフティ）と，掲示板の管理者（シスオペ）の責任も争われている．

東京地裁[58]は，発言が行われたフォーラムを直接管理していたシスオペについて，「他人の名誉を毀損する発言が書き込まれていることを具体的に知ったと認められる場合」に，「その者の名誉が不当に害されることがないような必要な措置を取るべき条理上の作為義務があったと解すべき」であるが，発言の「常時監視」や「全ての発言の問題性を検討」といった「重い作為義務を負わせるのは相当でない」としている．そして本件については，シスオペが削除をしなかったことは必要な措置を怠ったものであるとして，シスオペの不法行為責任を認めている．なお，パソコン通信事業者であるニフティには，シスオペに対する使用者責任（民法第715条）を認めている[59]．

56）　小野瀬厚・畑瑞穂・武智克典「民事訴訟法等の一部を改正する法律の概要（2）」NBL769号（2003）49頁．

57）　これに対して，米国の民事訴訟においては，トライアル前にディスカバリ等の手続が認められており，この手続によって発信者を特定できる場合がある．匿名のまま訴訟手続を開始して裁判所の判断によって発信者情報を開示する道も開かれており，その過程において匿名による表現の自由やプライバシーの保護に関する検討がなされている例もある．Melvin v. Doe, 49 Pa. D.&C. 4th 449（Pa. Dist. & Cnty. Dec. 2000），John Doe v. 2TheMart.com Inc., 140 F. Supp. 2d 1088（W.D. Wash. 2001）等．

58）　東京地判平9・5・26判時1610号22頁判タ947号125頁（ニフティ現代思想フォーラム事件1審）．

これに対して東京高裁[60]は，シスオペについて「標的とされた者がフォーラムにおいて自己を守るための有効な救済手段を有しておらず，会員等からの指摘等に基づき対策を講じても，なお奏功しない等一定の場合」に条理上の作為義務が生じるとしているが，本件においてシスオペが取った措置は適当であるとして[61]，その不法行為責任を否定している．

▶都立大学事件

大学のシステム内に名誉毀損に当たる発言を含むWebページが開設され，被害者からの申出にもかかわらず削除されなかったとして，発言者とともに，システム管理者としての大学が訴えられた事例である．発言者の名誉毀損は認められたが，大学の責任は否定された．東京地裁は，「管理者が被害発生防止義務を負うのは，名誉毀損文書が発信されていることを現実に発生した事実であると認識した場合であって，名誉毀損に該当すること，加害行為の態様が甚だしく悪質であること及び被害の程度も甚大であることが一見して明白であるような極めて例外的な場合に限られる」として，大学側管理者の削除義務を否定する判断を下している[62]．ニフティ現代思想フォーラム事件の判決とは，責任の範囲についてかなり異なった判断を示したとする評価もあるが[63]，情報の発信者と受信者のすべてに対してサービス提供契約を締結しているパソコ

---

59) 本訴訟においては，そもそも名誉毀損が成立するのかという問題も提起されている．名誉毀損に当たるとされる発言においては，原告のハンドルネーム（フォーラム上での通称）のみが表記されており本名が示されていないこと，原告はフォーラムで積極的に活動していたいわば有名人であり，被告が非難する事実も真実である可能性があること，言論に対しては対抗言論によって対処するのが基本であるという考え方もあること等から，そもそも名誉毀損に該当しないとする主張も被告の側からはなされていた．これらの点を裁判所が考慮していないことについて，高橋和之他編『インターネットと法』（有斐閣，第4版，2010）は，疑問を示している．

60) 東京高判平13・9・5判時1786号80頁判タ1088号94頁（ニフティ現代思想フォーラム事件控訴審）．

61) シスオペは，問題となった発言の削除を求める原告からの申し出があった後，原告に対し名誉毀損に当たる発言部分を特定することを求め，削除の場合原告の要請に基づくことを付記することを申し出ている．しかし，原告は，これを拒否し，原告からの要請であることを明らかにせず発言を削除して欲しいと申し出た．シスオペが削除の理由等を問われた場合には答えざるを得ない旨を伝えたところ，信頼できる人に相談するので待って欲しいとして削除要求を保留した．その後削除を求める要望書が代理人から出されたため，シスオペは当該部分を削除している．

62) 東京地判平11・9・24判時1707号139頁判タ1054号228頁（都立大学事件）．

63) 松井茂紀『インターネットの憲法学』（岩波書店，新版，2014）333頁．

ン通信事業者と，インターネット上でサーバを運営している大学の性質の違い
を考慮したものであるとも考えられる．

▶2ちゃんねる対動物病院事件

　インターネット上の電子掲示板である「2ちゃんねる」に動物病院を非難す
る発言が書き込まれた[64]ことについて，この発言が名誉毀損にあたり，掲示
板管理者がそれらの発言を削除せず放置したことによって損害を被ったとし
て，動物病院とその経営者が，損害賠償と名誉毀損発言の削除を求めて訴えを
提起した事例である．2ちゃんねるをめぐっては，その後大量の訴訟が提起さ
れているが，裁判所の判断が示された最も早い事例であると考えられる．

　2ちゃんねるは，日本最大のインターネット掲示板といわれ，本件訴訟提起
時の1日当たりの発言数が約80万件あり，設定テーマ数が約330種類，個別に
数百個のスレッド（掲示板）があったとされている．インターネットに接続して
いる者であれば誰もが閲覧と書き込みができ，当時は，IPアドレス等の接続
情報を原則として保存しておらず[65]，「発信元は一切分かりません．お気楽ご
気楽に書き込んで下さい」という表示があった．問題のある発言への対応は，
「削除人」とよばれるボランティアが基本的に行っているが，「削除の最終責任
は管理人にあります」との立場を取っていた[66]．

　東京高裁は，掲示板管理者の削除義務について「発言を削除する権限は最終
的には控訴人に帰属している」ことや，「名誉を毀損された者が責任を追及す
ることは事実上不可能」であること[67]等を理由として，控訴人は匿名性とい
う本件掲示板の特性を標榜して匿名による発言を誘引しているのだから「利用

---

[64] 2ちゃんねるの「ペット大好き掲示板」に「悪徳動物病院告発スレッド！！」と題するスレッ
ドが設置され，原告のことであると容易に推測される文言を記載した上で，「ブラックリスト」
「過剰診療，誤診，詐欺，知ったかぶり」「えげつない病院」「ヤブ（やぶ）医者」「精神異常」「精
神病院に通っている」「動物実験はやめて下さい」「テンバー」「責任感のかけらも無い」「不潔」
「氏ね（死ねという意味）」「被害者友の会」「腐敗臭」「ホント酷い所だ」などの表現が書き込ま
れているとされている．
[65] このようにアクセスログが保存されず誰が書込みを行ったかがわからない掲示板が，本来の意
味での「匿名掲示板」であるともいえる．プロバイダ責任制限法が成立する以前は発信者情報の
開示を求める手段がなかったことに加えて，いわゆる匿名掲示板では書込みに関する記録（アク
セスログ）を保存しておらず，事後的に誰が書き込んだかを調べる手段が全くないことも多かっ
た．

者に注意を喚起するなどして本件掲示板に他人の権利を侵害する発言が書き込まれないようにするとともに，そのような発言が書き込まれたときには，被害者の被害が拡大しないようにするため直ちにこれを削除する義務がある」との判断を示している[68]．

さらに，控訴人の「他人の権利を侵害する違法な情報であるかは不明であり，削除義務を負うとはいえない」との主張に対しては，管理人が発言者そのものではないからといって，被害者側がこれらを主張立証しなければならないとは解されないとして，名誉を毀損された被害者がその発言によって社会的評価を低下させる危険のあることを主張立証すれば，発言の公共性，目的の公益性，内容の真実性等の存在は，違法性阻却事由，責任阻却事由として責任を追及される相手方が主張立証すべきものであるという判断を示している[69]．

この判断は，匿名の巨大掲示板という特殊事情を考慮したものではあるが，アクセスログを保存しない匿名掲示板は，発言の常時監視を行わなければ許されないという立場を示したものである[70]．このことについて，匿名の表現の自由の観点からは，立法によらないこのような制約は問題ではないかと疑問視する見解もある[71]．なお，ISP 等に対する損害賠償請求については疑問を示しながら，被害者の救済を図るために削除義務を課すべきであり，そのためには

66）削除の方針として「削除ガイドライン」が設置されており，電話番号，地域・人種等に関する差別的発言，連続してなされた発言，重複して作られたスレッド，過度に性的で下品な発言，著作物に当たるデータの存在する場所のURLの書込み，宣伝を目的としたURLの書込み等が削除対象とされていた．また，削除依頼の方法が指定されており，「削除依頼掲示板」において，削除を求める発言がなされたスレッドのURL，削除を求める発言のレス番号，削除を求める理由等を記載したスレッドを作るなどして，削除を求めることが要求されている．このような方法に従わない削除依頼は，削除人に無視される可能性がある．本件では，原告が削除依頼を行ったのに対して，削除依頼の方法に沿っていないことを揶揄・侮辱する発言が削除依頼掲示板上でなされている．

67）東京高裁は「本件掲示板は，匿名で利用することが可能であり，その匿名性のゆえに規範意識の鈍磨した者によって無責任に他人の権利を侵害する発言が書き込まれる危険が少なからずあることも前記の通りである．そして，本件掲示板では，そのような発言によって被害を受けた者がその発言者を特定してその責任を追及することは事実上不可能になっており，本件掲示板に書き込まれた発言を削除しうるのは，本件掲示板を開設し，これを管理運営する控訴人のみであるというのである」として，ほかに救済手段がないことを掲示板管理者に強い作為義務を問う根拠にしている．

68）東京高判平14・12・25高民集55巻3号15頁判時1816号52頁（2ちゃんねる対動物病院事件控訴審）．

別途法的根拠が必要であるとする見解もある[72].

▶大学受験掲示板事件

インターネット上に受験生向けに開設された電子掲示板に，原告である大学受験予備校を批判する書き込みがなされたことについて，原告が掲示板運営者に対して不法行為に基づく損害賠償と発言の削除を求めて訴えた事例である．

東京地裁は，「原告学院が大学受験予備校として生徒を公募している以上，その活動内容に対する批判や意見は当然あり得る」として，争点となった発言の多くについて名誉毀損の成立を否定している．また，一部の発言については名誉毀損に当たるとしつつ，掲示板管理者のとった削除の措置に遅滞はなかったとして損害賠償責任を否定している[73].

---

[69]　証明責任の分配については，「ある法律の規定に基づく法律効果を主張する者がその規定の構成要件に該当する事実につき証明責任を負う」とする法律要件分類説が通説とされる．この考え方によれば，権利根拠規定については権利の存在を主張する者，権利消滅規定については権利の不存在を主張する者，権利障害規定については権利の不存在を主張する者が証明責任を負うことになる．しかし，利益考量および違法性阻却事由に関する証明責任には，一般には行為の違法性を基礎づける事実は原告（被害者）が証明し，行為の適法性を基礎づける事実については被告（加害者）が証明するのが公平の見地から適当であるとする考え方から，違法性阻却事由を基礎づける事実については主として加害者が証明責任を負うことになるとされている（四宮和夫『不法行為』（青林書院，1987）395頁）．ISP等はあくまで情報を媒介しているのであり，自らが行っているわけではない違法行為について証明責任を負わせるのが公平の観点から適当であるかどうかには疑問があると考えられる．

[70]　このあと，2ちゃんねるはアクセスログの保存を行っており，これによって「被害者の救済」が発信者本人に対して訴訟を提起することでも行いうる状況になった．

[71]　小向太郎「セキュリティとプライバシー」NTTデータ技術開発本部システム科学研究所編『サイバーセキュリティの法と政策』（NTT出版，2004）122頁，新保史生「名誉を毀損する書込みを放置した電子掲示板の管理者の責任—2ちゃんねる（動物病院）事件」堀部政男・長谷部恭男編『メディア判例百選』229頁（有斐閣，2005）等．

[72]　町村泰貴「動物病院対2ちゃんねる事件第1審判決」NBL742号（2002）6頁は，「名誉毀損の被害者には，プロバイダに対して，少なくとも削除請求権が認められるべきである．もっとも，従来の通常の考え方からすれば，（中略）名誉毀損による損害賠償請求権に加えて差止請求権も認められるのであり，損害賠償請求権が成立しないとしながら差止請求を認めるというためには別途の法的根拠が必要となる．また，仮に独自に差止（削除）請求権が認められるとすれば，その任意の履行をしないことには削除義務違反となるので，結局損害賠償責任を認めざるを得ないことにもなる」と，現行法の問題点を指摘している．

[73]　東京地判平16・5・18判タ1160号147頁（大学受験掲示板事件）．

▶学校裏サイト事件

　特定の中学校の生徒が匿名で書き込みする掲示板（いわゆる「学校裏サイト」）において，同校の1年生であった原告を中傷する書き込みがなされ，削除の依頼がなされていたにもかかわらず削除が行われなかったことについて，原告が掲示板管理者に対して不法行為に基づく慰謝料等を求めて訴えた事例である．

　これについて東京地裁は，掲示板の性格や匿名性を勘案すると「他の生徒の実名を挙げて誹謗中傷を行う等のトラブルが起こりうることは容易に想像でき」ることを理由に，「被害の発生を防止するよう慎重に管理し，トラブルが発生した場合には，被害が拡大しないよう迅速に対処する管理義務を負っていた」として，不法行為の成立を認めている[74]．

　本件判決は，2ちゃんねる対動物事件と「類似の理論構成及び結論」であるという指摘もある[75]．他の事案と比較すると，裁判所は，掲示板等の設置目的や性格を考慮して，いわば「悪い掲示板」と評価したものに対しては，その管理人に強い作為義務を求めていることがわかる．

▶産能大学事件

　大学から解雇されその解雇の効力を争っている者が代表を務める教職員組合によって開設された匿名掲示板において，大学を批判する書き込みがなされたことについて，大学が名誉毀損等に当たるとして損害賠償を求めた事案である．掲示板の運営が，当初は投稿が自動的に掲載されるようになっており，後に管理者が内容を確認してから掲載される体制に変更されている．

　前者（発言が自動掲載される仕組み）において掲載された発言については，一見して「第三者の名誉を毀損することが明らかな内容の投稿」については，その投稿内容を具体的に知ったときには，「第三者による削除要求なくして削除義務を負うとすることが条理に適う」が，「これに至らない内容の投稿については，第三者から削除を求める投稿を特定した削除要求があって削除義務を負うというのが相当」であるとして掲示板管理者の責任を否定している．また，後

---

74)　大阪地判平20・5・23裁判所Webページ下級裁判所判例集（学校裏サイト事件）．

75)　長瀬貴志「プロバイダ等の作為義務」堀部政男監修『プロバイダ責任制限法　実務と理論―施行10年の軌跡と展望―』（商事法務，2012）95頁等．

者（投稿内容を管理者が確認する仕組み）において掲示板に第三者の名誉を毀損する投稿がされた場合は，掲示板の管理者は，「当該投稿を公開しない条理上の義務を負い，これに反して当該投稿を公開した場合には，速やかにこれを削除すべき条理上の義務を負う」として，掲示板管理者の責任を認めている[76]．

▶米国の事例

　米国では，当初ISP等の責任について，ISP等が出版者（publisher）として責任を負うのか流通者（distributor）として責任を負うのかという形で議論されてきた[77]．出版者（新聞社や出版社）は，公表する情報の内容を編集し公表された表現にそのまま責任を負うのに対して，流通者（書店や図書館）は，その出版物を公衆に利用可能にするにとどまることから，その表現が違法であることを知っていた場合にのみ責任を負うと考えられてきた．

　名誉棄損に関する事例として，カビー対コンピューサーブ事件[78]では，コンピューサーブ社（パソコン通信事業者）が提供する「オンライン・ディスカッション・フォーラム」においてカビー社（雑誌社）を中傷する発言がなされたとして，カビー社が名誉毀損訴訟を提起している．これに対して判決は，コンピューサーブ社がフォーラムの運営を他の会社に委託しており内容に関与していないため流通者と位置づけられるとし，表現の内容が名誉毀損的であることを知っていたか知っていたと信じる理由がある場合にのみ配布者として責任を負うとして，コンピューサーブ社の責任を否定した．

　ストラトン対プロデジー事件[79]では，プロデジー社（パソコン通信事業者）が提供するフォーラムサービス「マネートーク」に，ある投資銀行が不正を働いているというメッセージが掲載されたことについて，プロデジー社に対して損害賠償を求める訴えがなされている．判決は，プロデジー社が，電子掲示板の内容を管理していると公言していることや，問題となる言葉を含むメッセージを掲載する前に取り除くフィルタ（ソフトウェア）を設置していること，メッセー

76）　東京地判平20・10・1判時2034号60頁判タ1288号134頁（産能大学事件）．
77）　松井茂紀『インターネットの憲法学』（岩波書店，新版，2014）228頁．
78）　Cubby, Inc. v. CompuServe Inc., 776 F. Supp. 135 (S.D.N.Y. 1991).
79）　Stratton Oakmont v. Prodigy Servs. Co., 1995 N.Y. Misc. Lexis 229 (Sup. Ct. 1995).

ジ内容を編集する権利を留保していること等を理由に同社は出版者と位置づけられるとして，プロデジー社の責任を認めた．

これらの判決の立場を前提とすれば，内容に積極的に関与しているパソコン通信事業者はその内容について責任を問われ，内容に関与していないパソコン通信事業者はその内容について責任を問われないことになる．これに対しては，ISP等が自社の提供するサービスのコンテンツに関与することが，法的リスクを高める結果を生じることになるとして，インターネット全体に与える影響を懸念する意見もあった[80]．

名誉毀損等の不法行為や違法なコンテンツ一般に関しては1996年に通信品位法が制定され，「双方向コンピュータサービスのプロバイダ又はユーザは，自分以外のコンテンツプロバイダによって提供された情報について出版者や表現者として扱われてはならない」という免責規定がおかれている．また，双方向コンピュータサービスのプロバイダ等が違法な情報に対して削除等の措置を取ることに関しては，善意で自発的に取られる限りにおいては責任を問われないとしている[81]．

この規定によってISP等が免責された事例として，ゼラン対AOL事件[82]がある．AOL（America OnLine）の電子掲示板上の名誉毀損の書き込みをめぐって，被害を受けたケネス・M・ゼラン氏がAOLに削除を要求したところ，AOLが削除を不当に遅らせたことなどによって被害を受けたとして，AOLを訴えた事案である．裁判所は，プロバイダにコンテンツに対する不法行為責任を課せば，表現の自由に対する萎縮効果になり，書き込まれるメッセージの数と種類を厳しく制限することになるとした．また，通信品位法がプロバイダから出版者としての責任を免除した趣旨は編集上の過失を理由として賠償を求めることも否定したものであり，自社のシステム上で第三者が発信した名誉毀損情報についてプロバイダがその存在を知っていても適用になるとした．なお，このよ

[80] Robert B. Charles & Jacob H. Zamansky, *Liability for Online Libel after Stratton Oakmont, Inc. v. Prodigy Services Co.,* 28 CONN. L. REV. 1173 (1996)；Matthew C. Siderits, *Comment, Defamation in Cyberspace: Reconciling Cubby, Inc. v. Compyserve, Inc. and Stratton Oakmont v. Prodigy Service Co.,* 79 MARQ. L. REV. 1065 (1996).

[81] Communications Decency Act of 1996, 47 U.S.C. § 230.

[82] Zeran v. America Online, 129 F.3d 327 (4th Cir. 1997).

うなISP等の責任を原則として認めないとする考え方には批判もあり，ISP等の責任を一定の範囲で認めるべきであるとして免責の射程を限定する判断が下された裁判例もある[83].

2-2-3　著作権侵害に関する係争例

▶カラオケ法理

　著作権侵害の事実を知っていながら，他者による著作権侵害行為の場を提供した者に対しては，不法行為責任が問われている先例がある．例えば，カラオケに関する一連の判例では，スナックやカラオケボックスにカラオケ機器を設置して客に唄わせていた行為について，店舗の経営者が直接著作権侵害を行っているとして責任を問われている[84].このように，必ずしも物理的な利用行為を行っていない者を，管理支配性や営業上の利益があることを要件として，規範的に利用行為の主体と評価する考え方は，「カラオケ法理」と呼ばれることがある．このような考え方は，後述のファイル交換サービス（ファイルローグ事件）や番組録画サービスなどにおける裁判所の判断にも，引き継がれている部分がある．

　なお，カラオケ装置のリース業者に関しては，リース契約に基づきカラオケ

83）　松井茂紀『インターネットの憲法学』（岩波書店，新版，2014）頁以下，籾岡宏成「名誉毀損・プライバシー侵害とプロバイダの責任」堀部政男編『インターネット社会と法』（新世社，第2版，2006）193頁以下，平野晋「二つの責任制限法と解釈動向—プロバイダ等の責任に関する米国の最新事情—」堀部政男監修『別冊NBLプロバイダ責任制限法　実務と理論—施行10年の軌跡と展望—』（商事法務，2012）171-189頁を参照．

84）　クラブキャッツアイ事件（最三小判昭63・3・15民集42巻3号199頁判時1270号34頁判タ663号95頁）では，スナックにカラオケ装置を設置して顧客に唄わせていたことについて，従業員がカラオケ装置を操作し，客に曲目の索引リストとマイクを渡して歌唱を勧め，客の選択した曲目のカラオケテープの再生による演奏を伴奏として他の客の面前で歌唱させる等によって店の雰囲気作りをして集客を図っていたことを理由に，客が歌唱する場合を含めて，スナック経営者が歌唱の主体として著作権を侵害していると判断している．また，カラオケボックス・ビックエコー事件（東京地判平10・8・27判時1654号34頁判タ984号259頁，東京高判平11・7・13判時1696号137頁判タ1019号281頁）では，カラオケボックスの経営者が各部屋にカラオケ装置を設置して，顧客が容易にカラオケ装置を操作できるようにして顧客を各部屋に案内していることについて，顧客は被告らが用意した曲目の範囲内で選曲するほかないこと等を勘案して，各部屋においてカラオケ装置によって管理著作物の演奏ないしその複製物を含む映画著作物の上演を行っている主体を，当該カラオケボックスの経営者であるとしている．

装置を引き渡す際に，著作権侵害が行われることを未然に防止すべき注意義務があるとして，漫然とカラオケ装置を引き渡したことについて，条理上の注意義務違反に当たるとした判例がある[85]．

► ファイルローグ事件

オンラインファイル交換サービス「ファイルローグ」の運営会社である有限会社日本エム・エム・オーが，P2P技術を用いたインターネット上の電子ファイル交換サービスを提供していたところ，著作権管理団体である社団法人日本音楽著作権協会 (JASRAC) が，これによって原告の管理する著作権を侵害しているとして，差止め等を求めて提訴した事例である．東京地裁は，著作権の管理者であるJASRACの許諾を得ることなく音楽ファイルをパソコンの共有フォルダに置いてサーバに接続する行為は著作権侵害 (自動公衆送信権侵害および送信可能化権侵害) を構成する (著作権法第23条第1項) ものであり，これらの行為は日本エム・エム・オーが自己の営業上の利益を図るために同社の管理下で行っていることから，同社を著作権侵害の主体であると解するのが相当であるという判断を示している[86]．

► 罪に濡れたふたり事件

「罪に濡れたふたり」というマンガの作者と出版社が，関連書籍である「ファンブック—罪に濡れたふたり～Kasumi～」に収録された対談記事を「2ちゃんねる」に無断転載されたことについて，掲示板管理者である被告に対して，掲載 (送信可能化および自動公衆送信) の差止めと損害賠償を請求したものである．

東京地裁[87]は，「インターネット上において他人の送信した情報を記録し，公衆の閲覧に供することを可能とする設備を用いて，電子掲示板を開設・運営

---

85) 最二小判平13・3・2民集55巻2号185頁判時1744号108頁判タ1058号107頁 (ビデオメイツ事件).

86) 東京地決平14・4・11判時1780号25頁判タ1092号110頁 (ファイルローグ事件仮処分)，東京地判平15・1・29判時1810号29頁 (ファイルローグ事件1審中間判決)，東京地判平15・12・17判時1845号36頁判タ1145号102頁 (ファイルローグ事件1審終局判決)，東京高判平17・3・31裁判所webページ知的財産裁判例集 (ファイルローグ事件控訴審).

87) 東京地判平16・3・11判時1893号131頁判タ1181号163頁 (『罪に濡れたふたり』事件1審).

する者や，ウェブホスティングを行う者（以下「電子掲示板開設者等」という）は，基本的には，他人が送信した情報について媒介するという限度で情報の伝達に関与するにすぎない」として，掲示板の管理者の関与を限定的に捉えている．その上で，「電子掲示板開設者等は，他人が行った電子掲示板への情報の書き込み，あるいはWebページ上における表現行為が，著作権法上，複製権，送信可能化権，公衆送信権の侵害と評価される場合であっても，電子掲示板開設者等自身が当該情報の送信主体となっていると認められるような例外的な場合を除いて，特段の事情のない限り，送信可能化又は自動公衆送信の防止のために必要な措置を講ずべき作為義務を負うものではない」として，被告の責任を否定する判断を示している．

これに対して東京高裁[88]は，「インターネット上においてだれもが匿名で書き込みが可能な掲示板を開設し運営する者は，著作権侵害となるような書き込みをしないよう，適切な注意事項を適宜な方法で案内するなどの事前の対策を講じるだけでなく，著作権侵害となる書き込みがあった際には，これに対し適切な是正措置を速やかに取る態勢で臨むべき義務がある．掲示板運営者は，少なくとも，著作権者等から著作権侵害の事実の指摘を受けた場合には，可能ならば発言者に対してその点に関する照会をし，更には，著作権侵害であることが極めて明白なときには当該発言を直ちに削除するなど，速やかにこれに対処すべきものである」として，掲示板の管理者の積極的な関与を求めている．

そして，「被控訴人は，一人で数百にものぼる多数の電子掲示板を運営管理し，日々，刻々とこれに膨大な量の書き込みが行われるため，すべての書き込みに目を通すことは到底不可能であるから，個々の著作権侵害の事実を把握することはできない，と法廷で繰り返し強調していたが，仮に被控訴人の主張することが事実であったとしても，著作権者等から著作権侵害の事実の通知があったのに対して何らの措置も取らなかったことを踏まえないままにこのように主張するのは，自らの事業の管理態勢の不備をいう意味での過失，場合によっては侵害状態を維持容認するという意味での故意を認めるに等しく，過失責任や故意責任を免れる事由には到底なり得ない主張であるといわざるを得な

---

[88]　東京高判平17・3・3判時1893号126頁判タ1181号158頁（『罪に濡れたふたり』事件控訴審）．

い」として，掲示板管理者である被控訴人の責任を認めている．

▶ 番組録画サービス

　インターネットを使った動画情報の伝送が容易になると，例えば自分が録画したテレビ番組をネットワークに接続したサーバに保存しておけば，世界中のどこからでもテレビ番組を見ることができる．このような機能をサービスとして提供することが著作権等の侵害に当たるとして，放送事業者から訴訟が提起された事例として，録画ネット，選撮見録（よりどりみどり），ロクラク，まねきTVに関するものがある．これらのサービスにおいては，録画を行っている主体がサービスの利用者であると考えれば，私的使用のための複製（著作権法30条）として許容される余地がある．また，利用者が自分に対してのみ伝送を行っているのであれば，公衆送信権侵害等に当たらないとも考えられる．そこで，利用者と事業者のどちらが複製等を行っている主体にあたるかが問題となっている．

　「録画ネット」とは，事業者が保管するテレビ番組の録画機能を持ったPCにユーザが外部からアクセスすることで，海外からでもテレビ番組の録画・視聴ができるようにするサービスである．アクセス制御によって，サーバにアクセスできる者は本人に限定される．このサービスに対して，放送事業者が著作隣接権侵害を理由に差止めを求めている．裁判所は，録画を行っている主体はサービス提供事業者であるとして著作隣接権侵害を認め，サービスの差止めを命じている[89]．

　「選撮見録」は，集合住宅向けのハードディスク・ビデオレコーダシステムである．集合住宅内にこのシステムを設置して，各住民が自宅からこれを操作してテレビ番組を録画することができる．録画された番組は，集合住宅の住民であれば1週間後まで誰でも視聴できる．これについて大阪地裁は，システムの販売事業者が「著作隣接権を侵害する者又は侵害するおそれのある者」と同視できるとして，販売の差止めを認めている[90]．

---

[89]　東京地決平16・10・7判時1895号120頁判タ1187号335頁（録画ネット事件仮処分）．知財高決平17・11・15裁判所Webページ知的財産裁判例集（録画ネット事件抗告）でもこの判断が支持されている．

「ロクラク」は，ハードディスク・ビデオレコーダの親機と子機を一体として提供するものである．日本国内で事業者が保管する親機に対して，海外から子機を使ってインターネット経由でアクセスし，親機が受信・録画する番組を見ることができるようにするサービスである．知財高裁は，「利用者が親子ロクラクを設置・管理し，これを利用して我が国内のテレビ放送を受信・録画し，これを海外に送信してその放送を個人として視聴する行為が適法な私的利用行為であることは異論の余地のないところ」とした上で，「本件サービスにおける録画行為の実施主体は，利用者自身が親機ロクラクを自己管理する場合と何ら異なら」ないとして，複製権侵害の成立を否定した．これに対して最高裁は，「複製の主体の判断に当たっては，複製の対象，方法，複製への関与の内容，程度等の諸要素を考慮して，誰が当該著作物の複製をしているといえるかを判断するのが相当」であり，サービス提供者が「その管理，支配下において，放送を受信して複製機器に対して放送番組等に係る情報を入力するという，複製機器を用いた放送番組等の複製の実現における枢要な行為」をしているので複製の主体であるとして，知財高裁に差し戻している[91]．

　一方，市販されているロケーションフリーテレビを預かって，利用者がインターネット経由でテレビ番組を視聴できるようにするサービス（まねきTV）については，地上波放送の送信可能化行為を行っているとはいえないとして，下級審において差止めを求めた放送事業者の請求が退けられていた．最高裁は，「公衆の用に供されている電気通信回線に接続することにより，当該装置に入力される情報を受信者からの求めに応じ自動的に送信する機能を有する装置は，これがあらかじめ設定された単一の機器宛てに送信する機能しか有しない場合であっても，当該装置を用いて行われる送信が自動公衆送信であるといえるときは，自動公衆送信装置に当たる」として，送信の主体を提供事業者であるとした上で，送信可能化権及び公衆送信権侵害を認めている[92]．

90）　大阪地判平17・10・24判時1911号65頁（選撮見録事件1審）．大阪高判平19・6・14判時1991号122頁（選撮見録事件控訴審）は，事業者を侵害の主体と認定している．

91）　知財高判平21・1・27裁判所Webページ知的財産裁判例集（ロクラク事件控訴審）．最一小判平23・1・20民集65巻1号399頁判時2103号128頁判タ1342号100頁（ロクラク事件上告審）．知財高判平24・1・31判時2141号117頁判タ1404号304頁（ロクラク事件差戻審）．

なお，これらの事件におけるサービス提供者は情報の媒介者としての性格を有しているとも考えられるが，裁判所はあくまで複製や送信の主体として扱っており，媒介者とは位置づけていない．これは，後述のMYUTA事件，TVブレイク事件でも同様である．

▶MYUTA事件

　携帯電話向けのストレージサービス（MYUTA）を提供するイメージシティ社が，社団法人日本音楽著作権協会（JASRAC）から著作権侵害であるとして警告を受けたことについて，自社のサービスが著作権を侵害しないことを確認するために訴訟を提起した事例である．

　イメージシティ社が提供するMYUTAは，次のような機能を提供する．まず，ユーザが専用ソフトを使ってPC上に保存している楽曲を携帯電話で演奏可能なフォーマットに変換した上で，MYUTAのストレージ領域にアップロードする．ストレージサーバに保存された楽曲は，ユーザの携帯電話からアクセスしてダウンロードすることにより携帯電話の音楽再生機能で聴くことができる．ストレージ領域はユーザごとに設定され，IDとパスワードを入力しなければアクセスできないようになっている．

　東京地裁は，このサービスにおいて複製がイメージシティ社を主体として行われており，誰でもサービスを利用できることから，不特定多数のユーザに対して自動公衆送信を行っていることになるとして，複製権侵害と公衆送信権侵害を認める判断を示している[93]．

▶TVブレイク事件

　動画共有サイトに投稿されている動画に含まれる音楽が著作権を侵害してい

92）　知財高判平20・12・15判時2038号110頁（まねきTV事件控訴審）．最三小判平23・1・18民集65巻1号121頁判時2103号124頁判タ1342号105頁（まねきTV事件上告審）．知財高判平24・1・31判時2142号96頁判タ1384号325頁（まねきTV事件差戻審）．知財高裁の判断においては，機器の所有者が利用者であることが明確であり，それを利用してテレビ番組を視聴することは自動公衆送信に当たらないことが，著作隣接権侵害に当たらない理由として挙げられていた．利用されている機器が有名メーカの汎用品であること等も考慮されていると考えられる．最高裁は，1対1の通信しか行われない場合であっても自動送信可能化権侵害や公衆送信権侵害に当たるという考え方を示している．

るとして，社団法人日本音楽著作権協会（JASRAC）が，サービスの差し止めと
損害賠償を求めて訴訟を提起した事例である．

　知財高裁は，著作権をサイトの運営会社が「サービスを提供し，それにより
経済的利益を得るために，その支配管理する本件サイトにおいて，ユーザの複
製行為を誘引し，実際に本件サーバに本件管理著作物の複製権を侵害する動画
が多数投稿されることを認識しながら，侵害防止措置を講じることなくこれを
容認し，蔵置する行為は，ユーザによる複製行為を利用して，自ら複製行為を
行ったと評価することができる」として，ユーザによって著作権を侵害する投
稿が行われた場合には，動画共有サイトの運営会社が複製権と公衆送信権を侵
害する主体となるとしている[94]．

▶ 米国の事例

　米国の著作権法では，著作権者に対して，複製，配布，実演，展示，翻案等
を行う権利と，他者がこのような行為を行うことを許容（authorize）する権利が
保障されている[95]．この規定に基づき，直接の侵害者でなくとも，一定の関
与を行った場合には，著作権侵害に対する責任が問われ得ると考えられてい
る．まず，著作権侵害の事実を知っていながら，他者による侵害行為に対する
助長，喚起，物理的貢献等を行った者には，寄与侵害（contributory infringement）

93）　東京地判平19・5・25判時1979号100頁判タ1251号319頁（MYUTA事件）．アクセスが特定
　　のユーザに限定されているストレージサービスについて，公衆送信権侵害を認めたこと等につい
　　ては批判がある．北村行夫「ストレージ・サービスを著作権侵害と認定―「MYUTA」事件判決」
　　コピライト47巻559号（2007.11）28頁以下，岡村久道「ネットワーク・ストレージサービスと
　　著作権侵害」情報通信ジャーナル2007年7月号34頁以下，左貝裕希子「ストレージサービスの
　　発展と著作権法上の課題―MYUTA事件判決を端緒として」InfoCom REVIEW45号（2008）13
　　頁以下を参照．なお，原告はこのようなサービスを使わなくとも自由に音楽を聴くことができる
　　携帯電話が登場したことでビジネスチャンスがなくなったとして控訴しておらず，この判決が確
　　定している．
94）　知財高判平22・9・8判時2115号102頁判タ1389号324頁（TVブレイク事件）．本件では，動
　　画共有サイトがプロバイダ責任制限法上のプロバイダにあたるかどうかも争われており，当該動
　　画投稿サイトは「発信者」であり同法のプロバイダ免責の対象にならないとされている．これを
　　批判する見解として，岡村久道「プロバイダ責任制限法上の発信者概念と著作権の侵害主体」堀
　　部政男監修『別冊NBLプロバイダ責任制限法　実務と理論―施行10年の軌跡と展望―』（商事
　　法務，2012）116-123頁がある．
95）　17 U.S.C. § 106.

116

の責任が問われる[96]．また，当該侵害行為を監督する権限があり著作物の盗用に関して直接の財産的利益を有している者には，著作権侵害の事実を知らない場合でも代位責任 (vicarious liability) が問われる[97]．これらの間接責任を追及するためには，直接侵害者の行為が存在することが前提となる．特に問題となるのは，直接侵害者に対して機器やサービス等の提供を行った者に対する責任が問われた場合である．この責任をあまりに厳格に捉えると，技術革新を阻害するなどの弊害が大きいことも指摘されており，個別具体的に検討することが必要である．

　ISP等に関する事例としては，後述のデジタルミレニアム著作権法 (1998年) が成立する以前の先例として知られる宗教技術センター対ネットコム事件判決[98]がある．電子掲示板に著作物が無断でアップロードされたことについて，その電子掲示板の情報をインターネット上にあるUSENETニュースグループのサーバに配信していたISPであるネットコムの責任が争われている．この事件では，まず，インターネットが機能するために必要なシステムを提供しているにすぎない無数の運営主体に対して，インターネット上での権利侵害についての責任を問うことは妥当ではないとして，ネットコムによる直接侵害を否定している．次に，原告からの警告後に著作権侵害を知っているにもかかわらず何の手立ても講じなかったことについては，著作権の寄与侵害であるとして責任を認めている．また，著作権侵害の事実を知らなくても，侵害者と主張される者が直接財政的な利益を受け取り，かつ，侵害活動を監督する権利と能力を有する場合には，代位責任が生じるとの判断も示している．

　この判決は，著作権侵害を媒介したISP等の責任に関する基本的な考え方を示すものとして，デジタルミレニアム著作権法の立法過程にも重要な影響を与えている．

　番組録画サービスに関しては，ケーブルテレビ事業者 (Cablevision社) が提供

[96] Gershiwin Publishing Corp. v. Columbia Artists Management, Inc., 443 F.2d 1159, 1162 (2d Cir. 1971).

[97] Shapiro, Bernstein & Co. v. H.L. Green Co., 316 F.2d 304, 307 (2d Cir. 1963).

[98] Religious Tech Ctr. v. Netcom On-line Communication Serv., Inc., 907 F. Supp. 1361 1375 (N.D. Cal. 1995).

するRS-DVR（Remorte-Storage Digital Video Recorder System）と呼ばれるサービスに関して，テレビ局や映画会社などが著作権侵害であるとして提訴した事例がある．このサービスでは，利用者がCablevision社の施設内にあるサーバにネットワーク経由でアクセスして，番組の録画や視聴を行う．Cablevision社による直接侵害の成否が争われたが，責任を否定する判断が示されている[99]．一方，ケーブルテレビ事業者ではないAereo社が，インターネット経由でテレビ番組の送信を提供していたことに対しては，Aereo社の行為は放送番組の公の実演（Public performance）であり，権利者の許諾なく行うことは許されないとされている[100]．

2-2-4　プロバイダ責任制限法

▶検討の経緯

ISPは多くの場合に電気通信事業者でもあることから，その取扱いにかかる通信の秘密は厳格に保護されることになる．そもそも，ISPが自らのネットワークを介して発信されている情報をチェックすることや，情報の削除などを行うことが，検閲の禁止（電気通信事業法第3条）や通信の秘密（電気通信事業法第4条）との関係で問題を生じないかということも，当初は議論の対象となった．一般に公開されている「公然性を有する通信」については，従前の通信とは異なり必要に応じてISP等が関与してもよいということが，まず確認される必要があったのである[101]．

郵政省では1990年代半ばからこの問題に関して検討を行ってきたが，2000年に公表された「インターネット上の情報流通の適正確保に関する研究会[102]」（座長：堀部政男中央大学教授〈当時〉）の最終報告書では，ISP等媒介者の責任について，「サービス・プロバイダーが責任を負わない場合を規定する方法（いわゆる「セーフハーバー」規定）によることが適当と考えられる」という見解が示されている．また，民事事件において被害者の法的救済のために不可欠であ

Cartoon Network LP, LLLP v. CSC Holdings, Inc., 536 F.3d 121, 124 (2d Cir. 2008).
[100] ABC, Inc. v. Aereo, Inc., 134 S. Ct. 2498 (2014).

ることが認識されつつあった発信者情報開示の問題についても，「一定の場合に発信者情報を開示するための制度の整備が必要である」という前提から，「第三者機関による判断の仕組み等と併せて，問題を最終的に解決する立場にある裁判所が関与して解決する手続の整備を図ることが望ましい」という考えが示されている．

　以上のような検討を踏まえて，2001年にプロバイダ責任制限法が制定された（2002年5月27日施行）．

▶ プロバイダ責任制限法の規定

　プロバイダ責任制限法は，第1条から第4条までの条文からなる．第1条で法律の趣旨，第2条で用語の定義，第3条で損害賠償責任の制限，第4条で発信者情報の開示請求等について定めている．

　法の適用をうける「特定電気通信役務提供者（プロバイダ）」は，不特定の者によって受信されることを目的とする通信サービスを提供・媒介する者全般であり[103]，ISPはもちろん，掲示板管理者等も対象となる．

　プロバイダが媒介した情報による権利侵害に対して責任を問われ得るのは，①情報の流通によって他人の権利が侵害されていることを知っていたとき，または，②当該情報の存在を知っておりその情報によって他人の権利が侵害され

---

[101] 郵政省では，1993年10月から1994年6月まで（「新しい通信形態に起因する社会的・制度的課題への対応」，「ニーズが顕在化している新たな利活用分野」を対象に検討）と，1995年1月から1995年8月まで（「情報通信基盤の整備・高度化と利用の促進」との関係で「個人情報・プライバシーの保護」，「電子情報の安全性・信頼性の確保」等を対象に検討）の2回にわたって「電子情報とネットワーク利用に関する調査研究会」（座長：堀部政男一橋大学教授〈当時〉）を開催して，このテーマを検討している．このなかで，問題解決の方向を明らかにするために，パソコン通信のなかでも，「電子掲示板及びフォーラム・SIGのように，個人が自由に情報の送受信を行えると同時に，1対1の情報の送受信を行う電話と異なり，公然性を有するサービスにおいて発生している課題について検討を行う」とし，「公然性を有する通信」という概念を用いた（堀部政男「特別寄稿　電子情報とネットワークの社会的・法的課題」郵政省電気通信局監修・電子情報とネットワーク利用に関する調査研究会編『高度情報通信社会日本の岐路―安全なネットワーク・危険なネットワーク』6-7頁〈第一法規出版，1996〉）．

[102] 郵政省電気通信局「インターネット上の情報流通の適正確保に関する研究会報告書」（2000年12月20日）．

[103] 「不特定の者によって受信されることを目的とする電気通信の送信」（特定電気通信）の「用に供される電気通信設備」（特定電気通信設備）を用いて「他人の通信を媒介し，その他特定電気通信設備を他人の通信の用に供する者」と定義されている（第2条）．

ていることを知ることができたと認めるに足る相当な理由があるときであって，当該情報の送信を技術的に防止（送信防止措置）ができる[104]にもかかわらずそれを行わなかった場合に限られる（第3条第1項）としている．送信防止措置とは，問題となる情報を削除すること等によって侵害を防止することであり，関係のない大量の情報を含めて送信を停止しなければならないような場合には，技術的に可能とはいえないと考えられている[105]．

　一方，プロバイダは削除等を行ったことを理由に責任を問われることがある．例えば，契約に基づいて情報発信の手段を提供している場合に，契約者の発信する情報を削除すれば，提供義務違反が問われる可能性がある．このような点を考慮して，当該情報発信が権利侵害であると認めるに足る相当の理由があれば，削除等の措置を取ることを許容している（第3条第2項第1号）．侵害の有無が不明の場合は，発信者に照会の上，7日以内に回答がなければ削除するという手続が想定されている（第3条第2項第2号）．

　なお，インターネット上の選挙運動を認める公職選挙法の改正[106]によって，「公職の候補者等に係る特例」が設けられ，選挙運動や落選運動のために使われている文書図画（特定文書図画）に係る情報の流通によって自己の名誉が侵害されたとする公職の候補者等から送信防止措置を講ずるよう申出を受けて行った同意照会については，「7日」から「2日」に短縮されている（第3条の2第1号）．さらに，公職の候補者等から送信防止措置の要請があった特定文書図画等に発信者の電子メールアドレス等が正しく表示されていない場合には，プロバイダが削除等をしてもこの削除等についての責任は問われない（第3条の2第2号）．また，リベンジポルノ防止法[107]によって，私事性的画像記録等の流通によって名誉やプライバシーが侵害されていると本人や遺族から申し出があった場合についても，同意の照会期間「2日」で削除ができることとされている（第

---

104) 対処可能かどうかは通信の秘密侵害とみなされるかどうかということとも密接な関わりがある．そもそも通信の秘密侵害に当たる行為は，法律上許されない行為と考えられるため，一律に対処不可能とみなしうる．したがって，通信の秘密との関連が懸念されるような対処が必要な情報については，対処不可能であるとしてあまり検討がされていないのが現状である．

105) 総務省総合通信基盤局消費者行政課『プロバイダ責任制限法』（第一法規，改訂版，2011）29-30頁．

106)「1-3-2　情報化を阻害する法制度」参照．

107)「3-1-4　情報発信と法的責任」参照．

4条).

　次に，発信者情報の開示請求については，権利侵害を受けたことが明らかであり，かつ，損害賠償請求権の行使のために情報開示を必要とするなどの正当な理由がある者に対して，発信者情報開示請求権を認めている(第4条第1項). 開示の対象となる情報は，「氏名，住所その他の侵害情報の発信者の特定に資する情報であって総務省令で定めるものに該当するもの(第4条第1項)」とされており，省令[108]によって「(ァ)発信者その他侵害情報の送信に係るものの氏名又は名称及び住所，(ィ)発信者の電子メールアドレス，(ゥ)侵害情報に係るIPアドレス及びタイムスタンプ」と規定され，2011年の省令改正によって，携帯電話端末等からインターネット接続を行った際の，利用者識別符号やSIMカード識別番号と，それに係るタイムスタンプが追加されている.

　一方で，プロバイダは開示を拒否しても「故意又は重大な過失がある場合」でない限り責任を負わないとされている(第4条第4項)[109]. 発信者情報について，通信の秘密として厳格な取扱いがされてきたことを考えれば，開示請求権を認める要件の明確化と開示を行った場合の通信の秘密侵害についての免責がされなければ，プロバイダが自発的に情報を開示することは期待できない. しかし，プロバイダ責任制限法では，プロバイダが開示を行わなくても免責されるという規定を設けて，開示した場合の免責については規定を置いていない. これは，プロバイダが開示請求について慎重に対応すべきという趣旨によるものであるとされ[110]，明確に判断できない場合には，裁判所による判断を期待しているものと考えられる.

---

108) 平成14年5月22日総務省令第57号.
109) 請求者の権利が侵害されたことが明らかでないとして開示請求に応じなかったプロバイダに対して，その判断に重過失があったかどうかが争われた事案としては，最三小判平22・4・13民集64巻3号758頁判時2082等59頁判タ1326号121頁(発信者情報不開示責任事件)がある. 侵害情報の流通による開示請求者の権利侵害が明白で，請求者に開示を受ける正当な理由があるという要件に該当することが，「一見明白であり，その旨認識できなかったことにつき重大な過失がある場合にのみ」，非開示に対する責任を負うとしている.
110) 総務省総合通信基盤局消費者行政課『プロバイダ責任制限法』(第一法規，改訂版，2011)63-64頁.

▶発信者情報開示訴訟

　発信者情報開示請求権に基づき，不法行為等を行ったとされる発信者の情報開示を求める訴訟が相次いで提起されている．

　当初は，インターネットへのアクセスのみを提供するアクセスプロバイダ（経由プロバイダ）が特定電気通信役務提供者に該当するかどうかについては，裁判所の判断が分かれていた[111]．これに関して，ISP実務のサイドからアクセスプロバイダ等に関する開示請求権を広く認めることを明確にすべきだとする主張もされていた[112]が，現在ではアクセスプロバイダに対する発信者情報開示請求が認められることにほぼ争いはなく[113]，特定電気通信役務提供者にあたると考えられている．

　また，ファイル交換ソフト（P2P）によるファイル送信は，個別の通信を見ると1対1の通信であることから，「不特定の者によって受信されることを目的とする電気通信」である特定電気通信に該当しないのではないかという疑問が提起されたことがあるが，ファイル送信全体の仕組みを全体として捉えれば特定電気通信に当たるとして，発信者情報開示請求が認められている[114]．

　なお，ISP等が保有している発信者情報（通信記録）は，そのままにしておくと一定期間後に消去されてしまう場合が多い．そのため，訴訟中に消去されてしまわないように，記録の保存を命じる仮処分が認められる場合があり，仮処分による発信者情報の開示自体が認められた例もある[115]．そもそも訴訟

---

[111] 東京地判平15・4・24金融・商事判例1168号8頁で（発信者情報開示請求訴訟：アクセスプロバイダ）は，単なるアクセスプロバイダに対しては，開示請求権を行使することができないとの判断が示されている．発信者情報開示請求権は，通信の秘密に関する例外を認めるものであるから，安易な拡大解釈は許されないとしている．

[112] 丸橋透「発信者情報開示制度の課題」法とコンピュータ21号（2003.7）13頁以下．

[113] 最一小判平22・4・8民集64巻3号676頁判時2079号42頁判タ1323号118頁（発信者情報開示請求訴訟：アクセスプロバイダ）は，発信者の住所氏名等を把握している可能性が高い経由プロバイダが発信者情報開示請求の対象とならないとすると法の趣旨が没却されることになるとして，「最終的に不特定の者に受信されることを目的として特定電気通信設備の記録媒体に情報を記録するためにする発信者とコンテンツプロバイダの間の通信を媒介する経由プロバイダは，法二条三号にいう『特定電気通信役務提供者』に該当すると解するのが相当である」としている．なお，この判決以前から，下級審や実務では対象とすることが定着していた．

[114] 東京高判平16・5・26判タ1152号131頁（発信者情報開示請求訴訟：P2P），東京地判平16・6・8判タ1212号297頁（発信者情報開示請求訴訟：P2P），東京地判平17・6・24判時1928号78頁（発信者情報開示請求訴訟：P2P）等．

に必要な情報を得るための請求は基本的には仮処分によるべきとする主張もある[116]．また，発信者情報開示請求に関しても，実質的な法的利益を考えれば仮処分命令による開示が積極的に認められるべきであるとする見解もある[117]．

発信者情報開示訴訟に関しては，迅速な法的救済が必要な事案について，開示の可否を原則として裁判によって決するのは時間がかかりすぎるという批判がある．この背景には，発信者情報の開示を受けるまでに複数のプロバイダに対して開示請求を行う必要が生じるという事情がある．

例えば，掲示板等の管理者が保有している発信者情報は，通常は対象となる情報が発信されたIPアドレスとタイムスタンプなどに限られる．したがって，住所氏名等の発信者を特定して訴訟を提起するに足りる情報を得るためには，この情報をもとに，アクセスプロバイダに対して，再度発信者情報の開示請求をする必要がある[118]．

また，発信者情報開示訴訟に本来の当事者である発信者が全く関与できないことの問題点も指摘されており[119]，ISP等の通信媒介者を被告とする発信者情報開示訴訟が，紛争の解決という本来の目的を考えた際に有効な制度なのかどうかについても，いまだに議論がある[120]．

---

[115] 東京地決平17・1・21判時1894号35頁（発信者情報開示請求訴訟：仮処分）等．仮処分命令の申立ては増加しているという指摘もある（鬼澤友直・目黒大輔「発信者情報の開示を命じる仮処分の可否」判タ1164号（2005）4頁以下を参照）．

[116] 長谷部由起子「提訴に必要な情報を得るための仮処分—暫定的実体権再論」伊藤眞ほか編『権利実現過程の基本構造—竹下守夫先生古稀祝賀』（有斐閣，2002）．

[117] 町村泰貴「プロバイダに対する発信者情報開示請求権と仮処分」南山法学28巻3号（2005）20-21頁．

[118] このような事情も考慮して，直接発信者を特定するに足りる情報を保有していない者に対する発信者開示請求に関しては，特に積極的に仮処分命令による開示を認めるべきであるという主張もある（鬼澤友直・目黒大輔「発信者情報の開示を命じる仮処分の可否」判タ1164号（2005）6-8頁）．確かに，このような場合は弊害が少ないともいえるが，この見解はアクセスプロバイダが等しく発信者情報を慎重に取り扱うことを前提にしていると考えられる．通常，アクセスプロバイダに対して，IPアドレスとタイムスタンプをもとに当該IPアドレスを利用していた利用者に関する情報を問い合わせる場合には，その情報は通信の秘密に該当するとして慎重に扱われることが多い．しかし，当該利用者が使用しているIPアドレスが固定IPアドレスである場合は，その契約者と固定IPアドレスに関する情報は個別の通信に関する情報ではないと解する余地もある．

[119] 町村泰貴「ネットワークトラブルとISPの責任」L&T15号（2002）35頁，松本恒雄「ネット上の権利侵害とプロバイダー責任制限法」自由と正義53巻（2002）67頁を参照．

こうした問題を解消するためには，開示要件の明確化（法改正・ガイドラインの充実等）や，迅速な対応を可能とする仕組み（ADRの活用等）について検討することが考えられる[121]．さらに，発信者情報の開示が争われている事案について，発信者の開示を求める訴訟を独立したものとして提起するのではなく，直接発信者に対して訴訟を提起できれば，実際の当事者でないISP等が被告となっている現状の弊害が解消し，当事者主義の観点からも望ましい．発信者情報に関する情報の収集を法定し，民事訴訟手続として解決を図ることも考えられるであろう[122]．

▶ ガイドライン等

　プロバイダ・著作権関係・インターネット関係の各団体を構成員とし，学識経験者，法律の実務家，海外の著作権関係団体等をオブザーバとする「プロバイダ責任制限法ガイドライン等検討協議会」によって，「著作権関係ガイドライン」「名誉毀損・プライバシー関係ガイドライン」「商標権関係ガイドライン」「発信者情報開示関係ガイドライン」が策定されており，どのような場合にプロバイダが対応すべきかについて指針が示されている．特に「著作権関係ガイドライン」と「商標権関係ガイドライン」においては，権利侵害状況の迅

---

[120] 総務省利用者視点を踏まえたICTサービスに係る諸問題に関する研究会では，プロバイダ責任制限法の制定10周年にあわせて検証を行い，2011年7月に「プロバイダ責任制限法検証に関する提言」を公表している．「現時点で改正する必要性は特段見受けられない」と結論づけているが，「発信者情報開示請求の開示範囲に関しては，制定時からの状況変化に対応し，発信者情報開示の充実が図られるよう，範囲を拡大するための総務省令改正も視野に入れた対応が考えられる」としている．この検討を踏まえてまとめられたものとして，堀部政男監修『別冊NBLプロバイダ責任制限法　実務と理論-施行10年の軌跡と展望』（商事法務，2012）も参照．

[121] ガイドラインを策定するプロバイダ責任制限法ガイドライン等検討協議会では，継続して検討を進めている．なお，プロバイダ責任制限法制定過程における議論では，ADRの関与に関する提言もなされ，有力な案として議論が行われていた．

[122] わが国の民事訴訟手続により適合しやすい手続として，訴えの提起前における証拠収集の処分による発信者情報の照会を可能にし，当該発信者情報をインカメラによって取り扱うことで被告名を公開せずに訴訟を提起できるようにして，現在も実務的な対応として原告のプライバシー保護等のために用いられている匿名訴訟と同様の手続を，被告のプライバシー保護のために利用することも考えられる．「匿名訴訟」は，（1）原告を番号で管理し，（2）記録の取扱いについて秘密が守られるように厳重な管理を行い，（3）本人尋問を非公開の受命裁判官によって行ったり衝立を利用したりして，原告氏名を公開せずに訴訟を遂行するものである．このほかにも，訴状の送達や，進行協議，和解等の手続にもプライバシーを保護するための工夫が行われている．司法研修所編『大規模訴訟の審理に関する研究』（法曹会，2000）20頁以下を参照．

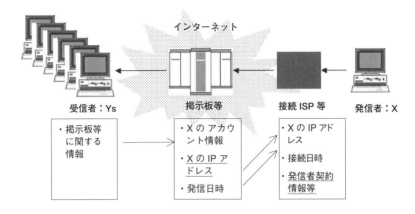

○たとえば問題となる情報が電子掲示板上にある場合，掲示板の管理者が保有し
　ている情報だけでは発信者を特定する（訴訟を提起するために必要な）情報を
　得ることができない場合がある．

出典：小向太郎「セキュリティ確保の二面性」坂村健編『ユビキタスで作る情報社会基盤』（東京大学出版会，
　2006)

速な解決のための手続として，「信頼性確認団体等の申出」があった場合には
「第3条第1項第2号」の「相当の理由がある」場合に該当するとして「速やか
に」削除することが望まれるという記述が盛り込まれている[123]．

　なお，プロバイダ責任制限法が規定する送信防止措置と発信者情報開示請求
は，「権利侵害情報」に関する不法行為責任を追及する民事訴訟を念頭に置い
た制度である．したがって，いわゆる有害情報はもちろん，権利侵害に結びつ
かない違法情報も対象とならない．違法・有害情報に関しては，財団法人イン
ターネット協会が運営するインターネット・ホットラインセンターが，2006

---

[123] これらのガイドラインおよび関連資料は，社団法人テレコムサービス協会のWebページ
　（http://www.telesa.or.jp/consortium/provider/）で見ることができる．なお，米国では，名誉毀損
　等の不法行為を対象とする通信品位法においてはISP等にほぼ全面的な免責が認められているの
　に対して，デジタルミレニアム著作権法においてはISP等の態様に応じて著作権侵害への対処義
　務とそれを怠った場合の責任が定められている．著作権侵害は，いったんネットワーク上で侵害
　が行われると被害が拡散しやすく事後的な救済が難しいということや，権利侵害が他の不法行為
　に比べると客観的に認定しやすいこと等が理由とされるが，むしろ著作権侵害については権利者
　の要請が他の不法行為と比べて強力かつ組織的であることが立法に影響していると考えるのが妥
　当であろう．わが国のガイドライン策定においても，迅速対応への要請があったと考えられる．

年6月から一般からの違法・有害情報に関する通報を受け付けている．同セン
ターでは，通報のあった情報について分析を行い，違法情報であれば警察庁へ
の通報を，有害情報（対象としているのは，「違法行為を直接的かつ明示的に請負・仲介・
誘引する情報」に限定されている）であれば，プロバイダや電子掲示板の管理者等
に対して削除等の対応依頼を行っている．なお，プロバイダや電子掲示板等が
削除等を行うためには，利用規約等において対象となる有害情報の発信が禁止
されていることが前提となる．

▶諸外国の立法例

　前述の通り，米国では1996年に通信品位法が制定され，「双方向コンピュー
タサービスのプロバイダまたはユーザ」は，自分以外のものが発信した情報に
ついて，原則として責任を問われないと考えられている．

　ただし，著作権侵害について，1998年10月に成立したデジタルミレニアム
著作権法[124]は，ISP等の免責される範囲を明確にする目的で詳細な規定を設
けている．デジタルミレニアム著作権法は，インターネット上でサービスを提
供する「オンライン・サービスプロバイダ」の形態を4つに分け，それぞれに
ついてどのような場合にどのような責任が認められるかを定めている．

　このうち，「(a) 通過的デジタル・ネットワーク通信」については，原則と
して責任がないとされるのに対して，「(b) システムキャッシング」，「(c) 利用
者の指示によりシステム又はネットワークに存在する情報」，「(d) 情報探知
ツール」については，権利者から一定の通知があればオンライン・サービスプ
ロバイダに削除義務が生じることになる．また，著作権侵害の申出に応じて削
除等を行った場合，権利者からユーザに対する直接の著作権侵害訴訟が提起さ
れない限り，一定期間内に元の情報を復旧する義務がある．この制度は「ノー
ティス・アンド・テイクダウン」と呼ばれ，削除を求める権利者と情報の発信
者の間のバランスをとるためものであるといえる．

　例えば「利用者の指示によって自分のシステムまたはネットワーク上に情報
を蓄積する」オンライン・サービスプロバイダの規定は，典型的にはWebホ

---

[124]　Digital Millennium Copyright Act of 1998, 17 U.S.C. § 512.

図表2-6	デジタルミレニアム著作権法における責任制限規定の概要

サービスの態様	媒介者責任の免責要件
(a) 通過的デジタル・ネットワーク通信：送信・転送・接続の提供・中間的かつ一時的な蓄積	・直接の関与がないこと（他者の指示・自動的技術）
(b) システムキャッシング：キャッシングのための中間的かつ一時的蓄積	・内容に改変がなく標準的なキャッシングのプロトコルに従っていること
(c) 利用者の指示によりシステムまたはネットワークに存在する情報：利用者の指示による情報の蓄積	・侵害に関する善意・無過失，認知した場合の削除等 ・侵害行為をコントロールできる権利・能力→財産的な利益を受けていないこと ・侵害の通知がある場合には速やかに削除またはアクセス不能とすること
(d) 情報探知ツール：情報探知ツールによる参照等	・侵害に関する善意・無過失，認知した場合の削除等 ・侵害行為をコントロールできる権利・能力→財産的な利益を受けていないこと ・侵害の通知がある場合には速やかに削除またはアクセス不能とすること

出典：総務省総合通信基盤局消費者行政課『プロバイダ責任制限法』（第一法規，改訂版，2011）414頁以下の訳語を参考に作成

スティングのようなサービスを対象としたものであると考えられる．著作権侵害がなされた場合にプロバイダが免責されるためには侵害行為について善意・無過失であることが要求されており，侵害の通知がなされたにもかかわらず対処を怠った場合には免責されない．

　欧州連合（EU：European Union）の2000年電子商取引指令[125]では，ISPを（1）単なる導管（Mere conduit），（2）キャッシング（Cashing），（3）ホスティング（Hosting）の3類型に分けて規定している．このうち前二者については基本的に第三者のコンテンツに対する責任を問われないとしている．そして，ホスティングについては，次のいずれかの条件を満たす場合には第三者の情報発信に関して責任を負わないとしている（第14条）．

（1）違法な情報に関して実際に知らず，犯罪や損害に関しては，その違法行為や違法情報が公表された場合に引き起こされるとどのようなことになるかということに気づいていない場合．

（2）違法行為や違法情報について知った後に遅滞なく当該情報の除去や情報の

---

125) Directive 2000/31/EC of the European Parliament and of the Council of 8 June 2000 on certain legal aspects of information society services, in particular electronic commerce, in the Internal Market.

	米国		EU		日本
	CDA	DMCA	電子商取引指令	著作権指令	プロバイダ責任制限法
対象分野	名誉毀損・わいせつ等	著作権侵害	権利侵害	著作権等侵害	不法行為一般
ISP等の媒介者責任	ほぼ全面的免責	サービス態様（アクセス・キャッシング・ホスティング・検索サービス）ごとの責任制限を明示	サービス態様（アクセス・キャッシング・ホスティング）ごとの責任制限を明示	オンライン・コンテンツ共有サービス・プロバイダの責任を規定	善意無過失・対処手段のない場合に免責
削除等を行うことによる責任	善意で自発的に行った行為には責任なし（グッド・サマリタン条項）	ノーティス・アンド・テイクダウン，権利侵害が認められない場合の復旧義務等	規定なし	規定なし	権利侵害があると信じるに足る場合のみ免責，発信者に照会の上削除等を行う手続

出典：各法律の条文をもとに作成

アクセスへのブロックを行った場合[126].

　著作権および著作隣接権については，2019年に著作権指令[127]が改正され，「オンライン・コンテンツ共有サービス・プロバイダ[128]」について，サービスのユーザが他人の著作物をアップロードした場合には，プロバイダ自身がその著作物を公表したのと同様の責任を負うことが定められた（第17条1項）．著作者の許諾なくコンテンツがアップロードされた場合には，①許諾を得るための最善の努力をし，②権利者から情報提供があった場合にはその著作物等が使われないようにする高度かつ最善の努力を行い，③権利者から侵害を受けた旨の通知があれば当該コンテンツの削除等を行わなければならない（第4項）．ただ

---

126) 訳語については米丸恒治（訳）「EU電子商取引指令」立命館法学278号（2001.4）を参考にした．

127) Directive (EU) 2019/790 of the European Parliament and of the Council of 17 April 2019 on copyright and related rights in the Digital Single Market and amending Directives 96/9/EC and 2001/29/EC.

128) 「オンラインコンテンツ共有サービスプロバイダ」とは，サービスのユーザによって大量の著作物その他の保護対象となるものが蓄積・公開され，営利目的で構築運営されるサービスの提供者のことをいい（第1条 (6)），YouTubeやフェイスブック等の投稿プラットフォームが主として想定されている．

し，新規かつ小規模の事業者については，責任の範囲が（許諾を得る努力や迅速な削除に）限定されている（第6項）．

　なお，わが国のプロバイダ責任制限法の規定は，媒介者全般に対する一律の規定になっており，アクセスプロバイダも特定電気通信役務提供者であるとされている．つまり，プロバイダ責任制限法上は，アクセスプロバイダとWebホスティングや掲示板管理者の間に差異はない．現在のところ，アクセスプロバイダによる権利侵害情報への送信防止措置（第3条）は，特定の情報について送信防止措置を行うこと自体が基本的に「技術的に可能」ではないと考えられている[129]．

2-3 | プラットフォーム事業者

2-3-1　プラットフォーム事業者とは

▶ プラットフォーム事業者の特徴

　最近，インターネットに関連するビジネスについて，プラットフォーム事業者またはプラットフォーマーという言葉がよく使われるようになっている．プラットフォーム事業者には，法律や学説による明確な定義がない．インターネット上でビジネスやコミュニケーションを行う際に，基盤となるような「場」を提供している事業者のことを指すと考えられている．ただし，一般には寡占的な性格と強い影響力を持つものが，プラットフォーム事業者と呼ばれる．つまり，確立したプラットフォーム事業者とは，端的にいうとグーグル，アップル，フェイスブック，アマゾン（いわゆるGAFA）のことである[130]．

129）総務省「インターネット上の違法・有害情報への対応に関する研究会最終報告書案」(2006) 11頁．責任が認められる可能性は少ないであろうとしつつ「接続切断の技術的可能性があるから3条1項の他の要件も充たさなければ免責が認められない」という主張を想定して検討しているものとして，丸橋透「発信者情報開示制度の課題」法とコンピュータ21号 (2003) 21頁がある．なお，DPI (Deep Packet Inspection) 技術などによって，アクセスプロバイダを通過するパケットの情報を解析して，特定の情報に対して送信防止措置を行うことも，技術的には可能になっている．送信防止措置を行えないのは，技術的というよりは通信の秘密等の法的な制約によるといった方が正しい．

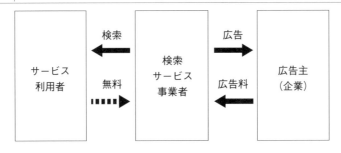

図表2-8 プラットフォームと二面市場のイメージ

ただし，グーグル，アップル，フェイスブック，アマゾンの各社は，それぞれ事業の性格が大きく異なる．ビジネス・モデル面から見ると，グーグルとフェイスブックは，その収益の大半を広告から得ている．ただし，グーグルが利用者の検索結果等に自動的に連動する広告が主であるのに対して，フェイスブックはコンテンツと連動したマーケティングに力を入れている．アップルは，iPhoneを中心とした電子機器メーカとしての性格が強い．アマゾンは，典型的な流通・小売業である．

このように，プラットフォーマーと呼ばれる事業者は，従来の考え方からするとビジネスとしての共通点が少ない．しかし，データやコミュニケーションの基盤を競争力の源泉としている点に共通点があると考えられており，そういった面から競争力や影響力について議論するために，プラットフォームという言葉が使われている．

▶二面市場とネットワーク効果

プラットフォーム事業者は，二面市場（または多面市場）のビジネスを行うことに特徴があるともいわれる．二面市場とは，相互に関連性のある複数のグループを結びつけることで，両方のグループにメリットをもたらすような市場

---

130) この他に，例えばメルカリやVALUのような急成長しているネットビジネスや，中国市場においてテンセント，アリババ，バイドゥのような企業を中国のプラットフォーム事業者と呼ぶことがある．わが国でGAFAに近いビジネスを展開している楽天，ヤフー，LINE等の有力企業も，プラットフォーム事業者である．

のことをいう．例えば，クレジットカード会社は，カード利用者と加盟店の2つのグループを相手にビジネスをしている．そして，カード利用者が増えることが加盟店のメリットに，加盟店が増えることが会員のメリットになるという，ふたつの市場にまたがったネットワーク効果を有している[131]．このような場合には，片方の市場に対して無料で商品・役務を提供して顧客を拡大することも，市場における地位を確保するための合理的な戦略になりうる．

　グーグルを例にあげれば，検索サービスの利用者に対しては，無料で高機能のサービスを提供し，その利用者に対する広告を企業に対して販売している．このような無料広告モデルは，民間放送などで古くから採用されているものであるが，インターネット・ビジネスを行うプラットフォーム事業者には，情報の利用によってさらにネットワーク効果を高める特徴があるといわれている．グーグルは，利用者のニーズに応じた広告を提供するために，利用者のデータを利用しており，このデータの集積による精度の向上も競争力の源泉となり得るのである．

2-3-2　プラットフォームと競争法

▶独占禁止法の概要

　経済活動が活発かつ効率的に行われ社会が発展を遂げるためには，市場における公正な競争が不可欠であると考えられている．市場における公正な競争が，企業等の創意工夫や切磋琢磨を促し，より安くて優れた商品や役務を実現することで，消費者の利益につながるからである．こうした考えに基づいて行われる政策を競争政策と呼び，わが国では独占禁止法[132]がその基本法であると位置付けられている[133]．なお，特に競争がうまく働かないことが懸念され

---

[131] Jean-Charles Rochet and Jean Tirole, *Platform Competition in Two-sided Markets*, 1 JOURNAL OF THE EUROPEAN ECONOMIC ASSOCIAION 990-1029 (2003).

[132] 独占禁止法の概説書は数多くあるが，代表的なものとして，白石忠志『独禁法講義』（有斐閣，第8版，2018），金井貴嗣・川濵昇・泉水文雄編著『独占禁止法（弘文堂，第5版，2015），根岸哲・舟田正之著『独占禁止法概説』（有斐閣，第5版，2015）がある．公正取引委員会Webサイト「独占禁止法の概要」，http://www.jftc.go.jp/dk/dkgaiyo/gaiyo.html も参照．

[133] 東京高判平5・12・14高刑集46巻3号322頁判時1490号130頁（シール談合刑事事件）．

る事業者に対しては，特別の事業法が課せられることがあるが，プラットフォーム事業者に対しては，現在のところこのような事業法は導入されていない．

　独占禁止法が定める企業に対する主な禁止行為は，「私的独占（第3条）」「不当な取引制限（カルテル）（第3条）」「不公正な取引方法（第19条）」である．これらに違反した場合には，排除措置命令，課徴金（私的独占，カルテル，一部の不公正取引方法）が課せられ，刑事罰の規定もある．また，合併等の企業結合によって「競争を実質的に制限」できるようになる場合にはその結合を禁止しており，一定の要件に該当する企業結合を行う場合には，公正取引委員会[134]への届出・報告が必要になる（第8条の4）．さらに，高いシェアを持つ事業者等が独占状態にあり，価格が高止まりするなどの弊害が見られる場合には，公正取引委員会が，競争を回復するための措置として営業の一部譲渡を命じる場合がある（第10条-16条）．

　私的独占とは，「他の事業者の事業活動を排除し，又は支配することにより，公共の利益に反して，一定の取引分野における競争を実質的に制限すること（第2条第5項）」である．

　不当な取引制限とは，「他の事業者と共同して対価を決定し，維持し，若しくは引き上げ，又は数量，技術，製品，設備若しくは取引の相手方を制限する等相互にその事業活動を拘束し，又は遂行することにより，公共の利益に反して，一定の取引分野における競争を実質的に制限すること（第2条第6項）」であり，一般にカルテルと呼ばれる行為を指す．

　不公正な取引方法とは，公正な競争を阻害するおそれがある行為として，独占禁止法第2条9項に規定されているか，公正取引委員会が告示によってその内容を指定しているものをいう．この指定には，すべての業種に適用される「一般指定」と，特定の事業者・業界を対象とする「特殊指定」がある[135]．一般指定で定められている不公正な取引方法には，取引拒絶，排他条件付取引，

---

[134] 公正取引委員会は，独占禁止法を運用するために設置された，いわゆる独立行政委員会である．

[135] 現在，大規模小売業者，特定荷主，新聞業について，公正取引委員会が「特殊指定」を定めている．

拘束条件付取引，再販売価格維持行為，ぎまん的顧客誘引，不当廉売などがある．

▶プラットフォームと独占禁止法

わが国において，プラットフォーム事業者に関する独占禁止法上の問題が注目された事例として，ヤフー（ヤフー株式会社）とグーグル（米グーグル社）の提携があり，ヤフーがグーグルから検索エンジンと検索連動型広告システムの提供を受けることについて，公正取引委員会が考えを示している．公正取引委員会は2010年7月に，両社からの相談に対して，相談の際の説明を前提とすればこの技術提供は独占禁止法上の問題とならないという回答をしている．ただし，公正取引委員会は，市場に与える影響が大きいことを重視して，この回答後に実態調査等を行っている．この技術提供によって，日本国内における検索エンジン等の技術の約9割がグーグルのものとなるからである．2010年12月に改めて公表された見解によると，両者からの説明は下記のとおりである．

---

(1)　ヤフー株式会社は，自社のウェブサイト等に用いる検索エンジン等を有しておらず，これまでヤフー・インク（以下「米ヤフー社」という．）から検索エンジン等の提供を受けていた．しかし，米ヤフー社から検索エンジン等の提供を受け続けることができなくなったため，新たな検索エンジン等として，米グーグル社の検索エンジン等を自社に最適なものとして選択することとした．

(2)　相談者は，本件技術提供の実施後も，インターネット検索サービス及び検索連動型広告の運営をそれぞれ独自に行い，広告主，広告主の入札価格等の情報を完全に分離して保持することで，引き続き競争関係を維持する．

(3)　本件技術提供に係る契約期間は2年間であり，ヤフー株式会社は，2年後に，どの検索エンジン等を利用するかを選択でき，かつ，契約期間中であっても，ヤフー株式会社が他の検索エンジン等を利用することは何ら妨げられない．

出典：公正取引委員会「ヤフー株式会社がグーグル・インクから検索エンジン等の技術提供を受けることについて」（平成22年12月2日）

公正取引委員会は，ヤフーが，検索エンジン等のユーザとして，グーグルの検索エンジン等を自社に最適なものとして選択していることを認めた上で，技

| 図表2-9 | グーグルとヤフーの提携 |

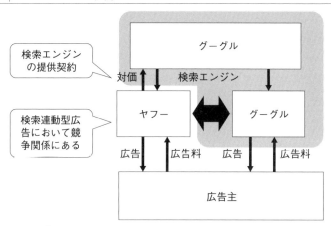

出典：公正取引委員会「ヤフー株式会社がグーグル・インクから検索エンジン等の技術提供を受けることについて」
（平成22年12月2日）をもとに作成

術提供が相談時の説明どおりに進捗しており，その他独占禁止法上問題となる
行為も認められないという判断をしている．判断において重視されたのは，イ
ンターネット検索サービスと検索連動型広告に関する独自性確保であり，特に
広告主との関係を重視している．

　インターネット検索サービスの独自性については，ヤフーがユーザの検索
キーワードを独自に分析・加工してグーグルに送信しているため，グーグルに
直接送信した場合と異なる検索結果が表示され得ることや，ヤフーが検索結果
表示に独自の情報を付加していることが，根拠として挙げられている．また，
検索連動型広告については，広告主の募集や入札等検索連動型広告の運営が独
自に行われ，異なる価格や掲載基準に基づいて提供されることが評価され，情
報分離も適正に行われているとしている．

　一方で，検索エンジン等を提供するビジネスにおける提供者の寡占が進むこ
とに関しては，特に問題視されていない．また，プラットフォーム事業者の競
争力の源泉として重視されることが多い利用者からの情報取得と集積に関して
は，直接の言及がない．ヤフーおよびグーグルの検索サービスにおける主要な
収入源は広告料であり，この市場において競争が行われているのであれば，広
告事業における競争への悪影響は少ないという理解に基づくものであると考え

られる.

▶ プラットフォーム規制に関する議論動向

　最近では，データの活用が新たな革新や競争力を生むという期待が，現実の
ものとなりつつある．これは，反面から見れば，価値のあるデータの不当な収
集や囲い込みが，市場における競争にも影響し得ることも意味する[136]．公正
取引委員会は，こうした懸念を背景に，「データと競争政策に関する検討会」
を設置して検討を行い，2017年6月に報告書を公表している．

　この報告書ではデータの集積・利活用自体は，「競争促進的な行為であり，
競争政策上は望ましい行為」とした上で，私的独占や不公正な取引方法が疑わ
れたり，企業結合の審査が行われたりする際に，その市場について競争の実質
的制限や競争の阻害があるかどうかを評価する上では，対象となる事業者が保
有するデータの重要性も考慮されるという考え方が示されていた[137]．

　2018年7月から，経済産業省，公正取引委員会，総務省が合同で「デジタ
ル・プラットフォーマーをめぐる取引環境整備に関する検討会」を設置し，独
禁法の適用可能性や必要なルール整備に関して検討を行っている[138]．

　また，内閣の日本経済再生本部に設置された未来投資会議においても，
2019年2月からデジタル市場のルール整備に関する検討が行われており，
2019年9月には，デジタル市場競争本部（本部長：官房長官）が設置されている．
2019年11月には，次のような内容の「デジタル市場についての論点」が公表

136）プラットフォーム事業者に対する競争法上の規制については，杉本和行『デジタル時代の競争
　　政策』（日本経済新聞出版社，2019）を参照.
137）「競争者を排除しようとするといった不当な行為や合併をはじめとする企業結合によって，
　　データが特定の事業者に集積される一方で，それ以外の事業者にとっては入手が困難となる結果
　　として，当該データが効率化等の上で重要な地位を占める商品の市場における競争が制限される
　　こととなったり，あるいは，競争の観点から不当な手段を用いてデータが利活用される結果，例
　　えば，商品の市場などデータに関連する市場において競争が制限されることとなったりする場合
　　には，独占禁止法による規制によって，競争を維持し，回復させる必要が生じることになる（公
　　正取引委員会競争政策研究センター「データと競争政策に関する検討会報告書」（平成29年6月
　　6日）21-22頁）」.
138）経済産業省・公正取引委員会・総務省「デジタル・プラットフォーマー型ビジネスの台頭に対
　　応したルール整備の基本原則」平成30年12月18日，経済産業省・公正取引委員会・総務省「プ
　　ラットフォーマー型ビジネスの台頭に対応したルール整備に関するオプション」令和元年5月
　　21日等.

されている[139].

---

1. デジタル・プラットフォーマー取引透明化法の検討
○デジタル・プラットフォーム企業は，中小企業・ベンチャーにとって，市場アクセスの可能性を飛躍的に高める．他方，利用事業者との取引において，(a) 契約条件やルールの一方的押しつけ，(b) サービスの押しつけや過剰なコスト負担，(c) データへのアクセスの過度の制限などの問題が生じるおそれがある．
○このような取引実態が不透明となるおそれに対応しつつ，イノベーションを阻害しない形で可能な限り自主性を尊重したルールとして，「デジタル・プラットフォーマー取引透明化法案」（仮称）を次期通常国会に提出する．
2. 個人情報保護法の見直し
○個人情報の取扱に対する不安の高まり，保護と利用のバランスの必要性，内外事業者のイコールフッティングの確保などの観点から，個人情報保護法改正法案を次期通常国会に提出する．
3. デジタル市場の競争状況の評価
○これまで事業者間の取引上の問題に着目して，オンラインモールやアプリストアについて調査を実施．
○個人情報等の取得・利用に対する懸念，データの集中による寡占化がもたらす競争への悪影響の懸念を踏まえ，デジタル広告市場（関連する検索やSNS等を含む）について，評価を開始．

　こうした検討も踏まえ，公正取引委員会では2019年8月には「デジタル・プラットフォーマーと個人情報等を提供する消費者との取引における優越的地位の濫用に関する独占禁止法上の考え方（案）」を公表した．消費者がデジタル・プラットフォーマーから不利益な取扱いを受けても，消費者がサービスを利用するためにはこれを受け入れざるを得ないような場合は，当該デジタル・プラットフォーマーは消費者に対して優越した地位にあると認定するとして，濫用行為となる行為類型として次のようなものを挙げている．

○利用目的を消費者に知らせずに個人情報を取得すること．

---

139) 未来投資会議「デジタル市場についての論点」令和元年11月12日，第33回配布資料．

(想定例) デジタル・プラットフォーマーＡ社が，個人情報を取得するに当た
り，その利用目的を自社のウェブサイト等で知らせることなく，消
費者に個人情報を提供させた．

○利用目的の達成に必要な範囲を超えて，消費者の意に反して個人情報を取
得・利用すること．

(想定例) デジタル・プラットフォーマーＢ社が，サービスを利用する消費者
から取得した個人情報を，消費者の同意を得ることなく第三者に提
供した．

○個人情報の安全管理のために必要かつ適切な措置を講じずに，個人情報を
取得・利用すること．

(想定例) デジタル・プラットフォーマーＣ社が，個人情報の安全管理のため
に必要かつ適切な措置を講じずに，サービスを利用させ，個人情報
を提供させた．

○自己の提供するサービスを継続して利用する消費者に対し，消費者がサー
ビスを利用するための対価として提供している個人情報等とは別に，個人
情報等の経済上の利益を提供させること．

(想定例) デジタル・プラットフォーマーＤ社が，提供するサービスを継続し
て利用する消費者から対価として取得する個人情報等とは別に，追
加的に個人情報等を提供させた．

※その他，デジタル・プラットフォーマーによる消費者が提供する個人情報
等の取得・利用に関する行為が，正常な商慣習に照らして不当に消費者に不
利益を与えることとなる場合．

　なお，これらの事例は，ほとんどが個人情報保護法上も問題とされ得るもの
であり，独占禁止法と個人情報保護法のそれぞれの法目的や適用のあり方をど
のように考えるべきかが問題となる．これについて個人情報保護委員会は，個
人情報保護政策の観点からの当不当については個人情報保護委員会が判断するこ
とと，必要な連携を公正取引委員会と行うことを示している[140]．
　さらに，公正取引委員会は，2019年10月に「デジタル・プラットフォー

---

[140] 個人情報保護委員会「『デジタル・プラットフォーマーと個人情報等を提供する消費者との取
引における優越的地位の濫用に関する独占禁止法上の考え方（案）』に対する当委員会の考え方
について」令和元年8月29日．

マーの取引慣行等に関する実態調査（オンラインモール・アプリストアにおける事業者間取引）について」を公表し，デジタル・プラットフォーマーの取引慣行等が競争法上の問題となりうる場合について，次のような考え方を示している．

（1）取引先に不利益を与え得る行為

（スイッチングコストが増加してロックイン効果が働いているために，取引先に対して優越的地位にある運営事業者が）「規約を変更することにより手数料を一方的に引き上げ，正常な商慣習に照らして不当に，利用事業者に不利益を及ぼす場合には，優越的地位の濫用として独占禁止法上問題となるおそれがある」

（2）競合事業者を排除し得る行為

「運営事業者は，利用事業者や消費者の獲得を巡って他の運営事業者と競争関係にあるため，他の運営事業者と利用事業者や消費者との間の取引を不当に妨害する場合には，競争者に対する取引妨害等として独占禁止法上問題となるおそれがある」

「デジタル・プラットフォームの運営・管理を通じて得た競合事業者の販売情報，顧客情報等の取引データを自らの販売活動に利用したり，デジタル・プラットフォーム内の検索アルゴリズムを恣意的に操作したりすることにより，自ら又はその関連会社を有利に扱い，競合事業者と消費者の間の取引を不当に妨害する場合には，競争者に対する取引妨害等として独占禁止法上問題となるおそれがある」

（3）取引先の事業活動を制限し得る行為

「運営事業者が利用事業者の事業活動を制限することで，競合事業者を排除したり，新規参入を阻止したりすることにより，価格維持効果や市場閉鎖効果をもたらす場合は，拘束条件付取引として独占禁止法上問題となるおそれがある」

「アプリ外決済を禁止してアプリ内課金の利用を不当に強制する，アプリ外決済の価格を拘束する，又はアプリ外決済に係る情報提供を不当に妨げることは，拘束条件付取引として独占禁止法上問題となるおそれがある」[141]

141）公正取引委員会「デジタル・プラットフォーマーの取引慣行等に関する実態調査（オンラインモール・アプリストアにおける事業者間取引）について」令和元年10月31日，97-99頁より抜粋．

これらの検討の背景には，諸外国において，プラットフォーム事業者に対する競争法の執行や規制の強化が活発化していることがある．例えば，2017年6月に，欧州委員会がグーグルに対して，自社が提供している買い物検索サービス（グーグルショッピング）を他社と比べて優遇したことなどについて，市場に悪影響を与える支配的地位の濫用（EU機能条約第102条[142]）であるとして，制裁金の支払を命じている[143]．グーグルと競争者は共にショッピングサイトを運営しており，グーグルの検索サービスで対象商品等を検索した際に，検索結果に競争者のサイトよりもグーグルのサイトの方が有利に表示されていたことが問題とされ，ショッピングサイト市場の競争に悪影響を及ぼす恐れがあると評価されている．さらに，グーグルに対しては，2018年7月にも，アンドロイドOSに関してPlay Store, Google Search, Google Chromeを一体として端末製造業者に提供していたことについて，必須アプリであるPlay Storeとその違法な抱き合わせを行ったと認定し制裁金を課している[144]．米国でも，2019年7月に司法省が市場をリードするオンライン・プラットフォームの商慣習についての調査を行うことを公表している[145]．

　以上のように，プラットフォーム事業者に対する競争法の執行や規制の強化が内外で検討されている．こうした検討にあたっては，規制強化がイノベー

---

[142] 欧州連合の機能に関する条約（Treaty on the Functioning of European Union）第102条（市場支配力の濫用行為の規制），Article 102.「域内市場又はその実質的部分における支配的地位を濫用する一以上の事業者の行為は，それによって加盟国間の取引が悪影響を受けるおそれがある場合には禁止される．この不当な行為は，特に次の場合に成立するおそれがある．a　直接又は間接に，不公正な購入価格若しくは販売価格又はその他不公正な取引条件を課すこと，b　需要者に不利となる生産，販売又は技術開発の制限，c　取引の相手方に対し，同等の取引について異なる条件を付し，当該相手方を競争上不利な立場に置くこと，d　契約の性質上又は商慣習上，契約の対象とは関連のない追加的な義務を相手方が受諾することを契約締結の条件とすること」（公正取引委員会「世界の競争法」https://www.jftc.go.jp/kokusai/worldcom/index.html）．

[143] European Commission-Press release, Antitrust：Commission fines Google €2.42 billion for abusing dominance as search engine by giving illegal advantage to own comparison shopping service, 27 June 2017. http://europa.eu/rapid/press-release_IP-17-1784_en.htm/

[144] European Commission-Press release, Antitrust：Commission fines Google €4.34 billion for illegal practices regarding Android mobile devices to strengthen dominance of Google's search engine, 18 July, 2018, https://ec.europa.eu/commission/presscorner/detail/en/IP_18_4581/

[145] Department of Justice, Justice Department Reviewing the Practices of Market-Leading Online Platforms, July 23, 2019, https://www.justice.gov/opa/pr/justice-department-reviewing-practices-market-leading-online-platforms

ションの妨げになり，競争をむしろ阻害してしまうことがないよう，十分な注意が必要である．

　また，プラットフォーム事業者が競争上の優位性を確立するにあたっては，個人情報が重要な役割を果たすことが多い．公正取引委員会の「デジタル・プラットフォーマーと個人情報等を提供する消費者との取引における優越的地位の濫用に関する独占禁止法上の考え方（案）」は，まさに個人情報の取扱いが競争法上の問題となるという考え方を示しているし，EUで導入されることになっているデータポータビリティの制度[146]は，情報の本人（情報主体）の保護を図るためのものであるが，これによって一部の企業に集積された情報が競争者にも利用できるようになることで，結果的に競争環境にも良い影響を与え得る[147]．しかし，個人情報保護制度と競争法は，本来の目的やアプローチが異なるものであり，制度の連携やバランスについても，引き続き検討が求められる．

2-3-3　プラットフォームと媒介者責任

▶情報への関与態様

　プラットフォームやプラットフォーム事業者は明確に定義された言葉ではないため，従来の議論でインターネット上の媒介者とされてきたものも含まれている．例えば，米国のデジタルミレニアム著作権法では，媒介者の類型の一つとして検索サービス（情報探知ツール）の提供者が明文で規定されている．一方で，わが国のプロバイダ責任制限法は，いわゆる媒介者にあたるもの全般を特定電気通信役務提供者（プロバイダ）と位置付け，そのプロバイダが媒介する情報についての責任制限や発信者情報開示について定めている．ただし，典型的なプロバイダと考えられている，アクセスプロバイダ，Webホスティング，掲示板でも，そこで行われる情報発信への責任が全く同一であるとは考えにくい．インターネットで情報を媒介している事業者としては，その他にも，

---

[146]「3-4-4　諸外国の個人情報保護制度」参照．
[147] Article 29 data protection working party, Guidelines to the right to data portability, WP 242 rev.01, 5 April 2017.

SNS, インターネット・オークション, ショッピングモール[148], 動画共有サイト等さまざまなものがあるが, これらの事業者の媒介者としての責任が, 全く同一でないのは当然といえよう.

そもそも, プロバイダ責任制限法は, 責任制限規定に該当する場合には責任を負わないということを定めているのであり, 損害賠償責任が生じる要件を定めたものではなく, この要件に該当しない場合の有責を推定させるものではない[149]. したがって, 媒介者やプラットフォーム事業者の責任は, プロバイダ責任制限法の責任制限規定にあたるかどうかとともに, 当該損害との関係を総合的に評価して, その有無が判断されることになる[150].

▶ 忘れられる権利

現在, プライバシーや個人情報保護の分野で議論されている「忘れられる権利」[151] も, 主として問題になるのは検索エンジンやSNS等の事業者が媒介している情報について削除や遮断を求められる場面であり, 主に問題とされているのはプラットフォーム事業者である[152].

EUで2018年5月に導入された一般データ保護規則 (GDPR) の第17条に「消去権 (忘れられる権利)」という規定があり, データ管理者に自分に関するデータの削除や拡散停止を求めたり, 第三者にデータのリンクやコピー等を削除させ

---

148) インターネット上のショッピングモールについては, 「楽天市場」の出店者が行った商標権侵害に関して, モールの運営者である楽天株式会社に対して差止め・損害賠償責任を求めて提起された事案がある. 一定の場合にはWebページの運営者も責任を負うとしつつ, 本件においては, 運営者が商標権侵害の事実を知り又は知ることができたと認めるに足りる相当の理由があるときから合理的期間内にこれを是正しているとして責任が否定されている (知財高判平24・2・14判時2161号86頁判タ1404号217頁：チュッパチャプス事件).

149) ただし, プロバイダ責任制限法が特定電気通信役務提供事業者を定義し, その事業者に関する免責を規定していることから, この免責に該当しない場合には実質的に責任が推定されるという懸念もある (丸橋透「発信者情報開示制度の課題」法とコンピュータ21号 (2003) 21頁等を参照).

150)「2-2-1　媒介者の責任」特に, 「不法行為責任」参照.

151) 各国の「忘れられる権利」の動向については, 奥田喜道編『ネット社会と忘れられる権利—個人データ削除の裁判例とその法理』(現代人文社, 2015) を参照.

152)「忘れられる権利」に関しては, 大別して2つの論点がある. 一度は適法に公表できた (されるべきだった) 情報の公開が, 時の経過によって違法と評価されるのはどのような場合かということと, もうひとつは, 検索サービス提供事業者はどのような場合に検索結果を削除する法的義務を負うのかということである.

たりすることが規定されている．2012年の規則提案に盛り込まれたときから，これが実際にどのような効果と実効性を持つのかということが議論になっていた．また，2014年5月に欧州司法裁判所は，グーグルで検索すると自分の過去の望ましくない情報が表示されるとして検索結果の削除を求めた事案について，一定の場合には検索リストから自己に関する過去の情報の削除を求めることができるとする判断を示した[153]．これが「忘れられる権利」を認めたものとして注目を集め，この判決以降グーグルは検索結果の削除請求に応じる体制を整備している．なお，これらの経緯から明らかなように，EUにおける「忘れられる権利」は，個人情報保護制度上の問題として位置付けられている．

　わが国では，名誉毀損やプライバシー侵害に基づき，検索結果の削除を求める訴訟が，数多く提起されている[154]．なお，これらの訴訟において，検索サービス事業者がプロバイダ責任制限法上のプロバイダにあたるかどうかは争われていない．プロバイダ責任制限法におけるプロバイダは「他人の通信を媒介し，その他特定電気通信設備を他人の通信の用に供する者」と定義されており，プロバイダに求められる送信防止措置義務は，プロバイダについて不作為による不法行為が成立する場合の要件（作為義務が生じる要件）を明確化したものといえる．しかし，事業者があらかじめデータベースを作成して，検索リクエストに応じて検索結果を生成・表示していることを考えると，少なくとも外形上は不作為と言い難い．プロバイダ責任制限法の適用が主張されていないのは，こうした理由によるものと考えられる．

　一方で，検索結果の表示を検索サービス事業者による表現行為であるとして，通常の表現と同様に評価すると，検索サービス事業者は自らの表現に対して原則として責任を負うことになる．しかし，現在の検索サービスの仕組みを考えると，表示される検索結果についてあらかじめ権利侵害等がないかどうかをすべてチェックすることは不可能であろう．検索サービスがインターネットにおいて重要な役割を果たしていることを考えると，このような義務を課すこ

---

[153] Court of Justice of the European Union "An internet search engine operator is responsible for the processing that it carries out of personal data which appear on web pages published by third parties" PRESS RELEASE No 70/14, (2014).

[154] わが国での削除請求訴訟については，神田知宏『ネット検索が怖い』（ポプラ社，2015）を参照．

とは妥当でないと考えられる．実際に，検索サービス事業者の削除義務等が問題となるのは，削除請求を受けたあとに限られている．

　検索サービス提供事業者に対する削除請求が認められるかどうかが争われた事案[155]で，最高裁判所は，「検索結果の提供は検索事業者自身による表現行為という側面を有する[156]」とする一方で，「現代社会においてインターネット上の情報流通の基盤として大きな役割を果たしている」ことも考慮すべきであるとして，検索結果の提供が違法となるか否かは，当該事実を公表されない法的利益と当該URL等を検索結果として提供する理由に関する諸事情を比較衡量して判断すべきであり，当該事実を公表されない法的利益が優越することが明らかな場合[157]に，検索結果からURL等の削除を求めることができるとしている．

　なお，このような訴訟は米国でも，早い段階で提起されている．米国の訴訟においては，検索サービス提供事業者が通信品位法の免責規定の適用を受けるかどうかが焦点となっている．米国では，検索サービス提供事業者は，通信品位法上の双方向コンピュータサービスのプロバイダに該当するため，原則として免責が認められ削除の義務を負わないとされている[158]．

---

[155]　最三小決平29・1・31民集71巻1号63頁判時2328号10頁判タ1434号48頁（グーグル検索結果削除請求事件許可抗告決定）．

[156]　「この情報の収集，整理及び提供はプログラムにより自動的に行われるものの，同プログラムは検索結果の提供に関する検索事業者の方針に沿った結果を得ることができるように作成されたものである」ことを理由にあげている．

[157]　勘案すべき諸事情としては，「当該事実の性質及び内容，当該URL等情報が提供されることによってその者のプライバシーに属する事実が伝達される範囲とその者が被る具体的被害の程度，その者の社会的地位や影響力，上記記事等の目的や意義，上記記事等が掲載された時の社会的状況とその後の変化，上記記事等において当該事実を記載する必要性など」があげられている．

[158]　Parker v. Google, Inc., 422 F. Supp. 2d 492（E. D. Pa. 2006).；Mmubango v. Google, Inc., 57 Comm. Reg.（P & F）1036（E.D. Pa. Feb. 22, 2013).等．検索サービス提供事業者に対する削除請求と米国通信品位法の関係については，小向太郎「『忘れられる権利』と米国通信品位法」情報処理学会研究報告電子化知的財産・社会基盤（EIP）2016-EIP-74（2016）1-6頁参照．

Introduction to

情報法入門【第5版】デジタル・ネットワークの法律

3

情報の取扱いと法的責任

Information

　本章では，情報を取得・保有・提供することに対して，どのような法的責任や義務が課せられるかを検討する．

　情報の取得や保有は原則として自由であり，取得することによって他人の権利が侵害されたり，社会的な秩序が乱されたりすることが明らかな場合に例外的に規制されてきた．取得した情報を利用することも法律による制約は受けず，情報を保有していることで特別な責任が課せられることも少なかった．

　一方で，情報の発信（提供）については表現の自由が憲法上保障されているが，例えば，人の名誉を毀損する表現行為は不法行為や名誉毀損罪として法的な責任が問われる場合があるなど，従来から一定の制約が課せられてきた．そのため，従来の法制度は，情報の発信や情報によって生じる行動を規制することに主眼が置かれたものが多かった．

　しかし，デジタル・ネットワークの進展によって，情報が拡散されたり，さまざまなところで集積されたりするようになったため，情報の取扱いのあらゆる段階について法的な規律を課す傾向が強くなってきている．

　例えば，個人情報保護法は，まさに個人情報の取得・保有・提供のすべてについて，取扱いのルールを定めている．また，個人情報を保有している者が情報セキュリティ対策をおろそかにして個人情報を漏洩してしまったような場合には，民法上の不法行為責任が課せられる場合もある．

　情報利用の多様化によって，情報の取扱いに関する法的責任を検討しなければならない場面が増えたため，ルールの対象が拡大しているのである．

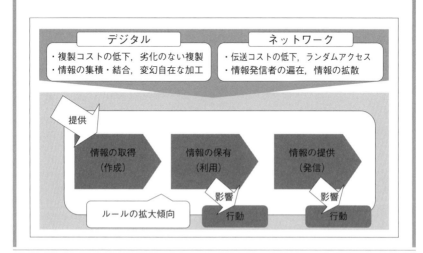

3-1 取得・保有・提供

3-1-1　情報取得と法的責任

▶ 情報の取扱いに関するルール

　情報が取り扱われる過程を簡単に図式化すると，「情報の取得→情報の保有→情報の提供」のように整理することができる (図表3-1).

　そして，情報の取得や保有を法律によって制限することについては，消極的な態度がとられてきたといってよい．広い意味での知識を得ることは，人の本源的な欲求である．それを法律で制限することは，特別な秘密である場合などに限られるべきである．

　従来の情報に対する法的制限は，情報の提供 (発信) に関して制約を設けるものが中心であった．そして，マス・メディアなどに代表される大きな影響力のある者について，その責任が問題となることが多かった．初期の情報法がマス・メディア法やジャーナリズム法と同様の意味で捉えられることが多かったのは，このような理由による．

　また，情報は人の行動に影響をあたえるものである[1]．しかし，どのような情報がどのような行動をもたらすのかは，予見不可能である．ある情報が原因となって不適切な行動が起こされる場合，基本的にはその行動をとった者が責められるべきである．行為者に情報を提供した者の責任が問題となるのは，例えば犯罪の幇助や教唆に当たる場合のように，行為と密接に関連している例外的な場合に限られる．

　しかし，情報の持ちうる影響力は，コンピュータ技術とインターネットの爆発的普及によって，日増しに大きくなっている．情報の拡散による思いもかけなかった被害が発生するのを目の当たりにしたとき，そもそも情報を保有していた者の管理に問題があるのではないか，情報の取得自体が望ましくないので

---

[1]　「情報 (information) とは生物にとっての『意味作用を起こすもの』であり，また『意味構造を形成するもの』である (西垣通『続基礎情報学 「生命的組織」のために』(NTT出版，2008) 3頁)」.

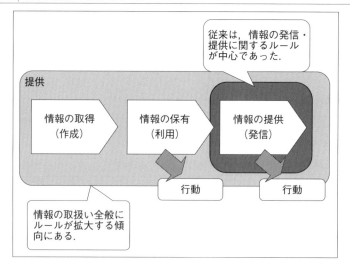

| 図表3-1 | 情報の取扱いに関するルール |

従来は，情報の発信・
提供に関するルール
が中心であった．

提供

情報の取得
（作成）

情報の保有
（利用）

情報の提供
（発信）

行動

行動

情報の取扱い全般に
ルールが拡大する傾
向にある．

はないか，といった疑問も生じてくることになる．

　実際，情報に対する規制の代表ともいえる個人情報保護法では，取得，保
有，提供の全ての段階についてルールを定めている[2]．デジタル・ネットワー
ク化は，情報の取扱いに関するルールをより広く捉えるべきかどうかを問いか
けているのだといえる．しかし，このような議論をするときに忘れてはならな
いのは，情報の取扱いを制限することが必要かどうか，制限が必要最小限に
なっているかどうか，制限することでどのような効果と弊害があるかといった
ことについて，十分な検証とバランスのとれた検討を行うことである．

► **情報取得**

　情報の取得は原則として自由である．しかし，取得することによって他人の
権利が侵害されたり，社会的な秩序が乱されたりすることが明らかな場合に
は，法律によって禁止・制限される．

　刑法に規定があるものとしては，信書開封罪（刑法第133条）を挙げることが

---

[2]　個人情報保護制度については「3-4　個人情報保護」を参照．

できる．また，電気通信事業法（第4条，第179条）が禁止する通信の秘密の侵害は，情報の知得を含むものとされている．

このほか，不正アクセス禁止法は，情報の取得の準備行為を禁止するものであり，2012年5月の改正によってフィッシング行為によって情報をだまし取る行為が処罰対象として追加されている[3]．また，決済手段としてクレジットカード等がよく使われるようになり，電磁的記録部分が悪用される可能性も強まったことから，2001年の刑法改正によって「支払用カード電磁的記録に関する罪」（刑法第163条の2以下）が新設されている．これにより支払用カードの電磁的記録を不正作出する行為等が禁止されており，この犯罪を行う目的でクレジットカードやキャッシュカードの電磁的記録を取得する行為も処罰される（第163条の4）．

なお，現在の法律では，情報自体を盗んでも原則として窃盗罪にはならない[4]．機密資料を社外に持ち出し情報を流出させる行為は，情報が化体された紙[5]やマイクロフィルム[6]のような財物の窃盗罪として処罰されており，もし情報だけが盗み出された場合には，窃盗罪にはならない．

▶国家秘密

国家の秘密に関しては，2013年12月に特定秘密保護法が成立している（2014年12月施行）．

この法律は，国家公務員法上の秘密のうち，①防衛，②外交，③特定有害活動（スパイ行為等）の防止，④テロリズムの防止，に関するものとして法律で列挙する事項のうち，特段の秘匿の必要性があるものを，「特定秘密」として行

---

3) 不正アクセス禁止法については，「3-2-1　サイバー犯罪と処罰規定」参照．
4) 「民法85条は「この法律において『物』とは有体物をいう」としており，日常用語例からも有体物（固体，液体，気体）と解することが自然である（有体性説）．しかし，電気を無断使用した事案を窃盗とした大判明36・5・21（刑録9巻874頁）以来，判例は，物とは管理可能なものとする管理可能説を採用している．電気に関しては，現行刑法245条（電気を財物とみなす）により立法的解決が図られたが，管理可能説は電気以外の管理可能なエネルギーを広く財物に含むとする．さらに，自然界にある物質に限り，情報までは含まないとする物理的管理可能説が有力である」（木村光江『刑法』〈東京大学出版会，第4版，2018〉248頁）．
5) 東京地判昭55・2・14判時957号118頁，東京地判昭59・6・28判時1126号6頁，東京地判平9・12・5判時1634号155頁（機密文書持ち出し事件①-③）．
6) 札幌地判平5・6・28判タ838号268頁（マイクロフィルム持ち出し事件）．

政機関の長が指定して特に強く保護するものである[7]. 特定秘密を取り扱う者の故意又は過失による漏洩を処罰するとともに，外国の利益等をはかる目的で，① 人を欺き，人に暴行を加え，又は人を脅迫する行為 ② 財物の窃取 ③ 施設への侵入④ 有線電気通信の傍受 ⑤ 不正アクセス行為 ⑥ ②～⑤以外の特定秘密の保有者の管理を侵害する行為，による特定秘密の取得行為についても処罰の対象としている（10年以下の懲役，1,000万円以下の罰金）.

国家秘密を厳格に秘匿すべき場合があることは否定できないが，政府が自由に秘匿できる情報の範囲を決められることになると，政府にとって都合の悪い情報がすべて対象とされるなどの濫用が懸念される. このような懸念に関して，特定秘密保護法では，一定の期間を過ぎた後は秘密を解除することを原則とすること[8]や，情報保全諮問会議の意見を聞いた上で閣議決定により運用基準を策定することなどを定めている.

なお，特定秘密保護法成立以前は，わが国には，国家秘密を収集・公表することに対して直接刑事罰を科す規定はなかった. 国家秘密に関しては国家公務員法が守秘義務を定めており，秘密漏示行為等を「企て，命じ，故意にこれを容認し，そそのかし又はそのほう助をした者」を処罰の対象としていた. したがって，守秘義務の課せられた者に働きかけることなく，例えば外部から侵入して情報を取得する行為や協力する公務員のいないハッキング行為は，対象とならないと考えられていた. ただし，こうした行為は多くの場合，建造物侵入罪や不正アクセス禁止法違反として処罰の対象となる.

▶営業秘密

営業秘密の不正取得行為等については，従来から不正競争防止法が差止め（第3条）や損害賠償（第4条）に関する規定を定めていたが，2003年の改正によっ

---

[7] 特定秘密が記載された文書に特定秘密の表示をする（第3条），特定秘密の取扱いの業務を行わせる職員の範囲を定め（第11条），適性評価をクリアした者のみが特定秘密の取扱いの業務を行う（第12条）ことなどが求められる.

[8] 行政機関の長が特定秘密の有効期間（上限5年で更新可能）を定め，指定の有効期間は通算30年を超えることができず，わが国および国民の安全を確保するためにやむを得ない理由を示して内閣の承認を得た場合に限り，通算30年を超えて延長可能だが通算60年を超えて延長することはできない. ただし，防衛上重要な事項や暗号や人的情報源等については，60年を超えて延長可能（第4条）.

て処罰規定が設けられた（第21条）．営業秘密として保護されるためには，「秘密として管理されて」いること，「有用な技術上又は営業上の情報」であること，「公然と知られていない」ことを要する（第2条第6項）．

　営業秘密侵害罪は，事業者の保有する営業秘密を「不正の競争の目的」で，不正取得して自ら使用したり，第三者に開示したりする行為を対象としていたため，競業関係にない第三者に営業秘密を開示する行為や，単に保有者に損害を加える目的で公衆に開示する行為などが処罰できないことが問題として指摘されていた．2009年の改正では，この「不正の競争の目的」を改め，不正の利益を得たり，保有者に損害を加えたりする目的をもってなされる行為を処罰の対象に含めるとともに，営業秘密の管理に係る任務に背いて営業秘密を領得する行為（コピー禁止の資料を無断でコピーしたり，持出禁止の資料を無断で外部に持ち出したりすること等）を新たに刑事罰の対象としており，さらに2015年の改正で罰金刑の上限が引き上げられている（10年以下の懲役，2,000万円以下の罰金）．

3-1-2　情報保有と法的責任

▶情報保有と情報公開制度

　情報の収集と同様に情報の保有も自由であり，原則として情報の保有に対する特別な法的義務は課せられない．また，どのような情報を保有しているかということは，通常は公開しなくてもよいことである．しかし，情報の重要性が以前とは比較にならないほど高まっている現在においては，情報を保有していること自体が何らかの責任を伴う場合もありうる．

　例えば，行政機関の保有する情報は公権力をもって強制的に収集した情報であり，国民の共有財産であるという考え方がある．また，憲法上保障される国民の知る権利を現実のものとし，行政機関の活動を国民がチェックするためには，情報の公開が不可欠であるともいえる．このような考えから，行政機関の保有する情報については，保存義務と情報公開制度が整備されている．

　国の行政機関が保有する情報の公開に関しては，1999年に行政機関の保有する情報のいっそうの公開を図り，国民に対する政府の諸活動を説明する責務（アカウンタビリティ）を全うし，公正で民主的な行政の推進を目指すために情報

公開法が制定され，2001年4月から施行されている．また，公開すべき文書が存在しなかったり過去の文書が保存されなかったりすることがないように，公文書の統一的な管理のルール等を定める，公文書等の管理に関する法律（公文書管理法）が，2009年に成立している．

　情報公開法は，すべての行政機関が保有する行政文書[9)]について，何人も開示請求が可能であるとしている．行政機関に対して開示請求があった場合には，不開示情報を除いて，原則として開示しなければならない[10)]．

　不開示情報とされるのは，（1）特定個人を識別できる情報（個人情報），（2）法人等の正当な利益を害するおそれのある情報（法人情報），（3）国の安全を害する，諸外国等との信頼関係を損なうおそれのある情報（国家安全情報），（4）公共の安全と秩序維持に支障を及ぼすおそれのある情報（治安維持情報），（5）行政機関の相互間・内部の審議・検討等に関する情報で，率直な意見交換，意思決定の中立性を不当に損なうおそれのある情報（審議・検討情報），（6）行政機関の事務等の適正な遂行に支障を及ぼすおそれのある情報（行政運営情報），である．

　不開示決定等に不服がある開示請求者等は，行政機関に対して不服申立てを行うことができ，行政機関は不服申立てに対する決定等をする際には，内閣府の情報公開・個人情報保護審査会（有識者からなる第三者機関）に諮問しなければならない．

▶情報セキュリティの確保

　情報システムが色々な場面で使われるようになると，そのシステムのセキュリティ確保が十分でないことが，当該システムを運用している主体（国，地方自治体，企業，団体など）以外のものにとっても脅威となり得る．特に社会的に重要な役割を果たしているシステムの場合には，大きな社会不安を引き起こすこ

---

9)　行政機関の職員が職務上作成・取得した文書，図画および電磁的記録であって，組織的に用いるものとして行政機関が保有しているもの．
10)　開示請求から30日以内に，全部開示，全部不開示，部分開示を決定しなければならない（30日以内の期間延長その他の例外的な措置も規定されている）．また，第三者に関する情報が含まれる場合，当該者に意見提出の機会が付与される．開示は，文書，図画等の閲覧，写しの交付により実施され，請求者は開示請求手数料（書面による開示請求の場合は300円，オンラインによる場合は200円／開示請求1件）と開示実施手数料（開示の方法ごとに規定：例えば，10円／コピー交付1枚）を支払う必要がある（開示実施手数料については減免措置がある）．

とさえあり得る.

　情報セキュリティとは，一般に情報の①機密性（Confidentiality），②完全性（Integrity），③可用性（Availability）の確保であると定義されている[11].　システムに対する外的な脅威とシステム自体の脆弱性から生じるリスクについて，きちんとした対応をとることが求められることになる.

　情報システム全般について，法律が一定のセキュリティレベルを明示しているわけではない.　ただし，あまりにセキュリティ対策が不十分であれば，それに起因する損害に対して，責任を問われる可能性もある.

　個人情報漏洩事件のように，ある事業者の安全管理措置が不十分であったことから，個人情報を漏洩された本人に損害が発生した場合に，当該事業者に対して不法行為責任が問われることもあり，実際に訴訟が提起されている.　また，企業にこのような行為を防止する契約上の義務があるにもかかわらず，これを怠ったために損害が生じたのであれば，債務不履行責任を問われる場合もある.　さらに，個人情報保護法上の安全管理措置義務違反となる場合もある.

　このような注意義務のレベルは，時とともに変化することにも注意が必要である.　インターネットが本格的に普及する前である1990年代初頭に個人情報が記録されたファイルをインターネット上のサーバに無防備に保存することと，インターネットが社会基盤として定着している現在に同じことをすることは，行為の持つ意味が全く異なる.　例えば，有効なアクセス管理をせずに顧客情報をインターネット上に放置する行為は，現在においては，社会通念上相当に杜撰な管理として法的責任が問われ得る.

　なお，情報セキュリティ確保のためには，コンピュータ・システムへの従業者のアクセスや利用について，一定のモニタリングを行うことも必要だと考えられている.　しかし，プライバシーや個人情報保護の観点からは，従業員の電子メールに対して，企業や団体がモニタリングや調査を行いうるのかということも問題となり得る.　少なくとも，モニタリング実施の事実や方針について，従業者に周知することは必要であると考えられる.

　電子メールのモニタリングについては，企業がある程度監督するのはやむを

---

11)　岡村久道『情報セキュリティの法律』（商事法務，改訂版，2011）4頁以下参照.

得ないとして，従業者のプライバシー侵害であるという主張が退けられている判決[12]がある．

3-1-3　情報漏洩等に関する係争例

▶宇治市住民票データ流出事件

　京都府宇治市の住民基本台帳データ（約21万件）が流出したことについて，市の責任が問われた事件である[13]．

　この事件では，宇治市が住民基本台帳データの処理を委託していた事業者の再々委託先のアルバイトが，このデータを名簿業者に販売したため，データがインターネット上に流出した．これに対して，宇治市の情報の漏洩に関する責任が争われている[14]．

　裁判所は，不特定の者にいつ購入され，どんな目的で利用されるかわからない不安感を生じさせたことを理由に，市の情報漏洩に関する使用者責任（民法第715条）に基づく損害賠償請求を認め，原告一人当たり慰謝料10,000円および弁護士費用5,000円の支払を命じている．なお，プライバシー侵害の成立については，このような事案でも，一般に知られていないことと，知られないことを欲すること等を要件としている．

　宇治市の管理責任については，「その秘密の保持に万全を尽くすべき義務を負うべき」であるという考えに立ち，委託先事業者との契約書において再委託の禁止が定められていたにもかかわらず再委託を安易に承認したこと，再委託先との間で別途の業務委託契約や秘密保持の取決めを行わなかったこと，作業が終了しなかったという事情だけで安易に社外での作業を承諾し管理上特段の措置をとった形跡がないこと，等を問題であるとしている．

---

12)　東京地判平13・12・3労働判例826号76頁（電子メールモニタリング事件），東京地判平14・2・26労働判例825号50頁（メールサーバ調査事件）．

13)　地方自治体に関する事例としては，このほかに愛媛県大洲市が情報公開条例に基づいて市民の名簿を公開したことについて損害賠償を認めた事例がある（松山地判平15・10・2判時1858号134頁判タ1150号196頁：大洲市情報公開条例事件）．

14)　大阪高判平13・12・25裁判所Webページ下級裁判所判例集（宇治市住民票データ流出事件控訴審）．最一小決平14・7・11判例地方自治265号10頁（宇治市住民票データ流出事件上告審）により上告棄却．

▶ 北海道警察捜査情報漏洩事件

　道路交通法違反容疑で逮捕され不起訴となった少年を被疑者とする捜査関係情報が漏洩したことについて，北海道の責任が問われた事例である．

　北海道警察に勤務する巡査が私物PCに捜査関係文書を保存していたところ，巡査がそのPCにファイル交換ソフトWinnyをインストールしており，いわゆる暴露ウイルスに感染していたため，Winnyの公開フォルダに捜査関係文書がコピーされ不特定多数のWinny利用者に閲覧，ダウンロードされた．

　札幌地裁は，被告（北海道）の情報流出に関する国家賠償法第1条に基づく責任を認め，慰謝料40万円の支払を命じた[15]．これに対して札幌高裁は，自宅におけるPC利用やインターネット接続はだれもが行っている（「職務行為性」がない）行為であるため国家賠償法の対象とならないとし，問題となった暴露ウイルスが当時は一般にあまり知られておらず，予見可能性がないことを理由に管理担当者等の過失も否定して，原判決を取り消して請求を棄却している[16]．

▶ Yahoo!BB顧客情報流出事件

　ISPサービスの加入者の個人情報（合計約1,100万件）が漏洩したことについて，サービスを提供する会社の責任が問われた事例である．

　ISPの業務委託先から派遣されて顧客データベースのメンテナンスを行っていた者が，業務終了後に業務に使っていたアカウント等を使用して外部からデータベースにリモートアクセスし，顧客情報を保存流出させた．この情報を取得してISPを恐喝した者が現れたことで問題となった．

　大阪地裁は，リモートアクセスの危険性を考えれば，アクセス管理等の企業として果たすべき管理義務が十分果たされていなかったとして不法行為責任を認め，一人当たり慰謝料5,000円と弁護士費用1,000円の支払を命じている[17]．

---

[15]　札幌地判平17・4・28判例地方自治268号28頁（北海道警察捜査情報漏洩事件1審）．
[16]　札幌高判平17・11・11裁判所Webページ下級裁判所判例集（北海道警察捜査情報漏洩事件控訴審）．最一小決平18・10・19判例集未登載（北海道警察捜査情報漏洩事件上告審）．職務に関する文書の適正管理について職務管理性を否定していることや予見可能性を否定していることについては批判がある（岡村久道「顧客情報の漏えいと責任」岡村久道・森亮二『インターネットの法律Q&A』（財団法人電気通信振興会，2009）223頁，岡村久道『情報セキュリティの法律』（商事法務，改訂版，2011）104-105頁）．

なお，漏洩した情報に関して大阪地裁は，住所・氏名・電話番号・メールア
ドレスなどの個人識別等を行うための基礎的な情報であって，その限りにおい
ては，秘匿されるべき必要性の高くないものについても「本人が，自己が欲し
ない他者にはみだりにこれを開示されたくないと考えることは自然なことであ
り，そのことへの期待は保護されるべきものであるから，これらの個人情報
は，原告らのプライバシーに係る情報として法的保護の対象となるというべき
である」という考え方を示している．

▶ TBCアンケート情報流出事件

　エステティックサロンを経営する会社が，インターネット上で行ったアン
ケートの回答が漏洩したことについて，会社の責任が問われた事例である．

　このエステティックサロンではいわゆるWebアンケートを行っていたが，
サーバのメンテナンスを行う際に，アンケートの回答が記録されたファイルを
アクセス制限のない状態で保存してしまった．サーバはインターネットに接続
していたため，ファイルの存在するURLを入力すれば，インターネットの利
用者は誰でもこのファイルを閲覧することができるようになった．

　エステティックサロンのアンケートの回答と氏名，住所，電話番号および
メールアドレスが流出したことについては情報の性質からも精神的苦痛が大き
いとして[18]，サイト構築を受託して行っていた会社の行為についてエステ
ティックサロン経営会社の使用者責任（民法第715条）を認め，慰謝料30,000円
および弁護士費用5,000円の支払を命じている[19]．

17）　大阪地判平18・5・19判時1948号122頁判タ1230号227頁（Yahoo!BB顧客情報流出事件1
　　　審）．大阪高判平19・6・21判例集未登載（Yahoo!BB顧客情報流出事件控訴審）は，被害発覚後
　　　に同社が配布した金券500円を賠償の一部弁済と認め，慰謝料を4,500円に減額している．最二
　　　小決平19・12・14判例集未登載（Yahoo!BB顧客情報流出事件上告審）により上告棄却．
18）　本件の流出による被害としては，二次流出や迷惑メール等の二次被害も大きいと認識されてい
　　　る．このような二次被害の主張立証がなかった原告（14名のうち1名）については，慰謝料
　　　17,000円および弁護士費用5,000円を相当とする判断がされている．
19）　東京地判平19・2・8判時1964号113頁判タ1262号270頁（TBCアンケート情報流出事件1
　　　審）．東京高判平19・8・28判タ1264号299頁（TBCアンケート情報流出事件控訴審）．

▶ベネッセ顧客情報流出事件

　教育産業大手ベネッセコーポレーションの顧客情報約 3,504 万件が漏洩し，いわゆる名簿屋を通じて流通していたことが，大きな注目を集めた事件である．顧客からの問い合わせを受けてベネッセが調査した結果，ベネッセのシステム開発・運用を行っていたグループ会社の委託先の従業員 (SE) が，ベネッセの顧客などの個人情報を管理するデータベースから不正に持ち出して販売していたことがわかった．

　情報が持ち出された当時，入退室管理，監視カメラ，ワイヤーロックによる施錠，持ち出し禁止，認証IDパスワードの定期更新，端末設定の変更禁止，外部ストレージの制御等の情報セキュリティ対策がなされ，従業員などへの情報セキュリティ等に関する教育や研修が行われていた．また，データベース等へのアクセスについてはアクセスログおよび通信ログが取られ，一定の閾値を超える場合にアラートが出る仕組みになっていたが，対象範囲が明確になっていなかったためアラートが機能しなかった．また，データの書き出し制御機能が備えられていたが，バグがあったためこのSEが使っていたスマートフォンには書き出せる状態であった．その他の背景としては，アクセス権限管理の不足や，性悪説に基づいた徹底管理を行っていなかったことなどが，事故調査委員会の報告書で指摘されている[20]．

　この事件に関しては，複数の裁判が行われている．最高裁判所の判断が示されたものとして，自分と子供の個人情報がベネッセの過失によって外部に漏洩したことにより精神的苦痛を被ったとして，情報の本人が訴えを提起した事案がある．本件では，大阪高裁が，「プライバシーの侵害による上告人の精神的損害の有無及びその程度等について十分に審理することなく，不快感等を超える損害の発生についての主張，立証がされていない」ことを理由に請求を棄却した[21]のに対して，最高裁は，早稲田大学江沢民主席講演会名簿提出事件[22]を引用して，「氏名，性別，生年月日，郵便番号，住所及び電話番号並びにB

---

[20]　株式会社ベネッセホールディングス「個人情報漏えい事故調査委員会による調査報告について」（平成26年9月25日）.

[21]　大阪高判平28・6・29判タ1442号48頁（ベネッセ損害賠償請求事件控訴審）.

[22]　「3-1-4　情報発信と法的責任」参照.

の保護者としての上告人の氏名といった上告人に係る個人情報」は，「上告人のプライバシーに係る情報として法的保護の対象となるというべき」であり，本件の漏洩によって侵害が生じているとして，大阪高裁に差し戻している[23]．大阪高裁は，差戻審では損害の発生とベネッセの過失を認め，1,000円の支払いを命じている[24]．これとは別に，委託先企業にはデータ書き出し制御の措置を講ずるべき注意義務が果たされておらず，ベネッセはこれについて適切な監督を怠った過失があるとして，一人あたり2,000円の損害賠償を命じた判決もある[25]．

　なお，情報を盗み出したSEに対しては，営業秘密侵害罪（不正競争防止法第2条第6項）が問われ有罪の判決が下されている．この事件の控訴審において東京高裁が，上記のようなベネッセの管理上の不備を「被害者側の落ち度」として量刑事情とすべきであるとして，量刑の引下げを行っている[26]（懲役3年6月＋罰金300万円→懲役2年6月＋罰金300万円）．

3-1-4　情報発信と法的責任

▶名誉毀損

　情報を発信することによって生じる代表的な権利侵害として，人格権侵害がある．人格権侵害とは，名誉，氏名，肖像，プライバシーなどの人格的利益に対する侵害の総称である．人格権侵害のなかでも最も古いとされているのが名誉毀損であり[27]，インターネット上でもさまざまな争いが起きている．インターネットの掲示板等で行われる誹謗中傷は，既存メディアと比較して無秩序になりやすいが，閲覧者が多くなると無視できない影響力を持つ場合がある[28]．

23）　最二小判平29・10・23判タ 1442号46頁判時 2351号7頁（ベネッセ損害賠償請求事件：大阪上告審）．
24）　大阪高判令元・11・20判例集未登載（ベネッセ損害賠償請求事件：大阪差戻審）．
25）　東京高判令元・6・27裁判所Webページ下級裁判所判例集（ベネッセ損害賠償請求事件：東京控訴審）．
26）　東京高判平29・3・21判例集未登載（ベネッセ営業秘密侵害事件）．
27）　五十嵐清『人格権法概説』（有斐閣，2003）22頁．
28）　インターネット上の名誉毀損に関する判例の動向を分析したものとしては，松尾剛行『最新判例にみるインターネット上の名誉毀損の理論と実務』（勁草書房，2016）がある．

社会的な評価を低下させる言論に対しては，名誉毀損罪（刑法第230条）としての処罰を求めて告訴したり，不法行為として損害賠償や差止めを請求したりすることができる[29]．しかし，法的な責任を問うことについては，表現の自由との関係が問題となる．例えば，一般に事件報道は当事者の社会的評価を低下させることが多いが，このような言論が許されないとすると，民主政の基礎を支えるジャーナリズムが成立しない恐れがある．そのため，刑法の名誉毀損罪には，①公共の利害に関する事実に係り，②もっぱら公益を図る目的のためのものであり，③摘示された事実が真実であることが証明されたときには，処罰されないとする規定がある（刑法第230条の2第1項）[30]．民事上の不法行為についても，同様の要件を満たす場合には，違法性がなく名誉毀損に当たらないとする「真実性・相当性の法理[31]」が支持されている．これらは，表現の自由と被害者の保護のバランスをとるために重要な役割を果たしてきたといえるが，既存のマス・メディアを念頭に議論がなされてきたものである．したがって，例えば電子掲示板で行われる告発に，どのように判断されるのかは，現在のところ必ずしも明らかでない．例えば，マス・メディアによる報道には，あまり争いなく公益目的が認められる場合が多かったと考えられるが，電子掲示板上の発言についてこれをどのように判断するのかは難しい問題であろう．

　また，名誉毀損罪においては，真実性の証明がない場合でも「行為者がその事実を真実であると誤信したことについて，確実な資料，根拠に照らし相当の理由があるとき[32]」にかぎり，故意が否定されると考えられてきた．この「確

---

[29]　民法第709条．不法行為が成立するためには，（1）加害者の故意または過失，（2）他人の権利利益侵害・違法性，（3）加害者の責任能力，（4）損害の発生，が要件となる．名誉毀損については，謝罪広告等の原状回復のための処分が命じられる場合もある（723条）．

[30]　さらに，起訴前の犯罪行為に関する事実は「公共の利害に関する事実」とみなされ（第2項），公務員や公選候補者に関する事実については，真実性の証明があったときは処罰されない（第3項）ことが明確にされている．

[31]　「民事上の不法行為たる名誉毀損については，その行為が公共の利害に関する事実に係りもっぱら公益を図る目的に出た場合には，摘示された事実が真実であることが証明されたときは，右行為には違法性がなく，不法行為は成立しないものと解するのが相当であり，もし，右事実が真実であることが証明されなくても，その行為者においてその事実を真実と信ずるについての相当の理由があるときには，右行為には故意もしくは過失がなく，結局，不法行為は成立しないものと解するのが相当である（このことは，刑法230条の2の規定の趣旨からも十分窺うことができる）」（最一小判昭41・6・23民集20巻5号1118頁：「署名狂やら殺人前科」事件）．

[32]　最大判昭44・6・25刑集23巻7号975頁（「夕刊和歌山時事」事件）．

実な資料，根拠」に関して，インターネット上での個人による情報発信についても，マス・メディアと同じレベルの調査等が求められるかどうかが争われた例がある．東京地裁で，名誉毀損罪に問われるのは「インターネットの個人利用者に対して要求される水準を満たす調査を行わず真実かどうか確かめないで発信したといえるとき」に限られるという緩やかな基準を採用して故意を否定したことが注目を集めたが[33]，最高裁は「より緩やかな要件で同罪の成立を否定すべきものとは解されない」として従来の考え方を維持し，名誉毀損罪の成立を認めている[34]．

　インターネットでは，名誉毀損を行った者が誰だかわからない場合も多く，新聞社や出版社のように内容にコミットする媒介者も必ずしも存在しない．そのため，発信者に対してどのように責任を追及するか，発信者が特定できない場合に誰が責任を負うかという問題が生じる．

　また，誰でも情報を発信できる場においては，本来言論に対しては言論で反論すべきではないかという意見（対抗言論）もある[35]．そもそも，ある発言が名誉毀損に当たるかどうかは，それが行われた文脈を抜きにして評価することができない．例えば，学会などでも激烈な議論が行われる場というものはあり，互いに議論が白熱するような場合において，激しい攻撃が行われていても名誉毀損が成立しないこともありうる．ネットワークのような新しい言論の場におけるコンテキストをどのように評価するかは，難しい問題である．

　このほかにも，ある人がネットワーク上でハンドルネーム（ネットワーク上の仮名）を継続して使っているような場合に，本名ではなくそのハンドルネームをあげて誹謗中傷することは名誉毀損になるか，といった問題もある．

---

[33]　東京地判平20・2・29判時2009号151頁判タ1277号46頁（ラーメンチェーン「ネット告発」事件1審）．

[34]　最一小判平22・3・15刑集64巻2号1頁判時2075号160頁判タ1321号93頁（ラーメンチェーン「ネット告発」事件上告審）．なお，控訴審でも基準の緩和を認めない判断がなされている（東京高判平21・1・30判タ1309号91頁：ラーメンチェーン「ネット告発」事件控訴審）．インターネット上で批判的言論をする一般個人に報道機関と同程度の真実調査を要求するのは現実的ではなく，実質的な検討が必要ではないかという批判も多い．鈴木秀美「『ネット告発』と名誉毀損」ジュリスト1411号（2010）29頁参照．

[35]　高橋和之「インターネット上の名誉毀損と表現の自由」高橋和之・松井茂記・鈴木秀美編『インターネットと法』（有斐閣，第4版，2010）64-66頁．

▶ プライバシー侵害

　プライバシー侵害に対しても，法的責任を追及しうる．わが国ではプライバシーを侵害することは処罰の対象になっていないが，不法行為として損害賠償や差止めが請求できる場合がある．

　プライバシー侵害に対する損害賠償に関して司法判断を示したものとして，「宴のあと」事件に対する1964年の第1審判決がある[36]．この判決では，「私人がその私生活について他人から干渉されず，私的なできごとについてその承諾なしに公表されることから保護される」としてプライバシー侵害による不法行為の成立を認め，その成立要件として「公開された内容が（イ）私生活上の事実又は私生活上の事実らしく受けとめられるおそれのある事柄であり，（ロ）一般人の感受性を基準にして当該私人の立場に立った場合公開を欲しないであろうと認められること，（ハ）一般の人々に未だ知られていない事柄であること」を提示している．その後の裁判例でもこの考え方が踏襲されている[37]．

　どのような事柄がプライバシーの保護に値するかということについては，例えば，前科および犯罪経歴について，「人の名誉，信用に直接にかかわる事項であり，前科等のある者もこれをみだりに公開されないという法律上の保護に値する利益を有する」としたもの[38]や，過去の前科等の公表について「その者のその後の生活状況のみならず，事件それ自体の歴史的又は社会的な意義，その当事者の重要性，その者の社会的活動及びその影響力について，その著作物の目的，性格等に照らした実名使用の意義及び必要性をも併せて判断すべ

---

36) 東京地判昭39・9・28下民集15巻9号2317頁判時385号12頁（『宴のあと』事件）．1960年に公表された三島由紀夫の小説『宴のあと』のモデルとされた東京都知事選の立候補者（元外務大臣）が，私事に関する描写がプライバシーを侵害するとして，損害賠償等を求めて訴えを提起した事例である．

37) ただし，本判決では「プライバシー」ということばは使われていない．最高裁判所が，プライバシーということばを最初に使用したのは，最三小判平7・9・5裁判集民176号563頁（関西電力事件）が最初であるといわれている．本件は，労働組合員が，職場の内外で監視されたり，他の従業員に働きかけて孤立させられたりなどしたことについて，勤務先に対して不法行為に基づく損害賠償を請求した事例であり，「被告の行為はそのプライバシーを侵害するものでもあって，同人らの人格的利益を侵害するものである」と判示されている．

38) 前科照会事件：京都地判昭50・9・25判時819号69頁，大阪高判昭51・12・21判時839号55頁，最三小判昭56・4・14民集35巻3号620頁．政令指定都市の区長が弁護士法22条の2に基づく照会に応じて前科及び犯罪経歴を報告したことが，過失による公権力の違法な行使にあるかどうかが争われた．

き」ものであり「前科等にかかわる事実を公表されない法的利益が優越すると
される場合には，その公表によって被った精神的苦痛の賠償を求めることがで
きる」とした事例がある[39]．また，プライバシーに関わる情報の公開と表現の
自由との関係については，最高裁判所が，「プライバシーの侵害については，
その事実を公表されない法的利益とこれを公表する理由とを比較衡量し，前者
が後者に優越する場合に不法行為が成立する」という考え方を示している[40]．

　当初，「公開を欲しないであろうと認められる」情報は，当事者間だけの秘
め事や前科のような，本人が秘匿することが社会の共通認識となっているもの
であると理解されていた．しかし，個人情報の利用が広がるとともに，「公開
を欲しない」と認められる情報の範囲は，広くなる傾向にあるといってよ
い[41]．例えば早稲田大学江沢民主席講演会名簿提出事件では，学籍番号，住
所，氏名，電話番号など「個人識別のための単純な情報」も「法的保護の対象
で無断開示は違法」と位置づけ，「承諾を求めることが困難だった事情はうか
がえないのに同意の手続きを取っておらず，情報の適切な管理についての期待
を裏切った開示はプライバシーの侵害で不法行為となる」と判示している[42]．

▶ 肖像権侵害

　インターネット上には多数の画像情報が公開されており，一般の個人を撮影

---

[39]　ノンフィクション『逆転』事件：東京地判昭62・11・20判時1258号22頁，東京高判平元・9・
　　5判時1323号37頁，最三小判平6・2・8民集48巻2号149頁判時1594号56頁判タ933号90頁.
　　1964年の米国統治下の沖縄における傷害致死事件の刑事裁判を題材にしたノンフィクション作
　　品『逆転』（1977年刊行）の中で，実名で記された原告が，前科を公表されたことにより精神的
　　苦痛をこうむったとして，慰謝料を求めて民事訴訟を提起した事例である.

[40]　最二小判平15・3・14民集57巻3号229頁判時1825号63頁判タ1126号97頁（長良川リンチ
　　殺人事件報道訴訟）．犯行時少年であった者の犯行態様，経歴等を記載した記事を実名類似の仮
　　名を用いて週刊誌に掲載したことについて名誉又はプライバシーの侵害による損害賠償責任が争
　　われた.

[41]　インターネット上のプライバシー侵害に関する判例の動向を分析したものとしては，松尾剛行
　　『最新判例にみるインターネット上のプライバシー・個人情報保護の理論と実務』（勁草書房，
　　2017）がある.

[42]　最二小判平15・9・12民集57巻8号973頁判時1837号3頁判タ1134号98頁（早稲田大学江沢
　　民主席講演会名簿提出事件）．中国の江沢民国家主席（当時）が早稲田大学で講演した際，講演会
　　に出席予定の学生ら約1,400人分の名簿を，大学側が本人の同意を得ずに事前に警視庁に提出し
　　たことがプライバシー侵害に当たるかどうかが争われた.

した写真や動画も多く，必ずしも本人の承諾を得ていない画像も存在する．公的場所にカメラを設置してWebで公開しているWebページはかなり以前からあり，場所によっては人物が写ることもある．そこで，このような画像情報の発信が肖像権侵害に当たらないかどうかが問題となる．

　従来，私人による公の場所での撮影は，原則として許容されると考えられてきた．ニュース番組が街角の風景を映す際に，道行く人を撮影しても原則として問題とならない．ただし実際には，こうした撮影についても，プライバシー等に配慮されている場合が多くなってきている．

　わが国において，公の場での撮影が許容されるかどうかは，主としてプライバシー侵害の成否の問題として議論されてきた．私人が撮影する限りにおいては，プライバシーが問題となる特段の事情がない限り公の場所にいるものの撮影は許容されると考えられてきた．公の場所にいる人を撮影してその写真を公開したことが争いになった事例でも，裁判所は被写体となった人の受忍限度を超える特別の事情を考慮して，不法行為責任を認めている[43]．インターネットに関するものとしては，街角で本人に無断で撮ったスナップ写真をWeb上で公開したことについて，本人が公開を望まない事情を認めた例がある[44]．

　一方，捜査機関が監視カメラ等を設置することについては，原則として肖像権が問題となる[45]．ただし，民間によって設置された監視カメラによって撮影された映像が，犯罪捜査のために使われることはごく普通になっている[46]．テレビのニュースでも，特に説明なく事件現場付近の監視カメラ映像を流すことがよくある．そして，地域住民や建物管理者が，自分たちの安全等のために

---

[43]　青森地判平7・3・28判時1546号88頁判タ891号213頁（風物詩ごり漁撮影事件）では，公の場所での私人による撮影に関して，核燃料サイクル施設反対派のリーダーの写真が核燃料サイクル施設事業者発行のPR誌の表紙に使われたという特殊事情を考慮して，「写真が屋外，それも公共の場所というべき漁場で撮影されたことを考慮してもなお，受忍限度内に止まるものとは認められない」としている．なお，特定の人物を対象とした取材に関して法廷での被告人の隠し撮りと似顔絵イラストによる肖像権侵害が問題となった事例では，「ある者の容ぼう等をその承諾なく撮影することが不法行為法上違法となるかどうかは，被撮影者の社会的地位，撮影された被撮影者の活動内容，撮影の場所，撮影の目的，撮影の態様，撮影の必要性等を総合考慮して，被撮影者の上記人格的利益の侵害が，社会生活上受忍の限度を超える者といえるかどうかを判断して決するべきものである」という基準が最高裁によって示されている（最一小判平17・11・10民集59巻9号判時1925号84頁判タ1203号74頁：法廷内被告人イラスト画事件）．
[44]　東京地判平17・9・27判時1917号101頁（先端ファッションWeb掲載事件）．

監視カメラを設置することは，条例等により制限されている場合もあるが，比較的問題なく社会に受容されている．

▶ 情報の瑕疵

高度にカスタマイズされた情報が提供されるようになると，その情報の瑕疵に起因して思わぬ損害が発生することも考えられる．例えば，ナビゲーションシステムの情報に誤りがあったために危険な目に遭うこともないとはいえない．生活やビジネスに密着した便利なサービスであればあるほど，利用者はその情報に頼って行動する．

情報自体が違法有責な場合（名誉毀損，著作権侵害等）を除き，通常は，瑕疵ある情報の発信によって生じた損害について責任は問われない．しかし，企業信用情報や航空機用地図等の瑕疵のように情報と行為の関連性が非常に強いときや，弁護士や公認会計士等のように情報提供者の専門性が高く一般に強く信頼されているとき[47]には，一定の場合に情報発信者の責任が認められるという考え方もある．

最近では，AIの発達によって，情報の分析・処理が直接的に物理的な影響をおよぼすような場合に，その結果に対する責任を誰がどのように負うのかということも議論になっている．例えば，自動運転によって走行している自動車

---

[45] 「個人の私生活上の自由の一つとして，何人も，その承諾なしに，みだりにその容ぼう・姿態を撮影されない自由を有する．これを肖像権と称するかどうかは別として，少なくとも，警察官が，正当な理由もないのに個人の容ぼう等を撮影することは，憲法第13条の趣旨に反し，許されない（京都府学連事件（最大判昭44・12・24刑集23巻12号1625頁判時557号18頁判タ242号119頁））」．公の場における個人を対象とした撮影・追跡等が問題となった事例として，捜査機関等の行為が問題となったものとしては，自動速度監視装置事件（最二小判昭61・2・14刑集40巻1号48頁），テレビカメラによる犯罪監視事件（東京高判昭63・4・1判時1278号152頁），Nシステム事件（東京地判平13・2・6判時1748号144頁，東京高判平13・9・19裁判所Webページ下級裁判所判例集），第二次Nシステム事件（東京高判平21・1・29判タ1295号193頁）等がある．

[46] 監視カメラと刑事手続の問題については，星周一郎『防犯カメラと刑事手続』（弘文堂，2012年）を参照．わが国における監視カメラの設置や関連条例の実例については，西原博史編『監視カメラとプライバシー』（弘文堂，2009年）も参照．

[47] 松本恒雄・升田純編『情報をめぐる法律・判例と実務—戦略的情報取引と法務』（民事法研究会，2003）192-233頁，267-269頁参照．小塚荘一郎「情報提供事業者の責任」山下友信編『高度道路交通システム（ITS）と法』（有斐閣，2005）189-204頁，小塚壮一郎「自動車のソフトウェア化と民事責任」藤田友敬編『自動運転と法』（有斐閣，2018）223-247頁も参照．

が事故を起こした場合に，誰が責任を負うのかという問題である[48]．特に，自動運転のように導入が現実的になっているものについては，社会的な公平の観点から責任のルールを明確にしておく必要がある．

▶刑事罰を受ける情報発信

刑法が，情報の発信自体を刑事処罰の対象としているものとしては，刑法の定めるわいせつ物頒布罪，名誉毀損罪，侮辱罪，脅迫罪，業務妨害罪等がある．また，情報発信だけでは犯罪が完結しないが，犯罪の主要部分をなしうるものとして，賭博，詐欺，恐喝等がある．さらに，教唆・幇助等は，どの犯罪についても情報発信によって行い得る．刑法以外の法律によって処罰が定められているものとしては，著作権侵害や金融商品取引法違反（風説の流布等）等がある．

なお，秘密を漏示することに関しては，刑法の秘密漏示罪（第134条）が，医師・薬剤師，医薬品販売業者，助産師，弁護士，弁護人，公証人またはこれらの職にあった者（以上第1項），宗教，祈祷もしくは祭祀の職にある者またはこれらの職にあった者（以上第2項），が業務上知りえた秘密を漏示することを禁じている．また，公務員（退職者を含む．国家公務員法第100条，地方公務員法第34条）にも守秘義務が課せられている．

インターネット上でのわいせつ物公然陳列罪の適用に対しては，一般に刑法第175条は有体物を対象とするという解釈が採られている．これに関して，ネットワーク上での公開はわいせつ物といい得る有体物がないため，第175条が禁止するわいせつ物頒布等に当たらないとする見解と，「わいせつ画像を記憶・蔵置しているサーバコンピュータ自体がわいせつ物であると解すること」ができるとしてわいせつ物公然陳列罪の成立を認める見解が，対立していた[49]．

---

[48] 藤田友敬編『自動運転と法』（有斐閣，2018）は，この問題について網羅的に検討している．また，この他に，どのような選択肢をとっても何らかの被害が避けられないときに，どのような基準で選択をするべきか（被害者AとBの死のどちらを選ぶべきか）といった問題も議論されている（平野晋「『ロボット法』と自動運転の『派生型トロッコ問題』：主要論点の整理と，AIネットワークシステム『研究開発8原則』」NBL1083号（2016）29-37頁等）．

わが国で初めてインターネット上のわいせつ情報に対して刑事責任が問われたのは、1996年である。裁判所は、わいせつ画像を不特定多数の利用者が再生・閲覧できるように設定したことについて、わいせつ「図画」の「公然」「陳列」であると判断している[50]。その後、アルファーネット事件において、最高裁判所はパソコン通信によるわいせつ画像の公開に関して、「被告人がわいせつな画像データを記憶、蔵置させたホストコンピュータのハードディスクは、刑法第175条が定めるわいせつ物に当たるというべき」という判断を示している[51]。なお、2011年6月に「情報処理の高度化等に対処するための刑法等の一部を改正する法律[52]」によって、第175条のわいせつ物に「電磁的記録に係る記録媒体」が追加されている。

このほか、画像処理ソフト（FLMASK）でマスクをかけたわいせつ画像を閲覧可能な状態にしたことについてわいせつ物の公然陳列が認められた事例[53]や、FLMASKの作者がソフトをダウンロードできる自己のWebページからFLMASKでマスク処理をしたわいせつ画像があるWebページに相互リンクをしていたことについて、わいせつ物公然陳列幇助罪が認められた事例[54]がある。さらに、この判決をふまえて、児童ポルノのURLをWebページに掲載したことについて、「当該ウェブページの閲覧者がその情報を用いれば特段複雑困難な操作を経ることなく本件児童ポルノを閲覧することができ、かつ、その行為又はそれに付随する行為が全体としてその閲覧者に対して当該児童ポルノの閲覧を積極的に誘引するものということができるのであるから、児童ポルノ公然陳列に該当する」とした事例がある[55]。また、インターネット上に「レディースナイト」と称するWebページを開設し、リアルタイムでわいせつな

---

49) わいせつ表現や青少年保護規制についての詳細な検討としては、永井善之『サイバー・ポルノの刑事規制』（信山社出版、2003）がある。
50) 東京地判平8・4・22判時1597号151頁判タ929号266頁（ベッコアメ事件）。ISPである株式会社ベッコアメ・インターネットの会員が自分のWebページにわいせつ画像をアップロードしたことに対してわいせつ図画の公然陳列の罪が問われたものであり、ISPに対しても強制捜査が行われた（1996年1月31日）。
51) 最三小判平13・7・16刑集55巻5号317頁判時1762号150頁判タ1071号157頁（アルファーネット事件）。
52) 「3-2　サイバー犯罪と青少年保護」参照。
53) 岡山地判平9・12・15判時1641号158頁判タ972号280頁（岡山FLMASK事件）。
54) 大阪地判平12・3・30判例集未登載（FLMASKリンク事件）。

ショーを不特定多数のインターネット利用者に有料で閲覧させた事案では,「パケット化された個々のわいせつ映像のデータは,メモリ上に記憶維持されるのではなく,メモリ上を通過しているだけであると認定するのが相当である」として,わいせつ物公然陳列罪（刑法第175条）を否定し,公然わいせつ罪（刑法第174条）が認められている[56].

　プライベートに撮影した裸体写真が流出するといった事件もあとを絶たない[57].最近では,過去の交際相手が,嫌がらせの目的で写真を公開する「リベンジポルノ」と呼ばれる行為も問題になっている[58].2014年11月には,被写体を特定できる方法で「電気通信回線を通じて私事性的画像記録を不特定又は多数の者に提供」する行為等を処罰する,リベンジポルノ防止法が成立している.

▶ 迷惑メール規制

　わが国では,1999年から2000年代初頭にかけて携帯メールが爆発的に普及するに伴い,「迷惑メール」が社会的にも大きな問題となった[59].迷惑メール

55） 大阪高判平21・10・23判タ1383号156頁判時2166号142頁（児童ポルノURL掲載事件控訴審），最三小決平24・7・9判タ1383号154頁判時2166号140頁（児童ポルノURL掲載事件上告審）上告棄却.
56） 岡山地判平12・6・30判例集未登載（岡山レディースナイト事件）.
57） 比較的初期の事件として,2006年の1月頃,若い会社員（男性）のPCから,恋人の女性を撮影した,かなり扇情的な裸体写真が流出した事例がある.会社員が利用していたShareと呼ばれるファイル交換ソフトが,いわゆる暴露ウイルスに感染したことが原因であると考えられている.この会社員と女性がSNSに実名で登録していたため,電子掲示板2ちゃんねる等に書込みが殺到して,一気に大量の写真ファイルが実名付きで出回ることになってしまった.2014年9月には,アップルが提供するクラウドサービスへのハッキングによって,ハリウッドスターをはじめとする有名人の裸体写真が大量に流出したことが報じられている.なお,ある危険を2004年に描いて話題となったコミックに,瀬尾浩史『アキバ署！』第一話「bootstrap起動」がある（瀬尾浩史『アキバ署！01』〈講談社,2005〉所収）.
58） 2013年10月に三鷹市の女子高校生が元交際相手につきまとわれた上に殺害された事件（東京高判平29・1・24判例集未登載：三鷹ストーカー殺人事件）では,元交際相手の男が犯行に先立って女子高校生の裸体写真を公開していたことも報道され,リベンジポルノの問題が注目された.
59） 何らかの広告に利用されることが多いが,有効なメールアドレスを選別するために送信が行われる場合や,システムを攻撃することを目的として行われる場合など,必ずしも情報発信が目的とはいえないものもある.メールアドレスを自動生成・無差別送信してエラーメッセージを確認することで有効なメールアドレスを選別することは「ハーヴェスティング」と呼ばれることもある.

が送られてくると，メールを確認して削除するのに手間がかかる．また，当初はメールを受信する通信料が受信者の負担となることが多かった．いわゆる「出会い系サイト」や「アダルトサイト」への誘引広告など不快な内容のものが多いこともあり，携帯メールの利用者にとって，突然一方的に送られてくる広告メールは，まさに深刻な迷惑を及ぼした[60]．

さらに，大量広告メールには，実際にはないアドレスに向けて送信されるものも多く，電子メールを処理する事業者のメールサーバにも負担をかけることになる．処理能力を超えるメールを受信した場合，通常のメールも処理することができなくなるため，大量メールに対応するための設備投資をする必要がある．こうした事業者のコストは，最終的には利用者が負担することになる．

ところで，「迷惑メール」というのは主観的な概念である．当然のことであるが，どのようなメールを迷惑と感じるかは，受け取る人によって異なる．迷惑メールの代表のように言われるわいせつサイトや出会い系サイトの広告メールも，これを受けてサイトにアクセスする受信者がいるから，送る事業者がいるのである．あとで後悔するかどうかはともかくとして，受け取った瞬間は迷惑なメールとはいえないであろう．迷惑メールの基準は客観的には定まらない．したがって，迷惑メールに対して何らかの法的な規制をかける場合には，受信者の意思を考慮するものにならざるを得ない[61]．

電子メールの受信者の意思を規制に反映させる考え方として，オプトアウト規制（受信拒否者へのメールの送信禁止）とオプトイン規制（メール送信に事前の同意をしていない者への送信禁止）がある[62]．

迷惑メールに対する規制としては，2002年に「特定電子メールの送信の適

60）　その後，携帯電話事業者による料金体系の見直しや，迷惑メールの届きにくいアドレスへの変更，ドメインやアドレス指定によるブロック等によって，利用者の被害はかなり軽減されている面がある．

61）　諸外国でよく使われる「未承諾商用メール（unsolicited commercial e-mail）」や「未承諾大量メール（unsolicited bulk e-mail）」といった概念も，このような前提に立っていると考えられる．なお，英語で迷惑メールを指す単語として「spam mail」があるが，これはイギリスBBCの人気番組「モンティパイソン・フライング・サーカス」におけるショートコメディが由来といわれている．この「スパム」というコメディでは，メニューにスパム（Hormel Foods社が製造するハムの缶詰）入りの料理しかないレストランで，周りが「スパム，スパム，スパム」と連呼して，スパムをスパム嫌いの人に強要する．ここから，望まないものを大量に押しつけられることをspamと呼ぶようになったのだと考えられている．

正化等に関する法律」（特定電子メール法．広告宣伝メール送信者等を対象）の制定と特定商取引法の改正（通信販売事業者等を対象）がなされ，それぞれオプトアウト規制等が導入された．その後も迷惑メールの送信が減少せず，悪質化も進む傾向がみられたため，規制強化が検討されてきた．特に2008年の改正ではオプトイン規制が導入され，規制の実効性を高めるための規定が整備されるとともに罰則規定も強化されている．また，特定電子メール法には，迷惑メールには海外発信のものが実際には多数を占めることを踏まえて，国内向けのメールであれば海外発信のものも対象に含まれること（第2条第2項）が明確にされ，迷惑メール対策を行う海外の執行当局への情報提供に関する規定（第30条）が設けられている．

　なお，大量の迷惑メールを送信した者に対して，ISPや携帯電話事業者が差止めや損害賠償を求めた事例もある[63]．

　迷惑メールには，海外から発信されているものも多い．すでにさまざまな取

62）米国では，1990年代から各州で迷惑メールを規制する法律が制定されてきたが，2004年1月には連邦法としてCAN-SPAM法が成立している．Controlling the Assault of Non-Solicited Pornography and Marketing Act of 2003, 15 U.S.C. §§7701-7713, 18 U.S.C.1037, 28 U.S.C. 994．CAN-SPAM法は，基本的にはオプトアウトの考え方に立っているが，携帯電話に向けたメールについてはオプトインを採用していることや，悪質な迷惑メールに関する規制（許可無くアクセスしたコンピュータからの送信禁止等）がなされていることに特徴がある．欧州では，2002年7月の「電子通信個人データ保護指令Directive 2002/58/EC of the European Parliament and of the Council of 12 July 2002 concerning the processing of personal data and the protection of privacy in the electronic communications sector.」の第13条（Unsolicited communications）が，オートダイヤラー，ファクシミリ，電子メールのダイレクトマーケティング目的での利用については，顧客の事前同意がある場合にのみ認められるとして，オプトインを採用している（1項）．ただし，すでに取引関係のある顧客について同様のサービスや製品のマーケティングを行う際には，オプトアウトによってメールを送付することが許されている（2項）．このほか，送信者情報の詐称・隠蔽の禁止や受信者が送信者に対して要望を送信するために有効なアドレスが示されていることが求められている（4項）．なお，2009/136/ECによって若干の修正がされている．EUの各構成国では，この指令を受けてオプトイン規制を整備している．総務省「迷惑メールへの対応の在り方に関する研究会中間とりまとめ」（2007年10月）21-28頁参照．

63）浦和地決平11・3・9判タ1023号272頁（ニフティ電子DM事件仮処分決定）では，わいせつ文書と考えられるダイレクトメールの送信を差し止める決定がなされている．横浜地決平13・10・29判時1765号18頁（ドコモ迷惑メール事件仮処分決定）では，「出会い系サイト」の勧誘メールを大量かつランダムに送信した行為について，ドコモの電気通信設備等に具体的な機能障害等の大きな原因となっており，警告後も本件電子メールの発信を大量かつ継続的に送信していることから，ドコモの電気通信設備に対する所有権を侵害するとして差止めを認めている．さらに，東京地判平15・3・25判時1831号132頁（ドコモ損害賠償請求事件判決）では，大量の宛先不明メールによる設備損害について，損害賠償の支払が命じられている（656万7,020円）．

図表3-2 迷惑メール規制の概要

	特定電子メール法	特定商取引法
法目的	電子メールの送受信上の支障の防止の観点から送信規制	取引の公正及び消費者保護の観点から広告規制
規制対象メール	特定電子メール（営利目的で広告・宣伝の手段として送信される電子メール）	通信販売等の電子メール広告
規制対象者	特定電子メールの送信者，送信委託者	販売業者及び役務提供事業者
主な義務規定等	オプトイン（第3条第1項） オプトインがあることの記録作成・保存（第3条第2項） 受信拒否者への再送信禁止（第3条第3項） 送信者情報等の表示義務（第4条） 送信者情報を偽った送信の禁止（第5条） 架空メールアドレスによる送信の禁止（第6条） 役務に支障を生じる恐れがある場合の電気通信役務の提供の拒否（第11条）	オプトイン（第12条の3第1項） 受信拒否者への再送信禁止（第12条の3第2項） オプトイン等があることの記録作成・保存（第12条の3第3項） 送信者情報等の表示義務（第12条の3第4項）
エンフォースメント	総務大臣又は内閣総理大臣による措置命令（第7条）：オプトイン違反，送信者情報の表示義務違反，送信者情報を偽った送信 総務大臣又は内閣総理大臣による報告聴取及び立入検査（第28条）：法律の施行に必要な限度の検査等 総務大臣による送信者情報提供の求め（第29条）：電気通信事業者等による契約者の住所氏名等の提供の求め 罰則（第34条，第35条，第37条）：送信者情報を偽った送信，命令違反，両罰規定	主務大臣による指示（第14条），業務停止命令（第15条）：オプトイン違反，受信拒否者への再送信，オプトイン等があることの記録作成・保存義務違反，送信者情報等の表示義務違反 罰則（第72条）：オプトイン違反，受信拒否者への再送信，オプトイン等があることの記録作成・保存義務違反，送信者情報等の表示義務違反

出典：特定電子メール法および特定商取引法の条文をもとに作成

組みがなされているが，法的な規制の実効性を高めるためには，国際的な取組みが不可欠である．また，技術的な対策についても，特に発信側の技術的対応手段に関してはISP等の国際的な協力がなければ効果が期待できない．このような国際的連携をどのようにとっていくかということも，今後一層重要になる．

3-2 | サイバー犯罪と青少年保護

3-2-1 サイバー犯罪と処罰規定

▶ サイバー犯罪とサイバー攻撃

サイバー犯罪ということばには法律上の定義がない．一般にサイバー犯罪という場合には，コンピュータ・システムに対する攻撃を指す場合と，サイバースペースにおける犯罪一般を指す場合がある．法務省の『犯罪白書』[64]では，前者を「不正アクセス行為等」，後者を「ネットワーク利用犯罪」として，分けて記述している．

「コンピュータ犯罪」という場合には，コンピュータ・システムに対する攻撃のことを指す場合が多い．一方，ネットワーク利用犯罪は，いわばサイバースペースにおける犯罪であるが，インターネットが広く普及している現在では，多くの犯罪者が何らかの形でインターネットを使っており，どこまでがネットワーク利用犯罪になるのかという判断は難しくなっている．『犯罪白書』では，主として「インターネットを利用した詐欺や児童ポルノに係る犯罪等」といった，犯罪の主要部分にインターネットが使われているものを，ネットワーク利用犯罪としている．

なお，インターネットが社会経済基盤としての重要性を増すなかで，高度化・多様化した新たなサイバー攻撃による被害は深刻になっている[65]．コンピュータ・ネットワークによる情報の連携が便利なサービスを生み，膨大な情報がやりとりされるようになっている．使われる端末も，スマートフォンやタブレット端末をはじめ，ゲーム機や家電製品にいたるまで多様なデバイスが普及している．生産性・効率性向上のため，従業員の端末を業務に活用するBYOD（Bring Your Own Device）を採用する企業も多い．こうしたことによって，外部から攻撃を受ける脅威に晒されるリスクは飛躍的に増えている．

---

[64] 法務省『平成30年版犯罪白書』，http://www.moj.go.jp/housouken/houso_hakusho2.html
[65] サイバー攻撃を含むハッキング全般についてわかりやすく解説しているものとして，岡嶋裕史『ハッカーの手口─ソーシャルからサイバー攻撃まで』（PHS新書，2012年）がある．

攻撃手法も，パソコン内のデータを破壊するマルウェアなど従来からあるものだけではなく，例えば，感染すると利用者がシステムにアクセスできなくなるようにして，解除の見返りに身代金を要求するマルウェア（ランサムウェア）の被害が広がっている．2017年5月には，WannaCryと呼ばれるランサムウェアが世界中で猛威を奮い，大きなニュースになった．特定の組織や人物をターゲットとして組織的かつ執拗な攻撃を繰り返す「標的型攻撃」も増加している[66]．攻撃の目的も，従来から多かった愉快犯的なものだけでなく，金銭や情報の不正取得のような明確な犯罪目的を持っているものや，インターネットの自由などの社会的なメッセージを発することを目的とするもの[67]などが増加しており，サイバー攻撃の目的は多様化が進んでいる．

　さらに，現在ではさまざまな設備や機械がコンピュータ制御されており，インターネットに接続されている場合も多い．こうした設備や機械を制御するシステムへのサイバー攻撃は，物理的な被害に直結する危険がある．例えば，コネクテッド・カーや自動運転車へのサイバー攻撃が，人の命にかかわることは間違いない．電力，金融，電気通信などの社会基盤を制御するシステムが攻撃にさらされれば，大きな社会不安につながる恐れもある．

▶ コンピュータ犯罪と処罰規定

　デジタル化やネットワーク化の進展にともない，それに関連する犯罪が新たに行われるようになった．従来の刑法の規定は，コンピュータ・システムに対する攻撃を想定していなかったため，コンピュータのデータを不正に改ざんすることは，処罰の対象となっていなかった．そこで，デジタル化やネットワーク化に対応する規定の整備が行われている．

---

[66] このように，ターゲットに関する情報を利用した攻撃が増えていることから，どのような情報が漏洩して攻撃者に入手されているのかという情報もますます重要になっていくと考えられる．しかし，個人情報漏洩に関するこうした情報の共有は，個人情報の第三者提供に該当する可能性があるため，プライバシーや個人情報保護の観点から難しい場合も多いと考えられる．「3-4　個人情報保護」参照．

[67] このような攻撃を行う者を，活動家（Activist）とハッカー（Hacker）を掛け合わせてハクティビスト（Hactivist）と呼ぶことがある．代表的なハクティビストとして，インターネットの自由を標榜して，自由を制約する政府等にサイバー攻撃を繰り返し行っている，アノニマスと呼ばれる集団がいる．

| 図表3-3 | 主なコンピュータ犯罪 |

種類	行為	罪名等
準備・手段	不正アクセス，フィッシング	不正アクセス禁止法違反
	マルウェア作成・頒布	不正電磁的記録作成等の罪
情報の盗取	営業秘密侵害	不正競争防止法違反
	特定秘密侵害	特定秘密保護法違反
停止・破壊	DDos攻撃，シャットダウン，データ身代金要求等	電子計算機損壊等業務妨害罪，業務妨害罪，脅迫罪　等
無権限操作	Webページの書き換え，データの改竄等	電磁的記録不正作出罪，業務妨害罪　等
	不正送金，データ身代金奪取	電磁的記録不正作出罪，電子計算機使用詐欺罪，詐欺罪，窃盗罪　等
	設備や機械の無断操作	業務妨害罪　等*

*無断操作の対象や内容によっては，殺人罪・傷害罪・往来を妨害する罪（刑法第124-129条）等にあたることも考えられる．

　1987年5月の刑法改正によって電磁的記録不正作出罪等，電子計算機損壊等業務妨害罪，電子計算機使用詐欺罪が新設され，コンピュータの損壊やこれを使った詐欺行為が処罰の対象となった[68]．しかし，他人のコンピュータに無権限でアクセスすること自体は処罰の対象とならず，ネットワーク犯罪の深刻化に伴い，規制すべきではないかという意見が強まっていた．このような要請から1999年8月に不正アクセス禁止法が制定されている[69]．

　最近では，技術の進展に伴い新たな問題行為が次々に現れている．以前から問題となっているコンピュータ・ウイルス（マルウェア）も大量化・巧妙化しており，最近では，ボット[70]と呼ばれる他人のコンピュータを自由に操るタイプのものも多くなっている．2011年7月には，後述の「情報処理の高度化等

68）例えば，大量のパケットをシステムに送りつけてコンピュータを利用不能の状態に追い込むDDoS（Distributed Denial of Service）等の行為は，電子計算機損壊等業務妨害罪（刑法第234条の2）の対象となり得る．

69）「アクセス制御機能」の信頼を保護するという考え方に立ち，電気通信回線を通じてこれを脅かす行為を禁止している（第2条）．なお，立法経緯における議論の混乱から保護法益と規定に齟齬が生じているという批判もある（石井徹哉「不正アクセス禁止法の意義と限界」千葉大学法学論集第19巻3号〈2004〉）．岡田好史『サイバー犯罪とその刑事法的規制』（専修大学出版局，2004）61頁以下も参照．

70）「コンピュータウイルスの一種で，コンピュータに感染し，そのコンピュータを，ネットワーク（インターネット）を通じて外部から操ることを目的として作成されたプログラム（情報処理推進機構「ボット対策について」https://www.ipa.go.jp/security/antivirus/bot.html）」．

に対処するための刑法等の一部を改正する法律（いわゆるサイバー刑法）」によって，不正指令電磁的記録[71]に関する罪（コンピュータウイルス作成・供用罪，刑法第168条の2）が新設されている．

　電子メールや郵便，電話を利用した架空請求や振り込め詐欺のような犯罪の被害も深刻になっている．有名企業を装ったメールを出して偽のWebページにアクセスさせ，住所氏名やクレジットカード情報，ID，パスワード等をだまし取るフィッシング（phishing）と呼ばれる行為も，大きな問題となっている[72]．フィッシングで入手した情報を使って金銭をだまし取れば詐欺罪等として処罰し得るが，フィッシング行為自体は必ずしも処罰の対象とならないことが指摘されていた．2012年5月には，新たな不正行為への対応の必要から不正アクセス禁止法が改正され，フィッシングサイトの設置（第7条第1号）やフィッシングメールの送信（第7条第2号），IDやパスワードの不正入手（第4条）に関する禁止規定が盛り込まれるとともに，不正アクセス行為の法定刑が懲役1年から3年に引き上げられている．

3-2-2　サイバー犯罪と捜査

▶通信傍受等に関する制度

　ネットワークに関連する犯罪を捜査する際には，ネットワークを構成する事業者が保有する情報が必要になる場合が多い．このような捜査は，通信の秘密やプライバシーを侵害するおそれもあるため，適正な手続を定めることが重要となる[73]．

　わが国においては，通信の傍受は，通信の秘密の侵害に当たることから，原則として許されないとされてきた．しかし，犯罪に通信手段を用いられること

---

71) 「人が電子計算機を使用するに際してその意図に沿うべき動作をさせず，又はその意図に反する動作をさせるべき不正な指令（刑法第168条の2第1項第1号）」．

72) 「フィッシングとは，銀行等の実在する企業を装って電子メールを送り，その企業のウェブサイトに見せかけて作成した偽のウェブサイト（フィッシングサイト）を受信者が閲覧するよう誘導し，そこにクレジットカード番号，インターネット上で個人を識別するためのID，パスワード等を入力させて，金融情報や個人情報を不正に入手する行為をいう（警察庁編『平成23年版警察白書』（佐伯印刷，2011）22頁）」．

が多くなり，真実発見の要請を満たすためには捜査機関が強制処分として通信傍受を行う必要性が高まってきた．当初，刑事訴訟法には，通信傍受に関する明文の規定がなかったため，どのような根拠に基づいてこれを行うかが問題となった．実際には検証令状に基づき捜査が行われていたが，通信傍受が性質上「地引き網」的であって，その対象の中に正当に保護されるべき未確認の会話が混入せざるを得ないので，検証令状による捜査は妥当でないとする批判も強かった．このため，通信傍受を認めるためには，捜査機関に対して一定の制約を課す立法が必要であると考えられてきた[74]．

そこで，1999年に成立したいわゆる組織犯罪対策三法のひとつである，「犯罪捜査のための通信傍受に関する法律（通信傍受法）」によって，捜査機関が行う通話内容の傍受に関する手続が法定された．通信傍受法に基づく傍受は，共謀が疑われる重大犯罪[75]に対象が限定され，通信傍受に際しては，検証よりも厳格な令状発付要件が課される通信傍受令状の取得が必要となった（通信傍受法第3条）[76]．2016年12月には通信傍受法が改正され，対象犯罪が拡大[77]するとともに，従来からの電気通信事業者の立会のもとでの傍受に加えて，傍受対象の全通信を暗号化して捜査機関の手元にある「特定電子計算機（暗号化された通信の複号・消去と処理の記録等を行う機能を持った計算機）」に送信して複号・傍受することで，通信事業者等による立会なく傍受ができるようになった（第23条

---

73) コンピュータ犯罪に関する捜査手続については安冨潔『ハイテク犯罪と刑事手続』（慶應義塾大学法学研究会，2000），捜査の実際については大橋充直『ハイテク犯罪捜査入門―基礎編』（東京法令出版，2004），大橋充直『ハイテク犯罪捜査入門―捜査実務編』（東京法令出版，2005），大橋充直『図解・実例からのアプローチ サイバー犯罪捜査入門（ハイテク犯罪捜査入門）―捜査応用編』（東京法令出版，2011）を参照.

74) 田宮裕『刑事訴訟法』（有斐閣，新版，1996）122-125頁.

75) ①薬物，②銃器犯罪，③集団密航，④組織的殺人で，共謀によるもの（通信傍受法第3条）.

76) 通信傍受法に関して，米国の状況との比較で詳細に論じたものとして井上正仁『捜査手段としての通信・会話の傍受』（有斐閣，1997）が，批判的な立場から論じているものに右崎正博・川崎英明・田島泰彦編『盗聴法の総合的研究―「通信傍受法」と市民的自由』（日本評論社，2001）がある.

77) ①爆発物取締罰則違反，②現住建造物等放火，③殺人，④傷害・傷害致死，⑤逮捕及び監禁・逮捕等致死傷，⑥未成年者略取及び誘拐・営利目的等略取及び誘拐・身の代金目的略取等・所在国外移送目的略取及び誘拐・人身売買・被略取者等所在国外移送・被略取者引渡し等，⑦窃盗・強盗・強盗致死傷，⑧詐欺・電子計算機使用詐欺・恐喝，⑨児童買春児童ポルノ禁止法違反，であって組織的共謀によるもの（通信傍受法第3条）が加えられている.

	刑事訴訟法の規定	概要
リモートアクセス	【裁判所】第99条第2項 【捜査機関】第218条第2項	差押対象であるコンピュータがネットワーク経由でサーバに接続している場合において，当該サーバが，差押対象であるコンピュータにより作成，変更，消去の可能なデータを保管するために使用されていると認められるときには，当該データを複写した上で，差し押さえることができる．
データの差押え	〈記録媒体からの複写等〉 【裁判所】第99条の2 【捜査機関】第99条の2・第222条第1項	差し押さえるべき電磁的記録媒体（サーバ等）を差し押さえる代わりに，データを別の物に複写，印刷，移転して，それを差し押さえることができる（被処分者の協力が期待できない場合）．
	〈記録命令付き差押え〉 【裁判所】第110条の2 【捜査機関】第218条第1項	サーバの保管者等に命じて，必要なデータを別の物に記録，印刷させ，それを差し押さえる，という手続（記録命令付き差押え）を実施できる（被処分者の協力が期待できる場合）．
捜索・差押えの際の協力要請	【裁判所】第111条の2 【捜査機関】第111条の2・第222条第1項	差押対象が，電磁的記録の記録媒体であるときは，処分を受ける者に対し，必要な協力を求めることができる．
通信履歴の保全要請	【捜査機関】　第197条3項〜5項	捜査機関から，プロバイダ等に対し，一定の期間，業務上記録している通信履歴を消去しないよう，保全を要請することができる（令状に基づく処分ではなく，応じなくとも罰則はない）．
電磁的記録の没収	第498条の2	没収された電磁的記録の記録媒体を返還する場合等に，当該電磁的記録を消去して返還する．

図表3-4｜サイバー刑法と捜査手続き

出典：刑事訴訟法の条文をもとに作成

第1項）．

▶サイバー犯罪条約とサイバー刑法

　ネットワーク上の犯罪は複数の国に影響を及ぼすことが多いため，1国のみで有効な対応を行うことは難しい．しかし，すべての国で同じ行為が犯罪として禁止されているわけではない．また，ネットワーク上の通信に対して行いうる捜査の内容も，国によって異なる可能性が大きい．国境をまたがる犯罪の解決には，国際間の協力が不可欠であり，ある程度共通のスタンダードを定めることが強く要請されていた．

　欧州評議会は，2001年11月に「サイバー犯罪条約」を採択している．この条約には，加盟国である欧州諸国とオブザーバとして条約の策定作業に参加していた日本・米国・カナダ等30カ国が署名しており，わが国は2012年に批准している．同条約では，システムへの不正な攻撃や児童ポルノ等の最低限の禁止規定を設けることと，サイバー犯罪に対する捜査手続を整備することを，各

国に求めている.

　わが国では，同条約への対応とコンピュータ・ネットワーク関連犯罪への対応のために，2011年6月に「情報処理の高度化等に対処するための刑法等の一部を改正する法律（いわゆるサイバー刑法）」が成立している．この法律によって，前述のコンピュータウイルスの作成・供用罪等の実体規定が拡充されるとともに，刑事訴訟法の一部が改正されてコンピュータに対する差押えや電気通信事業者に対する通信記録の保全要請に関する規定が整備されている（図表3-4）.

3-2-3　青少年保護と有害情報

▶ 青少年保護

　インターネット上では，青少年にとって好ましくないとされる情報も大量に流通しており，青少年をどのように保護するかということは，重要な課題となっている．こうした議論においては，児童，青少年，未成年，少年，といった用語が使われるが，基本的に，児童と青少年と未成年は18歳未満の者，少年は20歳未満の者を指している．なお，青少年有害情報の問題も，基本的には情報発信に伴う問題であるが，情報の発信にとどまらずにリアルな世界の犯罪と結びつく場合も含めて議論が行われている．

　わが国では従来，「無店舗型」風俗営業は，「風俗営業等の規制及び業務の適正化等に関する法律」の規制対象外となっていた．1998年4月の改正によりアダルト情報の有償提供やアダルトビデオ販売等も規制の対象となり，18歳未満の者に対する販売と雇用が禁止されている．

　かねてより諸外国から規制が求められていた児童ポルノに関しても，「児童買春，児童ポルノに係る行為等の処罰及び児童の保護等に関する法律」が1999年5月に成立した．2003年の改正で処罰規定（18歳未満の児童の姿態を描写した児童ポルノの提供，提供目的の製造・所持，不特定多数の者への提供，ネットワーク上での公開等）が追加され，さらに2014年6月の改正によって，「児童買春，児童ポルノに係る行為等の規制及び処罰並びに児童の保護等に関する法律」と名称が変更され，直接的な性的行為を伴わない児童ポルノの定義が明確化され（第2条

第3項第3号），単純所持罪（第7条第1項）と，盗撮による製造罪（第7条第5項），が新設されている[78]．

いわゆる出会い系サイトについても「インターネット異性紹介事業を利用して児童を誘引する行為の規制等に関する法律」が2003年6月に成立しており，2008年に規制を強化する改正がなされている[79]．出会い系サイト上で児童を誘引する行為を禁止し，事業者に対して，届出，利用者が児童でないことの確認，禁止誘引行為に係る書き込みの削除等の義務が課せられている．

米国では，1996年に通信品位法[80]が制定され，同法は，一般に禁止されているわいせつな情報だけでなく，「下品な (indecent)」または「明らかに不快な (patently offensive)」情報についても，18歳未満の未成年者が受信することを知りながら送信した者に対して刑罰を科していた．これに対して，人権保護団体等から憲法が保障する表現の自由の不当な制約であるとして訴訟が提起され，連邦最高裁の違憲判決が下されている[81]．

その後1997年に，対象を商業目的に限り未成年者に対する有害な情報発信を規制する子供オンライン保護法[82]が制定されたが，これも合憲性が裁判で争われ違憲とされている[83]．また，2000年には連邦政府の補助金を受ける公立図書館に対してフィルタリング・ソフトのインストールを義務づける子供インターネット保護法[84]が制定されているが，これに対しては合憲性を認める

---

[78] 改正の経緯と規制内容については，園田寿・曽我部真裕編著『改正児童ポルノ禁止法を考える』（日本評論社，2014）を参照．なお，実在しない児童を描写した漫画その他のポルノについて，2010年に東京都「青少年健全育成条例」について，18歳未満として表現されていると認識される「非実在青少年」の性交類似行為をみだりに性的対象として肯定的に描写したものについて自主規制等を求める改正案が提出され，出版社や作家等から大きな反発を招いた．2010年12月に成立した改正では，「刑罰法規に触れる性行為」や「婚姻を禁止されている近親者間における性交等」を不当に賛美・誇張するように描写した漫画等が対象となっている．表現の萎縮を招くという批判もあり，慎重な運用を求める付帯決議がなされている．青少年への影響をどのように考えるかは議論があり得るが，実在しない架空の青少年を描いたものに対する規制は，対象となった児童の権利を保護法益とする児童ポルノ規制とは，性格が異なるものであることにも注意が必要である．

[79] 改正の経緯と規制内容については，福田正信他『逐条出会い系サイト規制法』（立花書房，2009）を参照．

[80] Communications Decency Act of 1996, 18 U.S.C. §§ 1462, 1465, 2422.

[81] Reno v. American Civil Liberties Union, 521 U.S. 844 (1997).

[82] Child Online Protection Act of 1998, 47 U.S.C. §§ 230-231.

[83] ACLU v. Mukasey, 534 F.3d 181 (3d Cir. 2008), Mukasey v. ACLU, 129 S. Ct. 1032 (2009).

判断がなされている[85].

▶青少年インターネット環境整備法

　わが国では，モバイル・インターネットの普及が急速に進み，青少年も携帯電話を使用することが一般的になった．青少年にとって好ましくないと思われるコンテンツを提供する携帯サイトの存在が，注目されるようになってきた．特に，パーソナルな端末である携帯電話によってアクセスする情報は大人の目が届きにくいため，知らないうちに子供が悪影響を受けるのではないかという不安を持つ保護者も多い[86].

　青少年が有害な携帯サイトにアクセスしないようにする手段を確保することが望ましいという観点から，総務大臣が2007年12月以降数回にわたって，携帯電話事業者に対してフィルタリングサービスの導入・高度化を要請しており，これを受けて携帯電話事業者がフィルタリング機能を導入している[87].

　さらに，法律を制定して有害情報から青少年を保護するべきであるという議論を受けて，2008年6月11日に青少年インターネット環境整備法が成立している．青少年インターネット環境整備法では，「青少年の健全な成長を著しく阻害する」青少年有害情報として，犯罪や自殺につながる情報，著しく性欲を興奮・刺激する情報，著しく残虐な内容の情報を例示し，こうした情報に青少年が接しないようにする事業者の自主的な取り組みを促す内容となっている．携帯電話事業者(携帯電話インターネット接続役務提供事業者)，ISP，機器製造事業

---

84)　Children's Internet Protection Act, 20 U.S.C. § 9134（2006）；47 U.S.C. § 254.

85)　United States v. American Library Association, Inc., 539 U.S. 194, 2003 U.S. LEXIS 4799（2003）.

86)　携帯サイトが青少年にもたらす危険については，読売新聞社会部『親は知らない―ネットの闇に吸い込まれる子どもたち』(中央公論新社，2010)，下田博次『子どものケータイ―危険な解放区』(集英社新書，2010) を参照.

87)　フィルタリングの対象としては，従来から青少年が見ることが望ましくないと考えられてきた著しく性欲を興奮・刺激する情報や，著しく残虐な内容の情報を掲載しているサイトに加えて，青少年保護対策を十分に行っていないSNSやソーシャルゲームのサイトも対象となった．特に，これらのコミュニティ機能等によって青少年が犯罪に巻き込まれることが問題とされた．フィルタリングの対象とすべきかどうかを判断するにあたっては，ある程度客観的な審査がなされることが望ましいという意見もあり，モバイルコンテンツ審査・運用監視機構 (EMA) とインターネット・コンテンツ審査監視機構 (I-ROI) が第三者機関として設立された．なお，フィルタリング利用率の低下等の影響を受け，EMAは2018年5月13日付で解散している.

者には，青少年有害情報フィルタリングサービスを提供することが義務づけられており，特に携帯電話事業者には，保護者から反対の意思表示がない限りフィルタリングを提供することが求められている．この他，フィルタリングソフトウェア開発事業者や特定サーバ管理者（公衆向け情報発信が行われているサーバの管理者）にも，一定の努力義務が課せられた．

　その後，携帯電話端末のスマートフォン化が進展した．スマートフォン以前の携帯電話（いわゆるガラケー）は，携帯電話会社が端末メーカから購入してユーザに販売する形態が一般的だったため，携帯電話会社が提供するフィルタリング機能を，青少年が外すことは難しかった．しかし，スマートフォンの端末については，ユーザ自身がフィルタリング機能を操作できる場合が多く，携帯電話網を経由せずに無線LAN等からアクセスすることも増えたため，フィルタリングの利用率は大きく低下した．このような状況に対応するために，2017年6月に改正法が成立している．主な改正点としては，①携帯電話事業者と契約代理店に新規契約や更新を行う際の年齢確認・フィルタリングの説明・フィルタリング有効化措置を義務づける，②端末製造事業者にフィルタリングのプリインストール等の容易化措置を義務づける，③OS開発事業者にフィルタリング機能を開発する努力義務を課す，④フィルタリング義務の対象機器を携帯電話回線経由でインターネットを閲覧できる機器に拡大する，といった規定が追加されている．

▶児童ポルノのブロッキング

　児童ポルノは1999年から処罰の対象となっているが，その検挙・被害数が増加しているといわれている[88]．特に，ネットワーク上で公開されているケースが多く，一度流通してしまった児童ポルノ画像等はあとから回収などをすることが困難であり，対象となった児童の権利を未来永劫にわたって著しく傷つけ続ける可能性がある．

　そこで，ISPの自主的な取り組みとして児童ポルノに対するブロッキングを

---

[88]　警察庁ホームページ「児童ポルノ事犯の送致・被害児童保護情況」（http://www.npa.go.jp/）.

行うことが議論されている。「安心ネットづくり促進協議会[89]」では、ブロッキングを実施する際の課題や実施の在り方について検討を行い、2010年6月に「児童ポルノ対策作業部会最終報告書」を公表している。また、「児童ポルノ流通防止協議会[90]」では、2010年3月に「ブロッキングに関する報告書」を公表している。いずれも、児童ポルノの流通を防止するためにISPによるブロッキングの必要性を認めながら、通信の秘密との関係をはじめとして実施に際しての課題があることも指摘している。政府の犯罪対策閣僚会議が2010年7月に公表した「児童ポルノ排除の総合対策[91]」のなかでも、ブロッキングのISP等による自主的導入に向けた方策を取ることとしており、2011年から大手ISP等によるブロッキングが開始されている。

　ブロッキングとは、インターネットへの接続を提供するISPが、利用者がアクセスしようとしたサイトが児童ポルノサイトである場合に、そのアクセスを遮断することである。児童ポルノサイトをあらかじめリストアップしておき、利用者のアクセス先と機械的に照合して特定サイトへのアクセスを防止する。利用者がアクセスするサイトの情報を利用して、利用者が見たいと考えている情報へのアクセスを遮断するものであり、原則として通信の秘密の侵害にあたる。

　これについて、安心ネットづくり促進協議会の報告書では、インターネット上で公開されている児童ポルノについては、児童の権利等に対する現在の危難の存在があり得ることから、「検挙や削除が著しく困難である場合に、より侵害性の少ない手法・運用で、著しく児童の権利等を侵害する内容のものについて実施する限り、補充性及び法益権衡の要件も満たし得る」として、ISPによる児童ポルノのブロッキングが緊急避難として違法性阻却されうる場合があるという見解を示している[92]。

---

89) インターネットを安心かつ安全に利用できる環境を目指して2008年10月（正式発足は2009年2月）に設立された任意団体（http://www.good-net.jp/）。

90) 児童ポルノの流通を防止する対策について検討を行うために2009年6月に設立された協議会（http://www.iajapan.org/press/20090602-press.html）。なお、2010年12月には「児童ポルノ掲載アドレスリスト作成管理団体」の選定や運営の在り方について審議を行うために「児童ポルノ流通防止対策専門委員会」が発足し、構成員はこの委員会に移行している。

91) 犯罪対策閣僚会議「児童ポルノ排除総合対策」（平成22年7月）（https://www.npa.go.jp/safetylife/syonen/no_cp/cp-taisaku/index.html）。

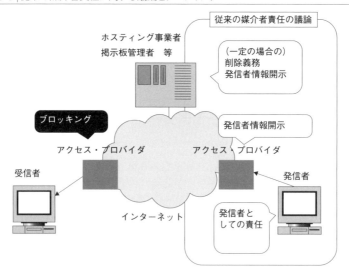

図表3-5 従来の媒介者責任に関する議論とブロッキング

従来の媒介者責任の議論

ホスティング事業者
掲示板管理者　等

（一定の場合の）
削除義務
発信者情報開示

ブロッキング

アクセス・プロバイダ　　　　アクセス・プロバイダ

発信者情報開示

受信者　　　　　　　　　　　　　　　　　　　　　　　発信者

インターネット

発信者と
しての責任

出典：安心ネットづくり促進協議会「児童ポルノ作業部会 法的問題検討サブワーキンググループ報告書」（2010
年3月）等の記述を参考に作成

　従来のISPの対応が主に情報発信者側のISPによって行われていたのに対し
て，ブロッキングでは，情報受信者のアクセスを本人の同意なく制限すること
になる．児童の被害という法益の重大さを考えれば，一定の対応が必要なこと
を否定することはできないが，本来は許されない手段であることは認識すべき
である[93]．ブロッキングは児童ポルノ以外の違法情報を防止するためにも有
効な手段になりうるが，安易に対象を拡張されるようなことになれば問題であ
る．児童ポルノに関しても，被害を防止する方法が他にない場合に対象を限定
し，オーバーブロッキング（問題のないサイトをブロックしてしまうこと）が生じな
いようにするなどの厳格な運営を行う必要がある．

---

[92]　安心ネットづくり促進協議会「児童ポルノ作業部会 法的問題検討サブワーキンググループ報
　　告書」（2010年3月）20頁．なお，この作業部会報告がそのまま最終報告に組み込まれている．
[93]　このような認識は，安心ネットづくり促進協議会をはじめとする検討でも強調されている．森
　　亮二「ブロッキングに関する法律問題」ジュリスト1411号（2010）7頁以下も参照．

▶青少年有害情報と犯罪の予防

青少年インターネット環境整備法の制定後も，青少年がネットの利用を契機として犯罪等に巻き込まれていることを問題視する意見は多い．フィルタリング等に関する規制を強化する条例を制定している地方自治体もある．

従来の青少年有害情報対策では，青少年が悪影響を受ける可能性がある情報に，青少年がアクセスしないようにすることが目的であった．しかし，現在では，性的な対象とされた青少年を直接傷つける児童ポルノの問題と，青少年をターゲットとする犯罪者からのアプローチの問題が，青少年保護に関する議論の焦点になっている．前者は，情報の発信自体が犯罪を構成するものであり，被害の深刻化が懸念されるのであれば，本来は取り締まりの強化によって対処すべきものである．後者も，従来考えられていたような青少年が情報から悪影響を受けるという問題ではなく，むしろ成人の犯罪者による犯罪の予備的行為に対してどのような対策をするべきかという問題である．

後者の，青少年にインターネットなどを使ってアプローチする犯罪者の問題については，諸外国でも問題となっている．米国では，青少年に対する誘引行為が広く犯罪行為として規定されており[94]，おとり捜査による取締も行われていることから，むしろ具体的な捜査方法の可否が問題となっている[95]．欧州諸国においても捜査機関による青少年を対象とした性犯罪者等の取り締まりの強化が行われているが，例えばSNS事業者の自主規制に期待する議論もされている[96]．

このような行為に関する問題は，犯罪者による青少年へのアプローチをどのように抑止したり，捕捉したりするかということが議論の焦点であり，青少年に悪影響を与える「有害情報」の問題とは性格が異なる[97]．本来は，一般的な犯罪対策の問題として議論されるべきである[98]．

---

[94] 18 U.S.C.S § 2422 (b).

[95] United States v. Helder, 452 F.3d 751 (8th Cir. Ct. App. 2006).

[96] Opinion of the European Economic and Social Committee on the 'impact of social networking sites on citizens/consumers'. (2010/C 128/12).

3-3-1 情報化と知的財産制度

▶知的財産権とは

　知的財産権とは，知的成果物の保護と利用の促進を目的として法律上認められている権利の総称である[99]．無体財産権と呼ばれることもあるように，知識（情報）そのものを保護する指向が強い考え方である．知的財産制度の整備は，情報利用を活発化するために重要な役割を果たす．

　本来，知識は人類の共有財産であり，どのような知的成果物も過去の知的遺産を受け継ぐことなしに成立することはない．知的財産とされるものの本体は情報であるため模倣が容易であり，他人がそれを利用しても創作者等の権利者が利用できなくなるわけではない．有体物に対して認められる所有権のような物理的に排他的な権利を認めることは，本来難しい面がある．そもそも，知的財産制度の目的は，創作者に排他的権利を認めることで，創作活動を促進して社会全体の利益を大きくすることにある．そのような観点から，知的成果物の社会全体での有効活用や発展を損なわないよう，常に保護と利用のバランスを意識する必要がある．

▶デジタル化・ネットワーク化の影響

　インターネット上を流通するコンテンツの大半は著作物である．著作権法

97）インターネット上の有害な情報として注目を集めたものに自殺サイトがあるが，これも自殺希望者をどのように保護するかという性格が強い．なお，自殺はわが国の法律では犯罪として規定されていないため，自殺予告があっても必ずしも強制捜査を行うことができない．そのため通信の秘密に該当する情報を自殺予防のために利用できるのは，緊急避難に当たる場合のみであると考えられている．しかし，ISP等は緊急避難であるかどうかを迅速に判断することが難しいため，迅速化を図るための基準が求められた．警察庁，総務省の検討を受け，関連4団体が「インターネット上の自殺予告事案への対応に関するガイドライン」（平成17年10月）を公表している．

98）犯罪対策も含めたインターネット上の青少年保護については，小向太郎「インターネット上における青少年保護に関する制度の動向」日本大学危機管理学部危機管理学研究所『危機管理学研究』創刊号（2017年3月）114-125頁を参照．

99）土肥一史『知的財産法入門』（中央経済社，第16版，2019）1頁参照．

	著作物	発明 (特許)	デザイン (意匠)	商標	営業秘密
保護対象	思想又は感情を創作的に表現したもので, 文芸, 学術, 美術又は音楽の範囲に属するもの	自然法則を利用した技術的思想の捜索のうち高度のもの	視覚を通じて美感を起こさせる物品 (その部分を含む) の形状・模様・色彩又はこれらの結合	文字, 図形, 記号若しくは立体的形状若しくはこれらの結合又はこれらと色彩の結合	秘密として管理されている生産方法, 販売方法その他の事業活動に有用な技術上又は営業上の情報
権利の効力	模倣に対する相対的独占権	業として, 特許発明の実施の独占	業として, 登録意匠及び類似意匠の実施の独占	業として, 登録商標の使用の独占	不正取得行為等の禁止
権利の発生	創作	設定登録	設定登録	設定登録	秘密管理
権利期間	著作者の死後70年. 団体名義, 映画の著作物公表後70年	出願から20年. 医薬品等については期間延長制度	出願から25年	登録から10年. 更新登録	規定なし

出典：土肥一史『知的財産法入門』(中央経済社, 第16版, 2019) 3頁の表を参考に作成

は, 特許法や意匠法, 商標法等と異なり設定登録等を権利発生の要件としていない. 「思想又は感情を創作的に表現したものであって, 文芸, 学術, 美術又は音楽の範囲に属するもの」 (著作権法2条1項1号) は, 創作されると同時に著作権の対象となるため, 広範な創作物に対して著作権の保護が及ぶことになる. 保護期間も, 原則として著作者の死後70年と特許権等と比較しても長い.

　そのため, デジタル・ネットワーク化による情報の拡散は, 著作権の保護を, 特に難しくしている. 著作権は, 著作物という有体物に化体して保護が行われてきたこともあり, その根本を揺さぶるような影響を受けている.

　一方で, 権利の発生要件として設定登録が求められている特許権, 意匠権, 商標権等の権利については, デジタル・ネットワークの進展によって権利情報の共有が進むことなど, 主として実務面での影響が大きいと考えられる.

3-3-2　著作権制度の概要

▶著作者の権利

　著作者が持つ権利は, 著作者人格権 (人格的利益の保護：公表権・氏名表示権・同一性保持権) と著作権 (複製権, 上演権および演奏権, 上映権, 公衆送信権, 口述権, 展示

図表3-7	著作者の権利

著作者の人格権（著作者の人格的利益を保護する権利）

著作者の人格権（著作者の人格的利益を保護する権利）	公表権（18条）	未公表の著作物を公表するかどうか等を決定する権利
	氏名表示権（19条）	著作物に著作者名を付すかどうか，付す場合に名義をどうするかを決定する権利
	同一性保持権（20条）	著作物の内容や題号を著作者の意に反して改変されない権利

著作権（財産権）（著作物の利用を許諾したり禁止する権利）

著作権（財産権）（著作物の利用を許諾したり禁止する権利）	複製権（21条）	著作物を印刷，写真，複写，録音，録画その他の方法により有形的に再製する権利
	上演権・演奏権（22条）	著作物を公にし上演し，演奏する権利
	上映権（22条の2）	著作物を公に上映する権利
	公衆送信権等（23条）	著作物を公衆送信し，あるいは，公衆送信された著作物を公に伝達する権利
	口述権（24条）	著作物を口頭で公に伝える権利
	展示権（25条）	美術の著作物又は未発行の写真の著作物を原作品により公に展示する権利
	頒布権（26条）	映画の著作物をその複製物の譲渡又は貸与により公衆に提供する権利
	譲渡権（26条の2）	映画の著作物を除く著作物をその原作品又は複製物の譲渡により公衆に提供する権利（一旦適法に譲渡された著作物のその後の譲渡には，譲渡権が及ばない）
	貸与権（26条の3）	映画の著作物を除く著作物をその複製物の貸与により公衆に提供する権利
	翻訳権・翻案権等（27条）	著作物を翻訳し，編曲し，変形し，脚色し，映画化し，その他翻案する権利
	二次的著作物の利用に関する権利（28条）	翻訳物，翻案物などの二次的著作物を利用する権利

出典：文化庁「著作者の権利の内容について」
https://www.bunka.go.jp/seisaku/chosakuken/seidokaisetsu/gaiyo/kenrinaiyo.html/

権，頒布権，譲渡権，貸与権，翻訳・翻案権，二次的著作物利用権）に大別される．また，実演家，レコード製作者，放送事業者には，著作隣接権者として，一定の権利が認められる．そして，権利者以外の者が，著作権が認められているような行為（複製，上演，演奏，上映，公衆送信等）を行う場合には，著作者の許諾をとる必要がある．

▶権利制限規定

　著作権は，権利者の利益を侵さない範囲で，一定の場合に権利が制限されて

おり（権利制限規定：第30条以下），私的使用のための複製，引用，その他（図書館，教育分野等での例外）に該当する場合には，許諾なしで著作物を利用することができる．コンピュータやネットワークにおける著作権の利用において問題になりやすいものとして，私的使用のための複製（第30条）と，引用（第32条）がある．

　私的使用のための複製については，著作権の目的となっている著作物を「個人的に又は家庭内その他これに準ずる限られた範囲内において使用することを目的とするとき」は，自動複製機器，コピープロテクトの解除，海賊版ダウンロード等にあたる場合を除き，「その使用する者が複製することができる」と規定されている．例えば，CDに録音されている音楽を，PCやスマートフォンにコピーして聴くことが許容される．また，公表された著作物は，引用して利用することができる．ただし，「公正な慣行に合致するものであり，かつ，報道，批評，研究その他の引用の目的上正当な範囲内で行なわれるものでなければならない」とされている．

　権利制限規定に該当しないのであれば，他人の著作物（コンテンツ）をネットワーク上で提供しようとするような場合には，権利者からの許諾を得るなどの権利処理を行う必要がある．コンテンツ流通が健全に発展するためには，著作権が適切に保護されることに加えて，著作者以外の者が利用する際のルールが整備されることが不可欠である．インターネットの急速な発展と普及によって，コンテンツ流通の環境も大きく変化しており，それに対応することが課題となっている．新しい利用形態については，権利者の利益を損なわないことが重要なのはもちろん，情報の利用自体が萎縮してしまわないような配慮も必要であろう[100]．

▶ デジタル化・ネットワーク化に対応する規定

　わが国の著作権法は，権利が認められる著作物の種類と権利内容を具体的に列挙している．したがって，法が想定していない新たな著作物が現れた場合に

---

[100] デジタル技術によって著作権が岐路にさしかかっているという視点を明確に示している著作権法の体系書として，中山信弘『著作権法』（有斐閣，第2版，2014）がある．

は，規定を改正して対応する必要がある．インターネットについても，例えば，ネットワーク上で自分の著作物を勝手に公開されたような場合等の扱いは必ずしも明確とはいえなかった．

そこで，1997年の著作権法改正によって，「自動公衆送信権」等の権利に関する規定が整備されている．インターネットに接続されているサーバに他人の著作物をアップロードする行為は，著作物のサーバへの複製に当たるため，著作者の複製権を侵害するとともに，自動公衆送信をし得る行為に当たるため，送信可能化権を侵害することになる（著作権法第21条，著作権法第23条，第2条第1項第9号の5）．そして，著作権者の許諾なく，インターネット上で公表することは，自動公衆送信権の侵害となる（著作権法第23条，第2条第1項第9号の5）．このような著作権侵害に対して，著作権者は損害賠償と差止めを求めることができる．

著作者の権利保護のためには，複製や流通を制限するなどの技術的保護手段も重要である．1999年の改正により，著作権法に技術的保護手段に関する規定も盛り込まれている．技術的保護手段の回避により可能となった複製は私的使用のための複製とは認められず（著作権法第30条第1項第2号），技術的保護手段の回避専用装置等の公衆への譲渡等が処罰の対象となっている（著作権法第120条の2）．当初は，暗号化によって著作物の視聴等に一定の条件（専用機器の使用等）を要求する技術は技術的保護手段には該当しないと考えられていたが，2012年の改正によって，このような暗号方式による制御も技術的保護手段に追加されている（第2条第1項第21号）．これによって，専用端末以外で視聴できない仕様になっているDVDなどの複製も，私的使用のための複製とは認められなくなった．

さらに，環太平洋パートナーシップ協定の締結にともない行われた2018年の著作権法改正では，上記のようなコピーコントロールに加えて，アクセスコントロール機能のみを有する保護技術についても，「技術的利用制限手段」として定義し（第2条第1項第22号），これを回避する行為は著作権等を侵害する行為とみなされることとなった（第120条の2）．

なお，不正競争防止法においては，コンテンツの利用を「技術的制限手段の効果を妨げることにより可能とする機能を有する装置」等の提供行為が不正競

争の類型の一つ（不正競争防止法第2条第1項第10項及び第11項）として，差止請求（第3条），損害賠償請求（第4条）の対象となっている[101].

3-3-3　デジタル・ネットワークと著作権

▶コンピュータ処理と複製

　コンピュータは，情報の処理を行う際に情報の複製をコンピュータ内部で繰り返している．インターネットを介して情報を伝達する行為は，ネットワークを構成する複数のコンピュータ（ルータやサーバ）に情報を次々と複製していく過程にほかならない．したがって，形式的に考えれば，著作物をコンピュータで処理することはすべて複製権侵害になりうる．

　従来，コンピュータやネットワークにおいて行われる一時的蓄積については，「（コンピュータの）内部記憶装置における著作物の貯蔵は，瞬間的かつ過渡的で直ちに消え去るものであるため，著作物を内部記憶装置へたくわえる行為を著作物の『複製』に該当すると解することはできない[102]」との考え方が取られてきた[103].

　このような蓄積は，一般に「キャッシング」と呼ばれ，欧米諸国においてはどのような場合にこのようなキャッシングが許されるかについて，判例の蓄積や立法によってある程度明確にされてきた[104].

　一時的蓄積として認められるのが，瞬間的かつ過渡的で直ちに消え去る「複

101）この技術的制限手段にはアクセスコントロール技術も含まれる．なお，技術的制限手段の回避以外の機能を有するが，広く回避手段として使われている装置等も存在する．これらの装置等はこの規制の対象とならないため，要件を見直すべきであるという意見もあるが，対象範囲の明確化等が適正かつ十分できるかどうかについて疑問が示されている（産業構造審議会知的財産政策部会「技術的制限手段に係る不正競争防止法の見直しの方向性について（案）」（平成12年12月）参照）．

102）文化庁著作権審議会第2小委員会（コンピューター関係）報告書（昭和48年6月）．

103）東京地判平12・5・16判時1751号128頁①事件判タ1057号221頁（スターデジオ事件）は，「著作権法上の『複製』，すなわち，『有形的な再製』に当たるというためには，将来反復して使用される可能性のある形態の再製物を作成するものであることが必要であると解すべきである」として，音楽データが受信チューナーのRAMに蓄積される過程は，一般的なコンピュータのRAMにおけるデータ等の蓄積と同様に一時的・過渡的なものであり，著作権法上の『複製』には該当しないという判断を示している．

製」に該当しないものだけであるとすると，一定期間保存される場合には該当しないことになる．例えば，グーグルのような検索サービス事業者が，高速に検索を行うために，インターネット上のコンテンツについて事前に情報収集してデータベース化する行為も，著作権法上問題とされうるという指摘があった[105]．

　この問題については，文化庁文化審議会著作権分科会法制問題小委員会でも，現行法の解釈・運用によっては，検索エンジンに関する法的リスクを完全に払拭することができないおそれがあるという認識が示されていた[106]．これを受けて，2009年の著作権法改正（2010年1月施行）においては，インターネットで情報検索サービスを実施するための複製等（著作権法第47条の6），送信の効率化等のための複製（第47条の5），電子機器利用時に必要な複製（第47条の8）等について，著作権侵害とならないための要件が明確化されている．

▶権利制限規定の拡大

　技術の発展によって出現する新たな利用形態について，常に権利制限規定の立法による対処を行うことは難しいのではないかという意見もあり，米国のフェアユース規定[107]のような著作権制限に関する一般規定を導入すべきであるという意見もある．

104）米国では，一時的蓄積は複製に該当すると考えられており（MAI Systems Corporation v. Peak Computer Inc., 991 F. 2d 511〈9th Cir. 1993〉.)，フェアユース等と認められるかどうかについて個別に判断されてきた．デジタルミレニアム著作権法で，オンライン・サービスプロバイダが行う「キャッシングのための中間的かつ一時的蓄積」を免責する規定がおかれている（512条（b))．また，EU著作権指令（Directive 2001/29/EC of the European Parliament and of the Council of 22 May 2001 on the harmonisation of certain aspects of copyright and related rights in the information society.) でも，「一時的（temporary)」な複製を権利の対象としているが（2条)，過渡的または付随的（transient or incidental）であり，技術的プロセスの不可欠で主要な部分をなし，媒介者による第三者間のネットワークにおける配信または適法な使用を可能にするためのものであってそれによって直接経済的利益がもたらされない場合には，複製権の侵害とすべきでない旨を規定しており（5条)，この規定は2019年の新指令（Directive (EU) 2019/790）成立後も維持されている．

105）インターネット上のコンテンツの所在を検索するために用いられる「検索エンジンサービス」では，情報を収集する自動的なプログラム（「クローラー」と呼ばれる）がインターネット上の著作物を間断なく収集し，その著作物（の一部）を複製して一時的に記録し，サーバに格納，解析データベース化するとともに，リクエストに応じてその情報（の一部）を検索結果として表示している．

106）文化庁文化審議会著作権分科会法制問題小委員会「中間とりまとめ」（平成19年10月12日）．

知的財産戦略本部では，2008年3月から「デジタル・ネット時代における知財制度専門調査会」を設置して，「近年のデジタル技術の発展やネットワーク化の浸透に対応した知財制度の課題と対応の在り方」に関する検討を行ってきた．2008年11月に公表した「デジタル・ネット時代における知財制度の在り方について（報告）」（平成20年11月27日）では，「個別の限定列挙方式による権利制限規定に加え，権利者の利益を不当に害しないと認められる一定の範囲内で，公正な利用を包括的に許容し得る権利制限の一般規定（日本版フェアユース規定）を導入することが適当である」と結論づけた．しかし，適用範囲の広い権利制限規定に対しては権利者の反対も強く，現在のところ一般規定と呼べるものは導入されていないといってよい．

2012年の著作権法改正では，「付随対象著作物（第30条の2）」，「検討の過程における利用（第30条の3）」，「技術の開発又は実用化のための試験の用に供するための利用（第30条の4）」，「情報通信技術を利用した情報提供の準備に必要な情報処理のための利用（第47条の9）」が権利制限規定として追加されている．

さらに2018年改正では，「柔軟な権利制限規定」として，「著作物に表現された思想又は感情の享受を目的としない利用（第34条の4）」「電子計算機における著作物の利用に付随する利用等（第47条の4）」「電子計算機による情報処理及びその結果の提供に付随する軽微利用（第47条の5）」が整備された．この改正によって，所在検索サービス（例：書籍情報の検索における著作物の一部表示）や，情報解析サービス（例：論文の盗用の検証）が可能になると説明されている[108]．

▶違法複製物のダウンロード

インターネット上では，違法複製されたコンテンツが大量に公開されており，容易にダウンロードができる．例えば，ファイル交換ソフトや違法サイト（いわゆる海賊版サイト）から楽曲や動画をダウンロードする行為は，そのファイ

---

[107] 17 U.S.C. § 107. 「批評，論評，報道，教授（教室での複数のコピーを含む），研究，調査といった目的で行われる著作物のフェアユースは，複写や録音による複製など著作権侵害として規定される手段によるものであっても，著作権侵害とならない」．

[108] 文化庁著作権課「デジタル化・ネットワーク化の進展に対応した柔軟な権利制限規定に関する基本的な考え方（著作権法第30条の4，第47条の4及び第47条の5関係）」令和元年10月24日（2019）2頁.

ルをプライベートに楽しんでいるだけであれば，私的使用のための複製（著作権法第30条1項）であるとして著作権侵害にならないとされていた．このことが，違法複製物の氾濫を招いているとして，権利者からは，このようなダウンロードを権利制限規定から除外する法改正が求められていた．

2009年の著作権法改正では，違法なインターネット配信による音楽・映像を違法と知りながら複製することを私的使用目的でも権利侵害とすることが規定されている（著作権法第30条第1項第3号）．当初は刑事罰の対象とはなっておらず民事上の責任のみが追求され得ることになっていたが，2012年の著作権法改正によって「有償で公衆に提供され，又は提示されている」有償著作物等の録音・録画に関しては，刑事罰が科されるようになっている（第119条第3項）．

2018年には海賊版の漫画を提供するサイトである「漫画村[109]」が注目を集め，その対策が議論された．このような対策の一つとして，漫画のような静止画についても違法複製物のダウンロードを違法化すべきではないかという意見があり，文化庁は2019年11月29日に「侵害コンテンツのダウンロード違法化の制度設計等に関する検討会」を設置して検討を開始している．しかし，静止画は，音楽や動画に比べて違法複製物の範囲を明確にすることが難しく，インターネット上でのコンテンツの利用を過度に萎縮させないような配慮が不可欠である．

なお，海賊版対策については，こうしたコンテンツを提供するサイトに対して児童ポルノ対策で行われているようなブロッキングを行うことの是非も議論された．ブロッキングは通信の秘密の侵害となるが，児童ポルノに関しては，被害児童に取り返しのつかない被害を与えることから緊急避難が認められるという議論があった[110]．海賊版サイトによる著作権侵害には，このような事情が認められないため，通信の秘密の侵害として認められないと考えられる．

▶テレビ番組と権利処理

わが国のテレビ局では，諸外国と比較して自社製作の番組が活発に製作され

109）登録や利用料金なしで利用できる漫画サイトであり，開設期間は2016年1月から2018年4月とされる．
110）児童ポルノのブロッキングについては，「3-2-3　青少年保護と有害情報」参照．

ている．こうしたテレビ番組をインターネットで見たいという潜在的ニーズは大きい．しかし，テレビ番組の製作においては，通常テレビ放送をするための権利処理しかされておらず[111]，インターネットで流通させる際には，別途権利処理が必要な場合が多いとされていた．

　そのため，ネット配信しようとすると，権利処理を行わなくてはならない相手（権利者）が多く，処理にかかるコストが膨大になるといわれている．このような処理を効率的に行うために，関係権利者との契約関係の見直しや権利者情報のデータベース化が検討されているが，現在のところ本格的なネットでの二次利用の障害となっている場合も多い．

　テレビ番組のネット送信に関する法改正としては，IPマルチキャスト方式によるテレビ番組の送信に関する権利処理を容易にするために，2006年に著作権法が改正されている．IPマルチキャスト方式とは，IP網を利用してケーブルテレビと同じように放送番組の送信を行うもので，この方式による伝送は，著作権法における放送ではないため，テレビ番組の再送信を行うことが困難であるとされていた．2006年に著作権法が改正され，権利処理が，区域内の同時再送信に限りケーブルテレビ並みに容易になった．しかし，その区域の放送局が同じ時間に放送していない番組の配信や，VOD（ビデオ・オン・デマンド）方式による配信については，従来どおりの権利処理が必要になる．

　ただし，最近では，NHKや民放各社がインターネットでのコンテンツ配信を開始するなどの積極的な取組みもされている[112]．

111）テレビ番組は映画の著作物である．著作権法第29条第1項に，映画の著作物の著作権は製作者に帰属する旨の規定がある．しかし，同条第2項（有線放送の場合は第3項）で，放送事業者が制作するテレビ番組については，放送事業者の権利が放送等を行うことだけに限定されている．また，著作権法は，実演家が放送に出演することを許諾しても，その実演を録音・録画したことを許諾したことにはならないと定めている（第103条が第63条第4項を準用）．したがって，放送以外の利用をするためには，別途許諾を取らなければならず，実務上の契約や慣習もそのようになっている．
112）放送事業者による番組のインターネット配信については，「2-1-3　通信と放送の融合」参照．

3-4-1　プライバシーと個人情報保護

▶ デジタル・ネットワークと個人情報

　現在では，「個人情報の漏洩」がニュースで報じられることも多く，個人情報保護が重要であるという認識がかなり浸透している．しかし，わが国において，個人情報が重要視されるようになったのは，それほど昔のことではない．個人情報を保護しなくてはならないという意識は，1990年代後半から急速に高まったといってよい．それ以前に，例えば企業の個人情報漏洩が新聞等で報じられることはほとんどなかったが，それは，漏洩がなかったからではなく，ニュースとして関心を持たれなかったからである．

　デジタル・ネットワークが広く普及している現在では，一度公開された情報は，あとから完全に消し去ることができない．自分が知らないうちに，思いもかけないような形で自分のことを知られてしまうことには，恐怖や不安を感じる人も多いであろう．自分のことを誰が知っているかわからない．思いもかけない人が，自分に悪意を持ったり陥れようとしたりする．自分がどんな人間かを調べて，騙そうとする者がいる．コンピュータに蓄積され，ネットワークに接続されると，個人情報の使われ方が計りしれない広がりを持つことになる．政府や企業における個人情報の取扱いに，慎重さが求められるのは当然である．

　しかし一方で，自分のことを他人に知ってもらうということは，社会のなかで生きていくために不可欠なことである．人間は一人では生きていけない．本来，個人情報というのは，日々の経済活動であまり意識されることなく使われているものである．宅配便も，クレジットカードも，事業者が個人情報を持っていなければ成り立たないサービスである．こうしたサービスにおける個人情報の利用は，本人にとってもメリットになっている．

　ビッグデータが注目を集め，さまざまなデータの活用が社会全体に役立つことが期待されるなかで，どのようなルールが望ましいか，現在も検討が続けら

れている.

▶ プライバシー権とは

　個人情報保護は，プライバシーと密接な関連のある概念である．個人情報は，プライバシーのために保護しなくてはならないという言い方をされることもある．しかし，個人情報保護とプライバシー保護は完全に同じことを指しているわけではない.

　プライバシー権とは，米国において19世紀の末から「一人にしておかれる権利 (right to be let alone)」として確立してきた権利である．この権利を提唱したウォーレンとブランダイスが念頭に置いていたのは，例えばイエロージャーナリズムによる私事のスキャンダラスな報道であって，このようなことを書き立てられない自由というものを法的に保障すべきであると主張された[113]．米国では，20世紀に入ると判例や各州の立法によってプライバシーの権利が認められるようになり，1960年には，プロッサーが判例上認められているプライバシーの権利侵害を，(1) 他人の干渉を受けずにおくっている隔離された私生活への侵入，(2) 他人に知られたくない事実の公表，(3) 一般の人に誤った印象を与えるような事実の公表，(4) 営利目的での氏名や肖像などの不正利用，の4類型に分類している[114]．プロッサー自身が指摘しているように，各類型の間には「一人にしておかれる権利」の侵害であるという以外の共通点がなく，プライバシー権の概念が，このような伝統的な意味合いにおいてすでに多義的であったことを示している.

　政府や大企業にコンピュータが導入され大量の個人情報が取り扱われるようになった1960年代から，自分の知らないところで自分に関する情報が収集作成されることがプライバシーの侵害につながるという考え方が現れてきた．デジタル情報は，大量の情報を一括処理して，情報どうしを掛け合わせた処理を行うことができる．コンピュータ上の個人情報は，大量蓄積，検索，並び替

---

[113] Samuel D. Warren & Louis D. Brandies, *The Right to Privacy*, 4 HARV L.REV. 193 (1890). 邦訳として，外間寛訳「プライヴァシーの権利」戒能通孝・伊藤正己『プライヴァシー研究』(日本評論新社，1962) 1頁以下.
[114] William L. Prosser, *Privacy*, 48 CAL. L. REV. 383 (1960).

え，他のデータとの結合等が容易であるため，情報が拡散・集積すると思わぬ個人情報が作成されるおそれがある．ひとつひとつは些末な情報であっても，大量の情報をマッチングすることによって，詳細な個人のプロフィールを作ることができる．このような利用についても本人の権利を及ばせるべきではないかという主張が有力になってきた[115]．プライバシー権について，従来の権利（一人にしておかれる権利）に加えさらに積極的な権利論として，自己に関する情報について何らかのコントロールを及ぼす権利（自己情報コントロール権）に代表されるような現代的プライバシー権の議論がされるようになったのである[116]．

　わが国の憲法においても，包括的基本権（第13条）を根拠とする新しい人権として，「プライバシー権」が保障されるという点ではほぼ争いがない．しかし，憲法上のプライバシー権として，どのような内容の権利が保障されているかについては見解が分かれている[117]．また，私人によってプライバシー侵害がなされた場合には，憲法上の基本権は直接適用されず，私法の一般条項（民

---

[115] ALAN F. WESTIN, PRIVACY AND FREEDOM 7 (1967).

[116] このようなプライバシー権の生成過程については，石井夏生利『個人情報保護法の理念と現代的課題―プライバシー権の歴史と国際的視点』（勁草書房，2008），新保史生『プライバシーの権利の生成と展開』（成文堂，2000）を参照．また，プライバシー権に関する議論を再検討し，現代におけるプライバシー権の類型化を提唱したものとして，DANIEL J. SOLOVE, UNDERSTANDING PRIVACY (2008). 邦訳として，大谷卓史訳『プライバシーの新理論―概念と法の再考』（みすず書房，2013）が注目されている．海外の議論を紹介しているものとして，宮下紘『プライバシー権の復権』（中央大学出版部，2015），村上康二郎『現代情報社会におけるプライバシー・個人情報の保護』（日本評論社，2017）も参照．

[117] 伝統的なプライバシー権ともいうべき「一人にしておかれる権利」に関しては，憲法上の保護が認められると考えられている．また，「自己情報コントロール権」も，憲法上の基本権として保護されるとする学説が有力である．ただし，コントロールされるべき権利としては，「個人の心身の基本に関する情報（いわゆるセンシティブ情報），すなわち，思想・信条，精神・身体に関する基本情報，重大な社会的差別の原因となる情報」だけを想定する考え方と，情報の種類にかかわらず広く保護を認めるべきとする考え方がありうる（芦部信喜『憲法学II人権総論』（有斐閣，1994）378頁以下）．なお，プライバシーと呼ばれるものは，個別の情報そのものに内在的に存在するものではなく，それぞれ個別の状況の下で初めて保護すべき対象となる面がある．このような考え方からプライバシー権をより実態に近い形で捉えたものとして，「人間が多様な社会関係に応じて，多様な自己イメージを使い分ける自由」と位置づける見解（棟居快行『人権論の新構成』（信山社出版，1992）213頁）や，「他者による評価の対象となることのない生活状況又は人間関係が確保されている状態に対する正当な要求又は主張」であるとする見解（阪本昌成『プライヴァシー権論』（日本評論社，1986）7頁）等がある．これらの見解は，相対的で主観に左右される面があるプライバシー権の特徴を，それぞれによく捉えていると考えられる．しかし，プライバシーとして観念されているものの実態に即した定義付けを行うことによって，むしろ人権保障の範囲を明確に確定することが難しくなる可能性もある．

法第90条等）に憲法の趣旨を取り込んで解釈・適用することによって間接的に保護されるべきとするのが通説・判例の立場である[118]．つまり，プライバシー侵害に該当する行為について，司法上の救済（契約無効や不法行為）によって，保護されるということになる[119]．そして，わが国において，プライバシー侵害について民法上の不法行為責任が裁判上認められていることは，すでに見たとおりである[120]．

► 自己情報コントロール権と個人情報保護

伝統的なプライバシー概念が想定していたのは，「これは人に知られたくないだろう」というコンセンサスが得られるような情報であった．典型的な例として男女の性的関係などが挙げられる[121]．しかし，このような事柄に必ずしも当たらなくても，場合によっては知られたくない情報や，使われ方によっては保有して欲しくない情報もある．自己情報コントロール権は，本来このような要望を満たすための権利として提唱されたものである．

しかし，世間一般には知られたくない事柄であっても，特定の間柄では周知という情報は，いくらでも存在する．また，知られたくない事柄自体も，社会状況その他本人のおかれている環境によって変化し得る．もし，自己情報コントロール権を法的な権利として認めるとしても，特に私人間においては権利主張できる場面はかなり限定的になる．

その一方で，情報化の進展によって，個人情報が思わぬ使われ方をされてしまうことへの懸念はいっそう高まっている．情報の集積や拡散が容易になってくると，一度広まった情報を後からなかったことにすることも困難になる．こうした懸念に対処するためには，個人に関する情報の扱いについて，本人の意思に反する利用を抑制し，弊害や危険の大きな行為類型を制限することで，弊害を予防したり，解消したりするアプローチが考えられる．個人情報保護制度

118）芦部信喜『憲法』〈岩波書店，第7版，2019〉113頁．
119）プライバシー侵害に関する不法行為責任を考える際に，憲法上の人権を基礎とする必要性があるかどうかについても，疑問を提起する見解がある（五十嵐清『人格権法概説』（有斐閣，2003）16-19頁）．
120）「3-1-4　情報発信と法的責任」参照．
121）戒能通孝・伊藤正己『プライヴァシー研究』（日本評論新社，1962）1-4頁参照．

は，このような観点から整備されてきたものである．

3-4-2　個人情報保護法

►成立の背景

　わが国では，1988年に「行政機関の保有する電子計算機処理に係る個人情報の保護に関する法律」が制定されているが，対象が政府の保有する個人情報に限られていた．民間の保有する情報については，主として各省庁・業界団体のガイドラインや地方自治体の条例に委ねられてきた．

　しかし，1990年代の後半には，個人情報の利用について意識の変化が生じてきた．その背景にあるのは，デジタル・ネットワークの普及である．ネットワーク上で個人情報が公開された場合にはその影響力も大きい．公開と同時に瞬時に行き渡り誰でも容易にコピーが可能となるため，ひとたび被害が起これ ばその回復も困難になる．PCや携帯電話からインターネットへの接続が容易 になったことで，このような傾向が強まってきたのである．

　また，1999年8月に住民基本台帳法が改正され，住民基本台帳情報のネットワーク化が進められることとなったが，この議論のなかではデジタル化，ネットワーク化によるプライバシー侵害が最も懸念された．そして，改正法には，「この法律の施行に当たっては，政府は，個人情報の保護に万全を期するため，速やかに，所要の措置を講ずるものとする」という附則が加えられている[122]．

　さらに，1995年に採択されたEU個人データ保護指令では，個人情報の流通を伴う取引について，EUの構成国以外の国にも十分なレベルの個人情報保護が確保されていることを求める条項が盛り込まれており，国際的に個人情報の強い保護を求めたものと受け止められた[123]．

　このような，個人情報保護に対する要請の高まりを受けて，1999年から立法化の検討が始められ[124]，2003年5月には，「個人情報の有用性に配慮しつ

---

[122]　平成11年8月18日法律第133号附則第1条第2項．
[123]　「3-4-4　諸外国の個人情報保護制度」参照．

図表3-8 個人情報保護制度の枠組み

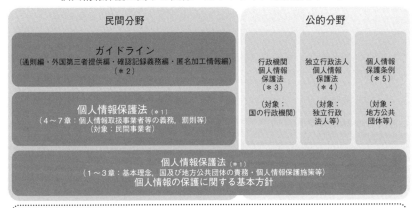

個人情報保護に関する法律・ガイドラインの体系イメージ

民間分野		公的分野		
ガイドライン （通則編・外国第三者提供編・確認記録義務編・匿名加工情報編） （＊2）		行政機関 個人情報 保護法 （＊3） （対象： 国の行政機関）	独立行政法人 個人情報 保護法 （＊4） （対象： 独立行政 法人等）	個人情報 保護条例 （＊5） （対象： 地方公共 団体等）
個人情報保護法（＊1） （4～7章：個人情報取扱事業者等の義務，罰則等） （対象：民間事業者）				
個人情報保護法（＊1） （1～3章：基本理念，国及び地方公共団体の責務・個人情報保護施策等） **個人情報の保護に関する基本方針**				

（＊1）個人情報の保護に関する法律
（＊2）金融関連分野・医療関連分野・情報通信関連分野等においては，別途のガイドライン等がある．
（＊3）行政機関の保有する個人情報の保護に関する法律
（＊4）独立行政法人等の保有する個人情報の保護に関する法律
（＊5）個人情報保護条例の中には，公的分野における個人情報の取扱いに関する各種規定に加えて，
　　　事業者の一般的責務等に関する規定や，地方公共団体の施策への協力に関する規定等を設けて
　　　いるものもある．

出典：個人情報保護委員会『個人情報保護に関する法律・ガイドラインの体系イメージ』http://www.ppc.go.jp/files/pdf/personal_framework.pdf

つ，個人の権利利益を保護することを目的」（第1条）とする個人情報保護法が成立している．さらに，2015年には，個人情報を取り巻く環境の変化に対応するために[125]，大幅な制度見直しがなされた．

▶個人情報保護法の概要

個人情報保護法は，個人情報保護に関する基本法制（わが国の個人情報保護に関する基本的な考え方等を示したもの）であるとともに，一定の個人情報を保有する

---

[124] 1999年11月には，高度情報通信社会推進本部個人情報保護検討部会（座長：堀部政男中央大学教授〈当時〉）によって，包括的な立法と個別分野における規制によって，総合的に個人情報保護に関する制度を整備して行くべきとする方針が打ち出された．これを受けて，情報通信技術（IT）戦略本部に個人情報保護法制化専門委員会（委員長：園部逸夫元最高裁判所裁判官）が設置され，2000年10月11日には「個人情報保護基本法制に関する大綱」が公表されている．

[125] 高度情報通信ネットワーク社会推進戦略本部「パーソナルデータの利活用に関する制度改正大綱」（平成26年6月24日）5頁．

事業者(「個人情報取扱事業者」)に対する規制を定めた法律でもある[126].

　個人情報保護法によって規制を受ける個人情報取扱事業者は,「個人情報データベース等」を事業の用に供している事業者である(第2条第3項)[127]. ここでいう「個人情報データベース等」とは, 個人情報を含む情報の集合体であって, 特定の個人情報を電子計算機等によって「検索することができるように体系的に構成したもの」をいう(第2条第2項)[128]. そして, 個人情報は, 生存する個人に関する情報であって,「当該情報に含まれる氏名, 生年月日その他の記述等により特定の個人を識別することができるもの(他の情報と容易に照合することができ, それにより特定の個人を識別することができることとなるものを含む)」か,「個人識別符号[129]が含まれるもの」のいずれかに該当するものと定義されている(第2条第1項).「特定の個人を識別できる」とは, その情報が誰に関するものかがわかり, リアルな本人と一対一で結びつくということである.

　個人情報取扱事業者の扱う個人情報は, 置かれている状態によって, 個人情報(特定の個人を識別できる情報全般), 個人データ(個人情報データベース等を構成する個人情報), 保有個人データ(6カ月を超えて保有される個人データ)に区分されている(第2条). そして, 個人情報全般に関しては利用目的の特定(第15条), 利用目的による制限(第16条), 適正な取得(第17条), 取得に際しての利用目的の通知・公表(第18条), 苦情の処理(第35条)が, 個人データに関してはデータの正確性・最新性の確保(第19条)[130], 安全管理措置(第20条), 従業者の監督(第21

---

[126] 個人情報保護法については数多くの解説書があるが, 代表的なものとして, 宇賀克也『個人情報保護法の逐条解説』(有斐閣, 第6版, 2018), 岡村久道『個人情報保護法』(商事法務, 第3版, 2017)等がある. 特に2015年改正の解説としては, 日置巴美・板倉陽一郎『個人情報保護法のしくみ』(商事法務, 2017), 瓜生和久『一問一答　平成27年改正個人情報保護法』(商事法務, 2015)を参照.

[127] 以前は, 5,000件を超える「個人情報データベース等」を事業の用に供している事業者が個人情報取扱事業者とされていたが, 2015年改正によって小規模事業者の適用除外が廃止されている.

[128] ただし,「利用方法からみて個人の権利利益を害するおそれが少ないものとして政令で定めるもの」は除外される.

[129] 「個人識別符号」とは, 特定の個人の身体の一部の特徴をデジタル化して特定の個人を識別することができるようにした文字, 番号記号その他の符号や, 特定個人を識別できるようにするために発行された文字, 番号記号その他の符号のうち, 政令で定めるものをいう(第2条第2項).

[130] 2015年改正によって, 努力義務として, 利用する必要がなくなった時は遅滞なく消去することが求められるようになった(第19条).

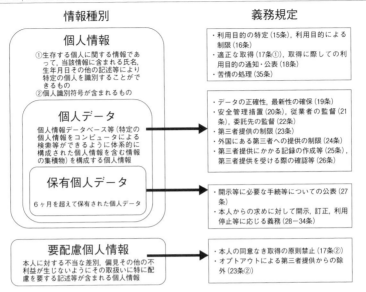

図表3-9 個人情報取扱事業者の義務

情報種別

個人情報
①生存する個人に関する情報であって、当該情報に含まれる氏名、生年月日その他の記述等により特定の個人を識別することができるもの
②個人識別符号が含まれるもの

個人データ
個人情報データベース等（特定の個人情報をコンピュータによる検索等ができるように体系的に構成された個人情報を含む情報の集積物）を構成する個人情報

保有個人データ
6ヶ月を超えて保有された個人データ

要配慮個人情報
本人に対する不当な差別、偏見その他の不利益が生じないようにその取扱いに特に配慮を要する記述等が含まれる個人情報

義務規定

・利用目的の特定（15条）、利用目的による制限（16条）
・適正な取得（17条①）、取得に際しての利用目的の通知・公表（18条）
・苦情の処理（35条）

・データの正確性、最新性の確保（19条）
・安全管理措置（20条）、従業者の監督（21条）、委託先の監督（22条）
・第三者提供の制限（23条）
・外国にある第三者への提供の制限（24条）
・第三者提供にかかる記録の作成等（25条）、第三者提供を受ける際の確認等（26条）

・開示等に必要な手続等についての公表（27条）
・本人からの求めに対して開示、訂正、利用停止等に応じる義務（28−34条）

・本人の同意なき取得の原則禁止（17条②）
・オプトアウトによる第三者提供からの除外（23条②）

出典：個人情報保護法の条文をもとに作成

条）、委託先の監督（第22条）、第三者提供の原則禁止（第23条）等が、保有個人データに関しては開示等に必要な手続等についての公表（第27条）、本人からの請求[131]に対して開示・訂正・利用停止等に応じる義務（第28‐34条）が、それぞれ個人情報取扱事業者の義務として定められている。

　なお、2015年の法改正によって、不当な差別等につながりやすいとされる「要配慮個人情報[132]」に関しては、本人の同意を得ない取得が原則として禁止されている（第17条第2項）。

　2015年の法改正によって、個人情報保護に関する独立した第三者機関として「個人情報保護委員会」が設立されており、個人情報取扱事業者に対する監督は、この個人情報保護委員会によって行われることになった[133]。個人情報

131）2015年改正によって、開示等について本人が法的請求権を持つことが条文上明確にされた。
132）要配慮個人情報とは、「本人の人種、信条、社会的身分、病歴、犯罪の経歴、犯罪により害を被った事実その他本人に対する不当な差別、偏見その他の不利益が生じないようにその取扱いに特に配慮を要するものとして政令で定める記述等が含まれる個人情報」をいう（第2条第3項）。

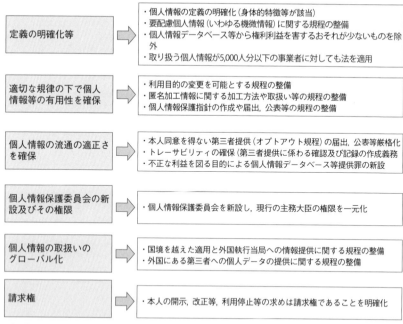

図表3-10 個人情報保護法2015年改正の概要

定義の明確化等	⇒	・個人情報の定義の明確化（身体的特徴等が該当） ・要配慮個人情報（いわゆる機微情報）に関する規程の整備 ・個人情報データベース等から権利利益を害するおそれが少ないものを除外 ・取り扱う個人情報が5,000人分以下の事業者に対しても法を適用
適切な規律の下で個人情報等の有用性を確保	⇒	・利用目的の変更を可能とする規程の整備 ・匿名加工情報に関する加工方法や取扱い等の規程の整備 ・個人情報保護指針の作成や届出，公表等の規程の整備
個人情報の流通の適正さを確保	⇒	・本人同意を得ない第三者提供（オプトアウト規程）の届出，公表等厳格化 ・トレーサビリティの確保（第三者提供に係わる確認及び記録の作成義務） ・不正な利益を図る目的による個人情報データベース等提供罪の新設
個人情報保護委員会の新設及びその権限	⇒	・個人情報保護委員会を新設し，現行の主務大臣の権限を一元化
個人情報の取扱いのグローバル化	⇒	・国境を越えた適用と外国執行当局への情報提供に関する規程の整備 ・外国にある第三者への個人データの提供に関する規程の整備
請求権	⇒	・本人の開示，改正等，利用停止等の求めは請求権であることを明確化

出典：個人情報保護委員会「個人情報の保護に関する法律及び行政手続における特定の個人を識別するための番号の利用等に関する法律の一部を改正する法律（平成27年9月3日成立・同月9日公布）の概要」

　保護委員会は，必要に応じて，報告の徴収や立入検査（第40条），指導および助言（第41条）を行うことができる．また，個人情報取扱事業者に義務違反があった場合には，勧告および命令（第42条）を行い得ることとなっており，この命令に従わない場合（第84条：6月以下の懲役または30万円以下の罰金）や報告に虚偽・懈怠があった場合（第85条：30万円以下の罰金）については処罰規定があり，法人等の業務に際して従業員が行った場合には法人に対しても罰金刑が科せられる（第87条）．

₁₃₃₎ 2015年5月30日以降．それ以前は，それぞれの個人情報取り扱い事業者が属する事業分野の主務大臣が監督を行っていた．

► 目的外利用・第三者提供

　個人情報取扱事業者は取り扱う個人情報について，利用できる目的をできる限り特定し（第15条），公表等すること（第18条）とその目的の範囲で利用すること（第16条）が求められる．ただし，個人情報を収集した事業者が，その事業者内で利用する場合には，特に本人の同意等は求められていない．

　これは，「個人情報の有用性を過度に減殺しないために，利用方法，利用目的自体を規制するのではなく，利用目的の通知または公表を契機とする本人等からの苦情等を通じて，個人情報の適正な利用を確保することを基本方針[134]」としたためであると考えられる[135]．不適正な取得（第17条第1項）や，他の法令に抵触する利用は許されないが，利用目的の範囲についての制約は少なく，情報の収集と収集した事業者の内部利用に関しては，法律上の自由度が高い．

　しかし，事後的に当初の目的と「関連性を有すると合理的に認められる範囲を超えて（第15条第2項）」利用目的を変更するのであれば本人の同意が必要となる（第16条第2項）．また，個人データの第三者提供には本人の同意が必要だが，法令に基づく場合や緊急性等がある場合（第23条第1項），オプトアウト（第23条第2項），委託先への提供（第23条第4項第1号），事業承継（第23条第4項第2号），共同利用（第23条第4項第3号）は，例外として提供が可能である．

　第三者提供に関するオプトアウトとは，本人の求めに応じて個人データの第三者への提供を停止することを条件に，本人の同意がなくても第三者提供を許容する制度である．オプトアウトによる第三者提供が認められるためには，①第三者への提供を利用目的とすること，②第三者に提供される個人データの項目，③第三者への提供の方法，④本人の求めに応じて第三者への提供を停止す

134）宇賀克也『個人情報保護法の逐条解説』（有斐閣，第6版，2018）148-149頁．

135）わが国の個人情報保護制度で個人情報の利用全般について，本人の意思の反映や正当化事由を求めなかった背景には，制度設計上の制約もあったと考えられる．このような制度を採用すると，どのような場合に正当化事由を認めるかといったことについて，規制機関の裁量を一定程度は認めざるを得ない．EUにおいて個人データの処理全般に正当化事由を求める制度が機能しているのは，独立の専門監督機関がこうした判断をある程度一元的に行っていることによる．規制機関が複数になる従来の主務大臣制のもとで，このような行政規制を導入することは法の安定性を損なう危険がある．ただし，今回の法改正によって，わが国にも独立の監督機関として個人情報保護委員会が設置されており，専門性の高い監督機関としてこうした判断を行うことが期待できるようになっている．

ること，⑤受付方法，をあらかじめ本人に通知するか，容易に知り得る状態に置いており，個人情報保護委員会に届け出ることが必要である．共同利用は，「個人データを特定の者との間で共同して利用する場合であって，その旨並びに共同して利用される個人データの項目，共同して利用する者の範囲，利用する者の利用目的及び当該個人データの管理について責任を有する者の氏名又は名称について，あらかじめ，本人に通知し，又は本人が容易に知り得る状態に置いているとき」に許される．共同利用者の範囲を一定程度明確にする必要があり，その変更には本人の同意が必要となる．なお，2015年の個人情報保護法改正によって，一定の条件のもとで適正な匿名加工を行うことによって，本人の同意がなくても第三者提供等を可能にする制度（匿名加工情報の制度）が整備されている．

▶リスト販売事業者対策

　個人情報保護法の見直しが議論されている間にベネッセ顧客情報流出事件が起き，不正に流出した個人情報が，リスト販売事業者（いわゆる名簿屋）に売却され流通していたことが注目された．そのため，このような不適切な個人情報の流通を防ぐために，2015年改正では新たな規制が導入されている．

　まず，個人データの第三者提供を行う者には，「当該個人データを提供した年月日，当該第三者の氏名又は名称その他の個人情報保護委員会規則で定める事項に関する記録」の作成と一定期間の保存が義務づけられる（第25条）．そして，第三者から提供を受け取る者にも，提供者の氏名・名称および住所（法人の場合は代表者の氏名）と当該個人データの取得の経緯を確認し，記録・保存することが義務づけられている（第26条）．これは，個人データのトレーサビリティを確保するための規制である．また，リスト販売事業者の多くは，個人情報保護法違反とされないために，オプトアウトの規定を根拠に第三者提供を行っていると考えられるため，オプトアウトの手続きに個人情報保護委員会への届け出を義務づけている．

　さらに，不正な利益を図る目的での個人情報データベース提供罪の規定が新設され，個人情報取扱事業者やその従業者等による，個人情報データベース等の不正な利益を図る目的での提供・盗用を処罰の対象としている（第83条：1年

以下の懲役または50万円以下の罰金）.

► グローバル化対応

　2015年改正では，社会や企業におけるグローバル化の進展に対応するために，個人情報の国際的な流通に関する規定を設けている.

　まず，個人情報取扱事業者の義務等の規定について，日本国内にいる者の個人情報を商品やサービスの提供に関連して取得しているのであれば，外国においてこの情報を取り扱う場合についても適用することを明らかにし（第75条），個人情報保護委員会が外国の個人情報保護当局に対して情報提供を行い得ることなども定めている（第78条）. ただし，外国の事業者に関しては，報告徴収，立入検査，命令などの規定は，適用対象となっていない.

　さらに，個人情報取扱事業者による国外の第三者への個人データ提供を制限する規定が設けられている（第24条）. 具体的には，わが国と同等の水準にあると認められる個人情報保護の制度を有している国であると個人情報保護委員会規則が定める国の第三者か，個人情報取扱事業者が行わなければならない措置を講じることができる体制（委員会が基準を策定）を整備している第三者以外への提供には，オプトアウト，委託先への提供，事業承継，共同利用に関する例外も適用されず，原則として本人の同意が必要となる.

3-4-3　行政機関と個人情報保護

► 行政機関個人情報保護法

　行政機関が保有する個人情報については，民間部門の個人情報よりかなり早くから検討されており，1988年には「行政機関の保有する電子計算機処理に係る個人情報の保護に関する法律」が制定されている. そして，2003年にわが国の個人情報保護のあり方に関する基本法である個人情報保護法が成立したのを受けて改正がなされ，行政機関個人情報保護法が成立している. さらに，2015年の個人情報保護法改正を受けて，要配慮個人情報や匿名加工情報に対応する規制を整備するなどの改正が行われている.

　行政機関個人情報保護法では，法が対象とする個人情報を，行政機関が保有

図表3-11	行政機関個人情報保護法の義務規定(概要)

対象情報	義務規定
個人情報 (個人情報保護法と同じ)	個人情報の保有の制限等 (第3条)，直接書面で取得する場合 (電磁的記録を含む) の利用目的の明示 (第4条)
保有個人情報 (行政文書に記録されている個人情報)	正確性の確保 (第5条)，安全確保の措置 (第6条)，従事者の義務 (第7条)，利用及び提供の制限 (8条)，本人からの求めに対して開示，訂正，利用停止等に応じる義務 (第12-41条)
個人情報ファイル (体系化された保有個人情報)	個人情報ファイルの保有等に関する事前通知 (第10条)，個人情報ファイル簿の作成及び公表 (第11条)

出典：行政機関個人情報保護法の条文をもとに作成

する個人情報 (個人情報保護法と同じ)，保有個人情報 (行政機関職員が職務上作成・取得して組織的に利用するために行政機関が保有している個人情報のうち「行政文書」に記載されているもの)，個人情報ファイル (一定の体系化をされた保有個人情報) に区分して，それぞれ取扱いに関する義務を規定している.

　行政機関による個人情報の保有は，法令に定める所掌事務を遂行するために必要な場合に限って許され，その利用目的をできる限り特定することが求められる (第3条第1項). 個人情報のうち保有個人情報については，情報セキュリティに関する対応が義務付けられており，本人からの求めに応じて開示，訂正，利用停止に応じることが求められている. 個人情報ファイルを保有する場合には，総務大臣に対する通知や個人情報ファイル簿の作成が義務づけられている. エンフォースメントに関する規定としては，開示・訂正・利用停止に関する不服申立て (第42 -44条)，行政機関の職員に対する罰則 (第53 -56条) がある.

　2015年の個人情報保護法改正を受けて，要配慮個人情報 (個人情報保護法と同じ) と行政機関非識別加工情報 (個人情報保護法の「匿名加工情報」) に関する規定が追加されている. 個人情報ファイルに要配慮個人情報が含まれる場合には，総務大臣にその旨を通知することが求められている[136]. また，個人情報ファイルから行政機関非識別加工情報を生成して事業に利用したいと考える事業者は，その情報を保有している行政機関の長に対して提案をすることができる.

---

[136] 行政機関による個人情報の保有は法定の目的に限られるため，要配慮個人情報についても本人の同意は求められていない.

なお，1988年に国の行政機関を対象とする法律が整備される以前から，個人情報保護条例を制定している自治体があり，現在ではほぼすべての自治体で個人情報保護条例が制定されている[137]．各地方自治体の条例も個人情報保護法の規定に適合するように，個別に改正等が行われている．

　行政機関および地方自治体に関する個人情報については，官民を含めて個人情報保護に関する規制をより整合的な制度にするために，民間の規制との一元化等が必要ではないかという議論がある．

▶ 住基ネット

　わが国では，住民に関する基本的情報を行政が把握する基礎的な情報として，住民基本台帳が整備されている．住民基本台帳は，住民に関する事務処理の基礎となる情報として，住民の居住関係の公証，選挙人名簿の登録，国民健康保険・国民年金の被保険者資格の管理，学齢簿の作成等に利用されてきた．各市町村において，住民票を世帯ごとに編成して作成している．

　住民基本台帳は従来からコンピュータ処理がされていたが，入力および利用は各市町村で独立しており，例えばある市町村が保有する住民票の情報を，他の自治体や行政機関が事務処理を行う際に利用することはできなかった．住基ネットと呼ばれるシステムは，この住民基本台帳のデータベースを全国ネットワーク化するものである．住基ネットとしてネットワーク化される情報は，住民基本台帳に記載されている氏名，生年月日，性別，住所の4情報と，住基ネットを管理するための住民票コード（各住民ごとに付与される11桁の番号）である．全国共通の本人確認基盤を提供することで，行政事務の効率化や行政サービスの利便性向上を図ることを目的としており，利用の範囲はその目的に合致する範囲内で法令等により定められている．

　1999年8月の住民基本台帳法改正によって住基ネットの構築が進められることになった．2002年8月から第1次サービスが開始され，パスポート申請時の住民票の写しの添付および共済年金受給者の現況届の廃止が実現した．2003年8月には，第2次サービスとして住民票の写しの広域交付，転入転出手

137）夏井高人・新保史生『個人情報保護条例と自治体の責務』（ぎょうせい，2007）105-109頁．

続の簡素化，希望者に住民基本台帳カードの交付が行われるようになり，2004年1月には，住基ネットを活用した公的個人認証サービスが開始されている．

　住基ネット以前から，国民一人一人にユニークな番号を付与するいわゆる共通番号制度に対しては反発があった[138]．住基ネットに対しても，プライバシーなどの観点から強い反対があったことはすでに述べたとおりである．住基ネットが導入されると，住民の同意や承諾なく住民基本台帳の情報が住基ネットに本人確認情報として提供されることなどに反対して，数多くの訴訟が提起された[139]．特に，住基ネットの運用が憲法上保障されるプライバシー権を侵害するものであるとして，住基ネットからの離脱を求めている裁判では，下級審において住基ネットの違憲性を認める判決が注目された[140]．これらの裁判例では，憲法上保障されるプライバシー権には自己情報コントロール権が含まれるかどうかと，住基ネットで利用される情報がこの対象となるかどうかが争点になっている[141]．最高裁は，「行政機関が住基ネットにより住民である被上告人らの本人確認情報を管理，利用等する行為は，個人に関する情報をみだりに第三者に開示又は公表するものということはできず，当該個人がこれに同意していないとしても，憲法第13条により保障された上記の自由を侵害するも

---

[138] 住基ネット以前に検討された番号制度として，グリーン・カード（少額貯蓄等利用者カード）がある．少額利子所得非課税制度（マル優制度）において本人確認や名寄せが正確にされていない問題を解決するために制度の利用希望者に交付するものであり，1984年1月導入をめざし1980年3月に法律が成立している．しかし，金融機関からの資金流出などが起こり経済が混乱するおそれがでたことから実施が延期され，その後も国民の懸念が高まったため，1985年に法律が廃止されている（森信茂樹・河本敏夫『マイナンバー』金融財政事情研究会（2002年）41-42頁）．

[139] 住基ネットからの離脱を求めるもののほかにも，人格権侵害を理由に損害賠償を求めたもの（大阪地判平16・2・27判時1857号92頁判タ1164号123頁：住基ネット訴訟：人格権侵害，大阪高判平18・2・9判時1952号127頁判タ1207号91頁：住基ネット訴訟：人格権侵害等）や，住民票コード付与の取消しを求めたもの（富山地判平16・6・30判例集未登載：住基ネット訴訟：コード取消し1審，名古屋高金沢支判平17・2・23判タ1198号133頁：住基ネット訴訟：コード取消し控訴審等）がある．

[140] 金沢地判平17・5・30判時1934号3頁判タ1199号87頁（住基ネット訴訟：違憲），大阪高判平18・11・30判時1962号11頁（住基ネット訴訟：違憲）．

[141] 右崎正博「住基ネット関連判例の総合的研究」法律時報79巻12号（2007）85-90頁，岡村久道「住基ネット関連判例の研究（上）」NBL814号（2005），岡村久道「住基ネット関連判例の研究（下）」NBL816号（2005）26-36頁参照．

のではない」という判断を示している[142].

▶ マイナンバー制度

　社会保障や税に関する業務は，公平かつ適正に行うことが求められる．そのためには，対象者を漏れなく重なりなく把握することが重要である．対象者の把握を効率的に行うためには，一人一人にユニークなIDを割り当てて管理をすることが有効である．しかし，住基ネットや住民票コードは住民サービスの向上及び行政事務の効率化を目的とするため，こうした目的には利用できないと考えられてきた．

　2007年5月には，社会保険庁のシステム上の年金記録に不備が多く，国民年金の記録5,000万件が誰のものかわからなくなっていることが露呈して国民の非難を浴びている[143]．また，これからの少子高齢化社会に対応するためには，より踏み込んだ社会保障・税の制度改革が必要であると考えられており，所得比例年金や給付付き税額控除等，正確な所得・資産の把握に基づく，より柔軟できめ細やかな社会保障制度・税額控除制度の導入にも期待が寄せられている．さらに，行政事務や効率化とサービスの高度化に情報技術を活用し，いわゆる電子政府を実現するためにも，個々の国民を認証する仕組みの普及が不可欠である．

　このような要請に応えるために，2013年5月に番号法が成立し，2015年10月から国民に社会保障・税番号（マイナンバー）が通知され，2016年1月から行政手続での利用が開始されている．

　一方で，すべての国民に例外なく一人1つずつ番号が割り当てられ，広く利用される番号に対しては，国民からの懸念や反発が予想される[144]．このような番号は，「社会において容易に活用が広まりやすいといった特性を有してい

---

142) 最一小判平20・3・6民集62巻3号665頁判時2004号17頁判タ1268号110頁（住基ネット訴訟：上告審）．住基ネットで管理・利用される情報は，「個人の内面に関わるような秘匿性の高い情報とはいえない」こと，「法令等の根拠に基づき，住民サービスの向上及び行政事務の効率化という正当な行政目的の範囲内で行われている」こと，目的外利用やデータマッチングが禁止されていること等が，根拠としてあげられている．

143) いわゆる「消えた年金記録」問題として注目された．社会保障については，年金記録の不備の他に，社会保険事務所が不適正な事務処理を行ったとされる問題や，そもそも世代間で受給の不公平が生じるという問題が指摘されている．このうち，年金記録の不備に関しては，保険料の納付者と年金記録を統一的に把握する仕組みがないことが原因の一つであるといわれている．

るため，本人の申告による『番号』のみで本人確認が行われていた米国や韓国等でも成りすまし等の不正な利用が社会問題化している[145]」という指摘もあった[146]．

統一番号は，遺漏や重複がないという点で，他の識別手段にない優位性を持つ．こうした便利な番号があると本人確認や個人情報管理がすべてこれに紐付けられて行われやすくなる[147]．具体的には，①番号利用の拡散（誰もが「番号」を利用するようになることで，常に番号と紐付けた個人情報の収集が行われるようになること）と，②データベースの集中（番号をキーとして個人情報が名寄せ・突合され，個人に関する情報のデータベースがさらに巨大化すること）によって，「個人情報の追跡・突合に対する懸念」や，「財産その他の被害への懸念」が，現実的なものになる可能性がある．

これらの懸念を踏まえ，マイナンバーの利用は，社会保障，税，災害対策の手続に限定され，法律で定められた目的以外の取得・利用・提供が禁止されて

---

[144] 社会保障・税番号制度によって国民の間に生じ得る懸念を「社会保障・税番号大綱」では，①国家管理への懸念，②個人情報の追跡・突合に対する懸念，③財産その他の被害への懸念の3点にまとめている（社会保障・税に関わる番号制度に関する実務検討会「社会保障・税番号大綱」（2011年6月30日）15-16頁）．

[145] 社会保障・税に関わる番号制度に関する実務検討会「社会保障・税番号大綱」（2011年6月30日）14-15頁．

[146] 米国（社会保障番号（SSNs：Social Security Numbers））や韓国（住民登録番号）では，本人確認の手段として，本来の目的である社会保障以外の行政事務にはもちろん，民間の企業にも広く使われている．例えば米国では，就職するとき，銀行口座を開設するとき，アパートを借りるとき，その他さまざまな場面で社会保障番号の提示が求められる．一方で，フィッシング詐欺をはじめとするID窃盗により，社会保障番号が盗まれることが多く，これが本人確認手段として悪用されるために被害が広がっている面もあるという（http://www.epic.org/privacy/ssn/）．このように番号の弊害が問題となるのは，本人確認の手段として実質的に番号の利用を強いられる実態があるからである．

[147] 本人確認には本来，本人性要素（写真，生体情報，パスワード，電子署名等）を含む証明書が必要であり，番号で本人確認をすることはできない．しかし，提示された番号と登録されている住所氏名などが合っていれば，本人が提示しているはずだという安易な運用がされる可能性がある．そのように本人確認に代用されることで，利用はさらに拡大する．他の情報との併用・連結や，「番号」の利用が拡大・一般化すると，他の手段は面倒で非効率なため，実質的に「番号」の提示を余儀なくされるようになる．これによってさらに番号に紐付けて収集される情報は拡大し，ひとたび番号をキーとしてマッチングが行われれば，膨大なデータベースができあがる．また，番号と無関係に自分を認証してもらうことができないため，一度紐付けられた情報によって差別等を受ける危険も高まり，それを事後的に排除することが難しくなる．さまざまな用途でID代わりに使われている番号は，他人に悪用されると被害が甚大になり回復が難しい．また，社会に利用が浸透した後では，他の手段への変更も容易ではなくなってしまう．

いる（番号法第19条，第20条等）．また，個人情報保護法と同様の安全管理措置義務等に加え，委託先については委託元の同意がなければ再委託が行えないことなどが定められている（第10条第1項）．そして，適正な運用が行われることを保障するために，政府から独立した第三者機関である特定個人情報保護委員会が設立され，監視・監督を行うことになった．なお，特定個人情報保護委員会は，2015年の個人情報保護法改正によって個人情報保護委員会に改組されている．また，特定個人情報保護評価（いわゆるPIA：Privacy Impact Assessment）の制度が導入され，行政機関の長等は，マイナンバーを取り扱う場合に事前に具体的な実施手順について自ら評価を行い公表するとともに，特定個人情報保護委員会の承認を得なければならない（第27条）．さらに，不適正な利用や不正取得に対しては罰則が設けられている（第67-77条）[148]．

　ところで，マイナンバーは，「個人番号カード（マイナンバー・カード）」の券面に記載することが法定されている．そして，マイナンバー・カードは，ICチップが装備された本人の写真付の身分証明書カードであり，ICチップを用いた認証機能によって，チケット購入，ネットオークション，オンラインバンキング，オンライントレードなども含めて，広く本人の確認・認証に利用することが期待されている．その一方で，カードの券面に記載される番号の利用は番号の拡散を防ぐために原則として禁止されている（法定の利用目的に限定）．マイナンバー自体の利用目的を拡大することが検討されているのは，戸籍事務，旅券事務，在外邦人の情報管理業務，証券分野等の公共性の高い業務に限られる．

　つまり，マイナンバー・カードを本人確認・認証のために利用する際には，マイナンバーは利用しないというのが，制度の基本的な考え方である．そのためもあって，番号はカードの裏面に記載されている．矛盾する要請に応えるために，一般には理解が難しい制度になっていることは否めない[149]．

148）番号法の解説としては，水町雅子『逐条解説マイナンバー法』（商事法務, 2017），宇賀克也『番号法の逐条解説』（有斐閣, 2014）等がある．
149）「マイナンバー・カードにはマイナンバーが記載されていても，身分証明書として使うときには，番号は見せてはいけない」とか，「マイナンバー・カードの本人認証には，マイナンバーは使わない」というのは，相当に無理のある説明である．

3-4-4　諸外国の個人情報保護制度 [150)]

▶米国の個人情報保護制度

　米国では，1970年に現代的プライバシー権立法化のはしりとされる「公正
信用報告法 [151)]」が，1974年には「プライバシー法 [152)]」がそれぞれ制定されて
いる [153)]．このうち「公正信用報告法」は個人信用情報を，「プライバシー法」
は連邦政府の保有する個人情報を対象としており，米国においてはこのように
特定の業界や公的機関を対象として，個人情報の利用を規制するというアプ
ローチが取られている．このように，公的部門と民間部門を別の法律で規律す
る規制の態様は「セグメント方式（分離方式）」，民間の特定分野ごとに立法を行
う規制の態様は「セクトラル方式（個別分野方式）」と呼ばれる．

　米国の個人情報保護制度においては，基本的にビジネスの自由を重視し自主
規制を尊重する考え方が取られてきたが，近年では，特に消費者プライバシー
に関して，積極的な政策提言や法執行が行われている．例えば，2012年2月に
は米国政府が「ネットワーク社会における消費者データプライバシー：グロー
バル化したデジタル経済において，プライバシーを保護しイノベーションを促
進するための枠組み」という政策大綱を発表し，2014年5月には「ビッグデー
タ：機会を捉え価値を守る [154)]」を公表している．

　また，消費者プライバシーを所掌する連邦取引委員会（FTC：Federal Trade
Commission）は，2012年3月に「急変する時代の消費者プライバシー保護：事
業者及び政策立案者向けの勧告 [155)]」という報告書を取りまとめている．FTC
法第5条は，「商業活動に関わる不公正な競争手段と，商業活動に関わる不公
正または欺瞞的な行為または慣行は，違法であることがここに宣言される [156)]」

[150)]　諸外国における最近の動向を詳細かつ網羅的に紹介したものとして，石井夏生利『個人情報保
　　護法の現在と未来─世界的潮流と日本の将来像』（勁草書房，新版，2017）がある．
[151)]　Fair Credit Reporting Act of 1970, 15 U.S.C. § 1681.
[152)]　Privacy Act of 1974, 5 U.S.C. § 552a.
[153)]　堀部政男『現代のプライバシー』（岩波書店，1980）19頁以下，堀部政男『プライバシーと高
　　度情報化社会』（岩波書店，1988）21頁以下を参照．
[154)]　Whitehouse, BIG DATA：Seizing Opportunities, Preserving Values, May 2014.
[155)]　FTC,Protecting Consumer Privacy in an Era of Rapid Change, March 2012.
[156)]　15 U.S.C. § 45 (a) (1).

と規定しており，この規定がFTCによる消費者プライバシー保護規制の根拠となっている．

どのような情報の利用が「不公正または欺瞞的な行為または慣行」として禁止されるのかは，情報の取得形態，利用形態，利用目的の周知公表状況，同意取得やオプトアウトの有無等を考慮して個別に判断されているものと考えられる．FTCは法執行についても多くの実績がある．ITサービスに関するものとしては，十分な情報セキュリティ対策を行っていなかったことや，自社のプライバシー・ポリシーや利用規約で個人情報の利用を拒否できるかのように記述しているにもかかわらず対応を十分にしていなかったことなどを問題としているケースが多い[157]．

連邦制を採る米国では，各州の州法がプライバシーや個人情報に関するルールを定めている場合も多い．特にカリフォルニア州は，州憲法に「プライバシー権」をかかげ，積極的なプライバシー保護政策を進めてきたことで知られている．最近では，2018年消費者プライバシー保護法（CCPA）[158]が，包括的に消費者の個人情報を保護する立法例として注目されている．この法律では例えば，消費者が事業者に対して個人情報の消去や利用停止（オプトアウト）を求める権利などが定められている．

プライバシー意識が高まるなかで，他の州や連邦レベルでも個人情報保護制度の導入が議論されている．ただし，米国の制度は，基本的に個人情報の利用によって生じうる弊害の除去にフォーカスしたプラクティカルな保護制度である．個人情報の利用をあらかじめ制限するのではなく，利用規約違反を問題としたりオプトアウト（利用停止請求等）を認めたりすることで本人の意思を反映しようとしていることにも，そのような特徴があらわれている．

---

[157] FTCの規制について解説したものとしては，クリス・フーフナグル（宮下紘他訳）『アメリカプライバシー法―連邦取引委員会の法と政策』（勁草書房，2018）がある．法執行に関しては，小向太郎「米国FTCの消費者プライバシーに関する法執行の動向」堀部政男編『情報通信法制の論点分析』（商事法務，2015）151-162頁も参照．

[158] California Consumer Privacy Act of 2018, https://oag.ca.gov/privacy/ccpa

► 欧州の個人情報保護制度

欧州諸国では，スウェーデンの1973年データ法をはじめとして，多くの国で，官民を問わず個人情報全般を対象とする法律が制定されてきた．このようにひとつの法律で国・地方公共団体等の公的部門と民間部門の双方を対象とする法律は，「オムニバス方式」と呼ばれている[159]．オムニバス方式の法律を置く国では，専門の監督機関を置いて監督を行うことで規制の実効性を担保していることが多い．

欧州連合 (EU：European Union) においては，構成国における個人情報保護レベルの調和・統一によって，より実質的な個人情報の保護を図るための検討が行われてきたが，1995年10月24日に「個人データ処理に係る個人の保護及び当該データの自由な移動に関する欧州議会及び理事会の指令 (EU個人データ保護指令)[160]」が採択されている．この指令は，広く個人情報一般を保護の対象として，EU域内で求められる個人情報保護のレベルを定め，構成国にこれに応じた立法を求めるものである．

さらに，2016年5月には，EU域内の個人情報保護をさらに確保するために「個人データの取扱いに係る個人の保護及び当該データの自由な移動に関する欧州議会及び理事会の規則 (一般データ保護規則：GDPR)」が採択され，2018年5月から施行されている．構成国に立法を求めるものであった「指令」から，直接適用される「規則」に変更されるとともに，規制内容が強化されている．

GDPRの導入にあたっては，特に透明性の確保が重視された．情報技術の進展によって人々の行動履歴の把握が容易になり，利用者等があまり意識することなく情報を収集されていることが多くなり，情報が思いがけず使われる懸念も大きくなっている．これによって，自分の個人データがどのように利用されるのかをできるだけ把握できるようにすること，つまり透明性の向上が，より重要性を増しているからである．

---

[159] 榎原猛編『プライバシー権の総合的研究』(法律文化社，1991) 251頁以下，堀部政男「情報公開プライバシーの比較法」堀部政男編『情報公開・プライバシーの比較法』(日本評論社，1996) 5頁以下を参照．

[160] 95/46/EC of 24 October 1995 on the protection of individuals with regard to the processing of personal data and on the free movement of such data.

図表3-12 GDPRで新たに追加される制度の例

条文	規定	概要
第17条	消去権 (忘れられる権利)	一定の場合に，データ管理者に対して自己に関する個人データの消去を求める権利
第20条	データ・ポータビリティ権	データ管理者に提供した個人データを，他のデータ管理者に移す権利 (SNSやクラウドを想定)
第22条	プロファイリング規制	法的効果を生じる決定や，本人にとって影響の大きな決定を，プロファイリング等の自動手段によって行なわれない権利
第33条 第34条	データ侵害通知	漏洩等のデータ侵害が生じた場合の規制機関に通知と，本人に高いリスクをもたらす場合の本人への連絡の義務付け
第35条	データ保護影響評価	高いリスクや影響が懸念される個人データの取扱いについて事前のデータ保護影響評価を義務付け
第83条	制裁金制度	2,000万ユーロまたは前年度世界売上の4%のいずれか高い方を最高額とする行政制裁金

出典：GDPRの条文をもとに作成

　GDPR第6条は，個人データの処理のすべての過程について，その処理を適法化する根拠を求めている．個人データが適法とされるためには，(a) 本人の同意，(b) 契約等の履行のための必要性，(c) 法的義務，(d) 生命に関する利益，(e) 公共の利益・公的権限の遂行，(f) 適法な利益，のいずれかの適法化根拠が必要となる[161]．そして，適法化根拠は，各個人データについて，利用目的ごとに，明らかにしなければならない．

　さらにGDPRには，個人データ保護に関する新たな懸念に対応するために，(図表3-12) のような新たな制度が盛り込まれており，さまざまな方法で透明性を高め，本人によるコントロールを確保しようとしている[162]．

　また，EU個人データ保護指令は，EUが十分なレベルの保護と認めた国以外の第三国 (いわゆる「十分性の基準」を満たさない第三国) への個人データの移転は許されないという立場を取っていた[163]．そして，GDPRでは，十分性が認められるための要件が詳細化されるなど，関連の規定が明確化されている．なお，日本とEUの間では，相互に個人情報保護が十分な国と認める方向で検討

[161] 個人データの処理に適法化根拠を求める規定は，EU個人データ保護指令第7条にすでに定められている．
[162] GDPRに関しては，小向太郎・石井夏生利『概説GDPR―世界を揺るがす個人情報保護制度』(NTT出版，2019) を参照．

図表3-13 OECDプライバシー8原則

a 収集制限の原則	個人データの収集には制限を設けるべきであり，いかなる個人データも，適法かつ公正な手段によって，かつ適当な場合には，データ主体に知らしめ又は同意を得た上で，収集されるべきである．
b データ内容の原則	個人データは，その利用目的に沿ったものであるべきであり，かつ利用目的に必要な範囲内で正確，完全であり最新なものに保たれなければならない．
c 目的明確化の原則	個人データの収集目的は，収集時よりも遅くない時点において明確化されなければならず，その後のデータの利用は，当該収集目的の達成又は当該収集目的に矛盾しないでかつ，目的の変更ごとに明確化された他の目的の達成に限定されるべきである．
d 利用制限の原則	個人データは，第9条により明確化された目的以外の目的のために開示利用その他の使用に供されるべきではないが，次の場合はこの限りではない． (a) データ主体の同意がある場合，又は， (b) 法律の規定による場合
e 安全保護の原則	個人データは，その紛失もしくは不当なアクセス，破壊，使用，修正，開示等の危険に対し，合理的な安全保護措置により保護されなければならない．
f 公開の原則	個人データに係わる開発，運用及び政策については，一般的な公開の政策が取られなければならない．個人データの存在，性質及びその主要な利用目的とともにデータ管理者の識別，通常の住所をはっきりさせるための手段が容易に利用できなければならない．
g 個人参加の原則	個人は次の権利を有する． (a) データ管理者が自己に関するデータを有しているか否かについて，データ管理者又はその他の者から確認を得ること． (b) 自己に関するデータを，(i) 合理的な期間内に，(ii) もし必要なら，過度にならない費用で，(iii) 合理的な方法で，かつ，(iv) 自己に分かりやすい形で，自己に知らしめられること． (c) 上記 (a) 及び (b) の要求が拒否された場合には，その理由が与えられること及びそのような拒否に対して異議を申し立てることができること． (d) 自己に関するデータに対して異議を申し立てること，及びその異議が認められた場合には，そのデータを消去，修正，完全化，補正させること．
h 責任の原則	データ管理者は，上記の諸原則を実施するための措置に従う責任を有する．

出典：外務省「プライバシー保護と個人データの国際流通についてのガイドラインに関するOECD理事会勧告（1980年9月）（仮訳）」http://www.mofa.go.jp/mofaj/gaiko/oecd/privacy.html/ をもとに作成．

が行われ，2019年1月23日には，欧州委員会が，日本に対する十分性を認める決定をしている[164]．

---

163) EU個人データ保護指令第25条「加盟国は，処理過程にある個人データ又は移転後処理することを目的とする個人データの第三国への移転は，この指令の他の規定に従って採択されたその国の規定の遵守を損なうことなく，当該第三国が十分なレベルの保護を確保している場合に限って行うことができるということを規定しなければならない」．ある国が十分性の基準を満たしているかどうかを判断する基準は，EU個人保護指令29条に基づいて諮問機関として設置されているEU29条作業部会が公表している（WP 12 5025/98）．

► OECDプライバシー8原則

　各国で個人情報保護制度が導入され始めると，制度の違いが経済活動の妨げになるのではないかという懸念が出てきた．経済協力開発機構（OECD：Organisation for Economic Co-operation and Development）では，各国のデータ保護レベルの乖離が弊害となることを避けるべく，1980年9月23日には，「プライバシー保護と個人データの越境流通についてのガイドラインに関する理事会勧告[165]」を採択している．このガイドラインは，プライバシー諸原則に関する初めての国際的合意であり，特にガイドラインの第2部にあたる「国内適用における基本原則」はOECDプライバシー8原則と呼ばれ，グローバル・スタンダードとして参照されることが多い．

　2013年には，ネットやモバイルなどに代表される技術的進歩，国際的なデータ流通の活性化，ビジネスモデルによる組織活動やビジネスモデルの変化，ネット利用などの個人活動の変化などの環境変化に対応するために，ガイドラインの改正が行われている[166]．その際，OECDプライバシー8原則についても議論がなされたが，改訂は見送られ，従来のものが維持された．

　なお，この他にも，プライバシーに関する重要な国際的合意として，欧州評議会「個人データの自動処理にかかる個人の保護のための条約[167]」や，APECプライバシー・フレームワーク[168]等がある．

---

[164]　Joint Statement by Haruhi Kumazawa, Commissioner of the Personal Information Protection Commission of Japan and Věra Jourová, Commissioner for Justice, Consumers and Gender Equality of the European Commission, http://europa.eu/rapid/press-release_STATEMENT-19-621_en.htm

[165]　OECD Recommendation of the Council concerning Guidelines governing the Protection of Privacy and Transborder Flows of Personal Data, C (80) 58 (23 September 1980).

[166]　OECD, C (2013) 79 (Jul.11. 2013). OECDガイドライン改訂については，堀部政男・新保史生・野村至『OECDプライバシーガイドライン』（JIPDEC, 2014）を参照.

[167]　Convention for the Protection of Individual with regard to Automatic Processing of Personal Data, Jan. 28, 1981, CETS No. 108.

[168]　APEC Electronic Commerce Steering Group (ECSG), Privacy Framework, APEC#205-SO-01.2, December 2005.

3-4-5　今後の課題

▶諸外国で導入されている制度

　EUの新たな規制であるGDPRには，個人情報の処理そのものに適法化根拠が求められることを始めとして，消去権（忘れられる権利），データ・ポータビリティ権，プロファイリング規制，データ侵害通知，データ保護影響評価等，わが国には導入されていない先端的な規制が盛り込まれている．これらの規制について導入に向けた検討を行うのかどうかは，今後の個人情報保護制度を考える上での重要な課題である．

　また，インターネットは，現在では青少年にも広く利用されており，インターネット上の青少年保護制度も整備されている[169]．個人情報に関しても，青少年については特別な保護が必要なのではないかという議論がある[170]．

　子供は，個人情報の利用によってどのようなリスクがあるのか，それがどのような結果をもたらすか，どのような保護が受けられるかといったことを理解することが難しかったり，個人情報に関する自身の権利に対する意識が低かったりする場合があるからである．

　わが国の個人情報保護法には，青少年の個人情報に関して特に配慮を求める規定はなく，現在のところ，一般の個人情報と同様の扱いとなっている．青少年や子供が個人情報に関して危険にさらされるリスクは，わが国でも高まっていると考えられ，特にそのことに対する理解度や意識が高いという事情もない．わが国でもこうした保護の要否について，検討する必要があると考えられる．

---

[169]「3-2-3　青少年保護と有害情報」参照．

[170] GDPRは，SNS等のサービスを子供に直接提供する場合には，13歳未満の子供の個人データの処理は，その子供の親または後見人が同意または許可した場合に限り合法であるとしている（第8条）．また，子供の個人データに関しては消去権を行使できることが特に明記されている（17条）．米国では，1998年に子供オンライン・プライバシー保護法（Children's Online Privacy Protection Act of 1998, COPPA）が制定され，13歳未満の子供向けのWebサイトやオンライン・サービスの管理者と，13歳未満の子供から個人情報を収集していることを現実に認識しているWebサイトやオンライン・サービスの管理者に対して，子供の個人情報を収集，利用，開示する際に，Webサイト上での通知を行い，親から検証可能な同意（verifiable parental consent）を得ることを義務付けている．小向太郎「インターネット上における青少年保護に関する制度の動向」日本大学危機管理学部危機管理学研究所『危機管理学研究』創刊号（2017年3月）116-121頁参照．

► 技術革新と新たな懸念

コンピュータ処理能力の向上と，データ収集可能な情報の増大を背景に，大量のデータが分析・利用されるようになっている[171]．

スマートフォンに代表される携帯端末の普及は，人々の行動履歴の把握を容易にしている．多くの人が，移動中もサイトを見たり，ショッピングをしたり，SNSに投稿したりしている．さらに，端末に搭載された各種センサー(GPS，ジャイロスコープ，加速度計，磁力計，気圧計，周囲光センサー，カメラ，マイク等)は，利用者の周囲の状況を示すさまざまな情報を収集できる．ネットワークに常時接続するこれらの端末は，アプリやOSの設定によっては，利用者に関する膨大な情報をネットワーク経由で送信することが可能になる．

さらに，IoT (Internet of Things) やM2M (Machine to Machine) の進展によって，ネットワークに接続されているあらゆるものからデータが収集される．こうした情報が，ビッグデータ処理やAI技術の発展によって集積処理され，次々と新たな情報が生み出されている．収集利用される情報は今後も一層拡大していくことが予測される．

一方で，こうした技術においては，利用者等があまり意識することなく情報を収集されていることも多い．こうした懸念に対する技術的な方法も含めたアプローチとしては，プライバシー保護技術 (PET：Privacy Enhancing Technology) の活用や，システムやビジネスのライフサイクル全般について十分な評価と検討をしてプライバシーの問題を考えるべきだとする，Privacy by Design[172] という考え方も提唱されている．

このように情報集積が爆発的に増大していくなかで，プライバシーや個人情報保護の制度についても，従来とは違った配慮が必要になってくるのではない

---

171) 情報収集技術の拡大と個人情報保護制度の動向については，小向太郎「データ集積の急増と個人情報の利用目的規制」電気学会論文誌C電子・情報・システム部門誌第137巻6号 (2017年6月) 790-795頁を参照．

172) カナダ，オンタリオ州のプライバシー・コミッショナーであったAnn Cavoukianによって提唱されたコンセプト (ANN CAVOUKIAN, PRIVACY BY DESIGN (2009))．堀部政男／一般社団法人日本情報経済社会推進協会 (JIPDEC) 編『プライバシー・バイ・デザイン―プライバシー情報を守るための世界的新潮流』(日経BP社，2012) 参照．GDPR (第25条データ保護・バイ・デザインおよびバイ・デフォルト) や，FTCの「急変する時代の消費者プライバシー保護」でも，プライバシー・バイ・デザインのコンセプトが採用されている．

かという指摘がある．例えば，EU第29条作業部会の意見書[173]，データ保護プライバシー・コミッショナー国際会議の「IoTに関するモーリシャス宣言」[174]，米国FTCのスタッフ・レポート等[175]が，IoTに関するプライバシー上の問題点について，対応の必要性を訴えている．

こうした議論のなかで，個人情報が自動的に収集されることに起因する懸念としてあげられているものは，主として次のように整理できる．

(1) 自分の情報がどのように使われるのか把握できない

(2) 情報利用を拒否することが難しい場面がある

(3) 人に知られたくない情報が思いがけず使われてしまう

つまり，個人情報保護制度の本来の目的である，①本人の意思に反する利用を抑制することと，②弊害や危険の大きな利用類型を制限することを，制度的に担保することが難しくなっているために，どのように対処すべきかが議論されているのである．

▶基本的枠組みと制度見直し

すでに見てきたように，個人情報保護に関する基本的な考え方は，EU，米国，日本で大きく異なる．

EUでは個人データの処理のすべての過程について，その処理を適法化する根拠を求めており，個人データを処理する場合には，何らかの正当な根拠に基づいていることをきちんと明示しなければならない．個人データの処理は原則として違法であり，本人の同意その他の正当化事由がなければ許されない．いわば，オプトイン型の規制である．

これに対して，米国の制度は，基本的に個人情報の利用によって生じる弊害の除去にフォーカスし，個人情報の利用をあらかじめ制限するのではなく，

---

[173] EU個人データ保護指令第29条に基づく諮問機関．Article 29 Data Protection Working Party, Opinion 8/2014 on the on Recent Developments on the Internet of Things, Adopted on 16 September 2014, WP 223.

[174] 各国の個人情報保護に関する監督機関による議論の場として毎年開催されており，2014年9月のモーリシャスでの会合において，IoTに関するモーリシャス宣言を採択している．36th International Conference of Data Protection and Privacy Commissioners, Mauritius Declaration on the Internet of Things, Balaclava,（2014-10）.

[175] FTC, internet of things, Privacy & Security in a Connected World, January 2015.

事後的に本人の意思を反映させ，弊害が生じた場合に規制を行おうとする．カリフォルニア消費者プライバシー保護法をはじめとする最近の立法では，本人に利用停止請求等を認める傾向がある．つまり，オプトアウト型の規制であるといえる．

　わが国の個人情報保護制度では，個人情報を収集した事業者が，その事業者内で利用する場合には，特に本人の同意その他の正当化事由等は求められておらず，情報の収集と収集した事業者の内部利用に関して自由度が高い制度である．しかし，事後的に利用目的を変更する場合や，個人データの第三者提供を行う場合には，原則として本人の事前同意が必要であるとされている．利用目的変更と第三者提供については，オプトイン型であるが，内部利用については，オプトアウト的な規制もないといってよい．

　2015年改正の議論では，個人情報の定義や匿名加工情報が特に大きな論点となった．これは，ビッグデータ時代に情報を有効活用するために，個人情報の利用目的の変更や第三者提供の自由度を高めてほしいという要請が多かったことによる．ただし，何が個人情報にあたるのかということに議論が集中した背景には，もともと個人情報の内部利用にあまり制約がなく，その一方で事後的な利用目的の変更や第三者提供について本人の同意が必要となるという，個人情報利用に関する自由度のギャップがある．もともと自由に使えると思っていたものについて，本人の同意を取らなくてはならないことになり，同意以外の例外が限定的であるため，不当に厳しい規制であると感じる事業者も多いのである[176]．

　個人情報利用の多様化によって，内部利用についても，本人の意思に反する利

---

[176] わが国の企業が個人情報保護法への対応を考える際に，まず「これは個人情報ではないのではないか」と考える傾向が非常に強いのも，同じ理由であろう．個人情報保護委員会『個人情報の保護に関する法律についてのガイドライン』及び『個人データの漏えい等の事案が発生した場合等の対応について』に関するQ&A」平成29年2月16日（平成29年5月30日更新）では，個人情報該当性に関して，「同姓同名の人もあり，ほかの情報がなく氏名だけのデータでも個人情報といえますか」「住所や電話番号だけでも個人情報に該当しますか」「メールアドレスだけで個人情報に該当しますか」など，「個人情報に当たらないといってほしい」という意図でされたと思われる質問が数多く並んでいる．これをみると，いわば「個人情報じゃないもん病」が蔓延している印象を受ける．これらの質問に対しては，確かに単独では個人情報に該当しないものもある．照合容易性があれば個人情報に該当する等の回答がなされているが，そもそもこうした質問に答える必要があるのか疑問を感じる．

用や弊害や危険の大きな利用が行われる懸念は，大きくなっている．個人情報保護制度の本来の目的は，本人の意思に反する利用を抑制し，弊害や危険の大きな行為類型を制限することで，弊害を予防したり，解消したりすることにある．わが国の個人情報保護制度においても，制度のアンバランスな面や保護が不十分な面は見直していく必要がある．

　なお，個人情報保護法は，時代の変化に対応して定期的に見直しを検討することが，附則（第12条）に定められている．個人情報保護委員会は，2019年から，この見直しの検討を開始しており，2019年11月29日には，「個人情報保護法　いわゆる3年ごと見直し制度改正大綱（骨子）」を公表している．この大綱（骨子）には，次のような項目が掲げられている．

Ⅰ．個人データに関する個人の権利の在り方
　1．利用の停止，消去，第三者提供の停止の請求に係る要件の緩和
　2．開示のデジタル化の推進
　3．開示等の対象となる保有個人データの範囲の拡大
　4．オプトアウト規制の強化
Ⅱ．事業者の守るべき責務の在り方
　1．漏えい等報告及び本人通知の義務化
　2．適正な利用義務の明確化
Ⅲ．事業者における自主的な取組を促す仕組みの在り方
　1．認定個人情報保護団体制度の多様化
　2．保有個人データに関する公表事項の充実
Ⅳ．データ利活用に関する施策の在り方
　1．「仮名化情報」の創設
　2．提供先において個人データとなる場合の規律の明確化
　3．公益目的による個人情報の取扱いに係る例外規定の運用の明確化
　4．個人情報の保護と有用性に配慮した利活用相談の充実
Ⅴ．ペナルティの在り方
Ⅵ．法の域外適用の在り方及び越境移転の在り方
　1．域外適用の範囲の拡大

2．外国にある第三者への個人データの提供制限の強化
　Ⅶ．官民を通じた個人情報の取扱い
　　1．行政機関，独立行政法人等に係る法制と民間部門に係る法制との一
　　　元化
　　2．地方公共団体の個人情報保護制度

　さらに，2019年12月13日には，「制度改正大綱」が公表されており，具体
的な方針が示されている．例えば，「利用の停止，消去，第三者提供の停止の
請求に係る要件の緩和」は，事業者による個人情報の収集と内部利用に関して
自由度が高い現行制度に，本人の意思を反映させる制度を導入しようとするも
のである．この他にも，「域外適用の範囲の拡大（外国事業者に対する，報告徴収・
命令・立入検査等の導入）」や「官民を通じた個人情報の取扱い（公的部門と民間部門
の制度一元化に向けた検討）」などは，個人情報保護制度全体に関わる重要な見直
し項目であるといえる．
　個人情報の重要性が今後ますます増大するなかで，本人の保護が十分になさ
れるような制度整備が求められる．

【著者紹介】

小向太郎（こむかい・たろう）

中央大学国際情報学部教授
早稲田大学政治経済学部卒，中央大学大学院法学研究科で博士（法学）取得
情報通信総合研究所取締役法制度研究部長，早稲田大学客員准教授，日本大学危機管
理学部教授等を経て2020年4月より現職

【主な著書】

『概説GDPR――世界を揺るがす個人情報保護制度』（共著，NTT出版，2019年）
『情報通信法制の論点分析』（共著，商事法務，2015年）
『入門・安全と情報』（共著，成文堂，2015年）
『改訂版 デジタル・フォレンジック事典』（共著，日科技連出版社，2014年）
『規制改革30講　厚生経済学的アプローチ』（共著，中央経済社，2013年）
『ネット・モバイル時代の放送――その可能性と将来像』（共著，学文社，2012年）
『表現の自由II――状況から』（共著，尚学社，2011年）
『プライバシー・個人情報保護の新課題』（共著，商事法務，2010年）
『実践的eディスカバリ――米国民事訴訟に備える』（共編，NTT出版，2010年）
『モバイル産業論――その発展と競争政策』（共著，東京大学出版会，2010年）
『ユビキタスでつくる情報社会基盤』（共著，東京大学出版会，2006年）
『インターネット社会と法〔第2版〕』（共著，新世社，2006年）
『サイバーセキュリティの法と政策』（共著，NTT出版，2004年）
『発信電話番号表示とプライバシー』（共著，NTT出版，1998年）

情報法入門【第5版】デジタル・ネットワークの法律

2008年3月26日第1版第1刷発行
2011年3月29日第2版第1刷発行
2015年3月19日第3版第1刷発行
2018年3月23日第4版第1刷発行
2020年3月30日第5版第1刷発行
2021年4月9日第5版第2刷発行

著者	小向太郎
発行者	長谷部敏治
発行所	NTT出版株式会社
	〒108-0023
	東京都港区芝浦3-4-1　グランパークタワー
	営業担当：Tel. 03-5434-1010　Fax. 03-5434-0909
	編集担当：Tel. 03-5434-1001　https://www.nttpub.co.jp
デザイン	米谷豪
印刷・製本	精文堂印刷株式会社

ISBN978-4-7571-0393-1 C0055
©KOMUKAI Taro 2020 Printed in Japan

乱丁・落丁本はおとりかえいたします．定価はカバーに表示しています．